Terapia Sistemas de familia interna (IFS)

Terapia Sistemas de familia interna (IFS)

Richard C. Schwartz
Martha Sweezy

Traducción del inglés de
Marta Milian i Ariño

LIBRERÍAS:
THEMA: MKMT: Psicoterapia
IBIC: MMJT: Psicoterapia
BISAC: PSY007000. Psicología / Psicología clínica

Título original: *Internal family systems therapy. Second edition*
Copyright © *2020 The Guilford Press.*
© 2020, Richard C. Schwartz y Martha Sweezy
Imagen de cubierta: iStock.com/ La Cassette Bleue

EDITORIAL ELEFTHERIA, S.L.
Sitges, Barcelona, España
www.editorialeleftheria.com
Primera edición: Junio de 2021
Diseño de cubierta: Mauricio Restrepo
Maquetación: M.I. Maquetación S. L.
ISBN (papel): 978-84-122674-5-7
ISBN (ebook): 978-84-122674-6-4
DL: B 9922-2021

Dedico esta segunda edición a mi padre,
Ted Schwartz, ya fallecido, que me enseñó a seguir los datos,
aunque me llevaran mucho más allá de mi paradigma,
y al desaparecido Doug Sprenkle, gran mentor y auspiciador.

—R. C. S.

Dedico los esfuerzos invertidos en este libro a los terapeutas,
orientadores, coaches, *meditadores, mediadores, educadores,*
abogados, empresarios, coordinadores, médicos, exploradores
de lo espiritual, científicos, granjeros, ambientalistas,
investigadores, plantadores de árboles, artistas y ciudadanos de todo
el mundo que están aplicando la IFS personal y profesionalmente.

—M. S.

Sobre los autores

Richard C. Schwartz, PhD, autor del modelo Sistemas de familia interna (IFS, por sus siglas en inglés, *Internal Family Systems*), es profesor adjunto del Departamento de Psiquiatría de la Harvard Medical School. Durante toda su carrera, se ha dedicado a elaborar y difundir la terapia IFS, que actualmente se imparte por todo el mundo. El doctor Schwartz es el fundador del Center for Self Leadership de Oak Park, Illinois, que coordina formaciones en IFS en los Estados Unidos y otros países. Invitado como orador principal en muchas conferencias nacionales, lleva más de 50 artículos y libros publicados sobre la IFS y otros temas en torno a la psicoterapia. Su sitio web es https://selfleadership.org.

Martha Sweezy, PhD, es profesora asistente a tiempo parcial de la Facultad de Medicina de Harvard, consultora de programa y supervisora de Cambridge Health Alliance. Ha sido directora adjunta y directora de formación del programa de terapia dialéctica conductual en Cambridge Health Alliance. Tiene una consulta de terapia y asesoramiento en Northampton, Massachusetts. Le interesa especialmente cómo afectan al comportamiento humano la vergüenza y la culpa. La doctora Sweezy ha publicado varios artículos y libros sobre terapia IFS.

Prólogo

El movimiento de la terapia familiar, que abordaba los comportamientos individuales extremos en el contexto de un sistema más amplio, liberó el ámbito de la salud mental, que pasó a centrarse en el contexto y las relaciones. Los sistemas de familia interna (IFS) van más allá, al considerar la psique un entorno relacional habitado por entidades independientes. La IFS nos lleva a interesarnos por los motores e interacciones de esta población interior, que tiene sus propias historias que contar.

Estas entidades interiores, que yo (R. C. S.) denomino *partes*, son altruistas y su comportamiento no es aleatorio, sino que responde a un motivo. Sus intenciones para con el sistema interno son positivas. Tal como descubrí cuando investigué los sistemas internos de mujeres jóvenes con trastornos de la conducta alimentaria, cuando una parte sufre, el resto suele adoptar roles protectores y sacrificarse por el bien de todo el sistema. Estas partes protectoras se sienten gratificadas cuando reconocemos sus sacrificios y palpablemente aliviadas cuando abordamos lo que les preocupa. Sin embargo, para quienes estamos muy influenciados por la cultura occidental, una actitud de aceptación y gratitud hacia los protectores a ultranza no es intuitiva. En la novela *Night Secrets* (1990), el héroe de Thomas Cook describe su experiencia con un crítico interno:

Notaba como la burbuja malvada crecía en su interior, esa que lo volvía todo un poco más vacío de lo que ya estaba. [...] Ahora avanzaba hacia él, surgida de la nada, como si no necesitara que la convocara algo en particular, sino que se limitara a ocupar su lugar como una presencia siempre turbadora, que no dejaba de refunfuñar y acusarle por el modo en el que había vivido su vida. A veces sospechaba que todo el mundo debía albergar un espectro de esa clase, pero entonces veía a una pareja reír en un restaurante, a un padre jugar con su hija en el parque o hasta a alguna anciana solitaria leyendo tan tranquila un periódico sentada directamente en los escalones de cemento desnudos de su porche, y le parecían personas que de alguna forma habían eludido la zarpa de un perseguidor despiadado, habían cerrado la puerta y echado el cerrojo justo a tiempo para que la sombra se quedara resoplando en el rellano. (pp. 161-162)

Para este personaje, su crítico es una fuerza misteriosa y siniestra, hostil y fuera de control. No obstante, como ilustraremos a lo largo de este libro, hasta los protectores implacablemente hostiles se autosacrifican. Al héroe de Cook lo tenía sometido un crítico interno que, si lo entrevistáramos, diría que sólo pretendía protegerlo a «él» (esto es, a la parte joven vulnerable a la que protege). Si le preguntáramos cómo le protegía, tal vez respondería que trataba de avergonzarle para que se corrigiera y mejorara, y que así estuviera a salvo de críticas externas en el futuro; o quizá aseguraría que intentaba minar su seguridad en sí mismo, para que no se arriesgara y no sufriera. Por último, al preguntar a ese crítico si se daba cuenta de lo irónico que era pretender avergonzar a alguien para impedir que le avergonzaran, se quedaría estupefacto y desarmado, porque resultaría ser casi tan joven como la parte a la que quería proteger.

Aunque el propósito de los críticos severos es resguardar la seguridad del cliente controlándole e inhibiéndole, invariablemente desatan resistencia en otros protectores, que contrarrestan la inhibición con comportamientos desinhibidos, como la ingesta compulsiva de comida o alcohol, la automutilación y el suicidio. A pesar de que los conflictos posteriores entre los inhibidores proactivos y los desinhibidores reactivos pueden causar estragos en la vida de un individuo, son bastante eficaces a la hora de mantener las partes heridas —el núcleo de la vulnerabilidad de un cliente— ocultas a la vista y a la mente. Los clientes bulímicos son un buen ejemplo de esta dinámica. Su vida interior se caracteriza por la relación entre los críticos internos, que escrutan el peso y el aspecto amenazadoramente, y las contrapartes reactivas, que reclaman indulgencia (Catanzaro, 2016). Si sacamos de contexto a este crítico, fácilmente podríamos imaginar que representa la naturaleza esencial de una parte, o que no es más que la interiorización de un progenitor crítico, al igual que podríamos creer que un adolescente bulímico sólo tiene un trastorno si lo consideramos aisladamente, fuera del contexto de su sistema familiar. No obstante, si preguntamos a la parte por qué critica al cliente, contestará que le preocupa que las consecuencias sean catastróficas si deja de hacerlo: comerá compulsivamente, engordará y será aún menos digno de amor; su rabia alejará a la familia; no podrá con tanta tristeza, se quedará en la cama y estará completamente solo. En este contexto, las críticas internas crueles tienen una justificación clara. El crítico está tratando de manejar una amenaza subyacente que los demás tal vez no vean. Para ser creíble, toda oferta de ayuda debe poder zanjar esa amenaza. Tal como exponemos en este libro, la terapia IFS nos guía para poder comprender en profundidad y ofrecer ayuda creíble al crítico y al resto de innumerables partes que habitan los mundos internos de nuestros clientes, algunos de los cuales anhelan transformarse, pero están atrapados en roles extremos y destructivos.

La segunda edición

En los 25 años transcurridos desde la primera edición publicada de *Terapia sistemas de familia interna*, el colectivo de terapeutas de IFS ha aumentado y el modelo de psicoterapia IFS ha evolucionado. Por lo tanto, más del 60 % de esta edición es nuevo. Además de actualizar la pauta de utilización del IFS con pacientes individuales, parejas y familias, el nuevo material pretende articular el conocimiento acumulado en casi cuatro décadas de aplicación de la IFS en la labor de primera línea en salud mental, con un amplio abanico de poblaciones y diagnósticos, que van del trastorno por estrés postraumático, la ansiedad y la depresión a los trastornos de la conducta alimentaria y las adicciones.

Esta nueva edición puede servir de guía completa para los terapeutas que quieran emplear la IFS. En sus 20 capítulos enumeramos, mostramos, aclaramos y concretamos los matices e implicaciones de conjugar el conocimiento del Self —sabia sede de la consciencia y fuente de liderazgo interno— y el conocimiento de nuestra multiplicidad psíquica. Estos capítulos ilustran técnicas con diálogos de muestra, en ejemplos de casos comentados, e incluyen muchas tablas que resumen los puntos clave. Se dividen en cuatro apartados.

El primer apartado, que contiene cuatro nuevos capítulos, resume la terapia IFS, desde los orígenes hasta los fundamentos conceptuales. Los nuevos capítulos de la primera parte abordan temas como las experiencias que me hicieron (R. C. S.) replantearme lo que sabía de la mente; el Self, que según la IFS es donde se aloja la consciencia humana; la importancia de la IFS para el cuerpo, y el papel del terapeuta en la IFS. Entre los capítulos notablemente revisados de la primera parte, hay uno dedicado a los individuos como sistemas y otro sobre la naturaleza de las cargas, o limitaciones, que atan y el acto crucial de la liberación.

La segunda parte brinda un examen minucioso de los pasos y las estrategias del tratamiento individual con la IFS. Este material se ha reestructurado por completo e incluye siete capítulos ilustrados con casos. Cuatro capítulos abordan los primeros pasos que los terapeutas de IFS dan para trabar amistad con las partes protectoras. Los otros capítulos abarcan las polarizaciones de los protectores, la descarga de exiliados y la ejecución sin riesgos de trabajo interior.

La tercera parte describe la terapia IFS con sistemas mayores, incluyendo tres capítulos ampliamente revisados sobre la terapia familiar IFS, uno nuevo sobre la terapia de pareja IFS y un capítulo actualizado donde reflexionamos sobre la aplicación de los conceptos de la IFS en los ámbitos social y cívico. La cuarta parte incorpora dos nuevos capítulos: uno dedicado a la investigación sobre IFS y otro que resume las «leyes de la física interna», o cómo funcionan las cosas en el universo de la psique. Por último, hemos incluido un glosario de los términos empleados en el libro para ayudar a los lectores a la hora de iniciarse en el modelo.

Agradecimientos

Richard C. Schwartz: En la primera edición, escribí: «Para reconocer como es debido mi deuda con las personas cuya ayuda e ideas han contribuido al modelo de sistemas de familia interna (IFS) necesitaría un libro entero». Ahora, 25 años después, ese libro sería mucho más extenso. Aquí no tengo espacio para homenajear a todos los merecedores de elogio por haber influido en la IFS durante las tres décadas y media transcurridas desde que emprendí este viaje. Ya es un importante movimiento psicoterapéutico, con una vasta bibliografía de libros y artículos (ver https://selfleadership.org). Estoy profundamente agradecido a todos los autores, así como a los muchos formadores, colegas y estudiantes del IFS que han hecho aportaciones especiales a este terreno. Es un gran alivio poder compartir la responsabilidad de hacer llegar el IFS al mundo con tantos talentos.

Ahora bien, sería una negligencia por mi parte no mencionar el nombre de unas cuantas personas. Para empezar, quiero dar las gracias a mi coautora, sin la cual esta segunda edición no existiría. Llevaba muchos años intentando sin éxito escribirla, me sentía constantemente desbordado por la tarea, hasta que le pedí a Martha que me ayudara. No sólo es una maravillosa escritora que ha coeditado y coescrito otras obras importantes sobre la IFS; además, ha ordenado, aclarado y aportado muchas ideas a este proyecto abrumador.

En segundo lugar, tengo la fortuna de que mi esposa, Jeanne Catanzaro, sea una terapeuta IFS de gran talento, con quien nunca dejo de intercambiar ideas, y que ha conformado la IFS moderna en muchos aspectos. En tercer lugar, mi hermano Jon ha supervisado con tal habilidad el crecimiento exponencial del centro de formación en IFS, el Center for Self Leadership, que he podido dedicar gran parte de mi tiempo a empeños de carácter creativo como este libro. Por último, la junta de la Foundation for Self Leadership ha dedicado desinteresadamente incontables horas a patrocinar proyectos de investigación y de otra índole que han dotado a nuestro movimiento de credibilidad y diversidad. Además, Barbara Watkins, de The Guilford Press, nos ha ayudado enormemente en la edición.

Como también dije en la primera edición, el mérito de este modelo corresponde casi todo a mis clientes, aunque no pueda agradecérselo públicamente diciendo sus nombres. Mi principal función sigue siendo la de periodista, registrando todo lo extraordinario que descubren y me cuentan. Imposible valorar el coraje que muchos de ellos han necesitado para adentrarse y permanecer en lo que a veces parecía una cámara interna de los horrores o un pozo de desesperación. Y siguen descubriéndome mi mundo interior y cómo habitarlo de otro modo. Aconsejo a todos los terapeutas dejarse orientar por los clientes a la hora de practicar psicoterapia y de vivir la vida; es una experiencia reveladora y transformadora.

Finalmente, el desarrollo incipiente de la IFS contó con el apoyo y la colaboración de mi exmujer, Nancy; es una madre maravillosa de nuestras tres hijas, Jessie, Sarah y Hali, y tiene mucho que ver con las relaciones sanas que mantienen con sus partes y con sus parejas. Las cuatro se han sacrificado en pro de mi pasión por la IFS y de mi búsqueda en ese sentido, además de estimularlas y aportar su grano de arena.

Martha Sweezy: Sumergirme con Dick en la IFS y su historia me ha sido provechoso y divertido; le doy las gracias por haber pensado en mí. Pero también le agradezco que tenga el valor profesional de liderar desde la retaguardia. Como todo el mundo, sé por experiencia que la psique puede parecerse mucho al laberinto del Minotauro. Para encontrar y sanar a nuestros polluelos heridos, así como a los «monstruos» que los protegen, necesitamos un hilo resistente urdido con audacia y bondad. La IFS me proporcionó ese hilo.

Paso horas interminables sentada al ordenador, mientras mi marido, Rob Postel, entra y sale de la estancia (el dormitorio, el salón), me trae té, llena el frigorífico, comprueba si tengo los ojos vidriosos (*¡Toca salir a caminar!*), paga los recibos, hace la cena, lava los platos, echa gasolina en el coche... y todo sin dejar de esforzarse por encontrar ciudadanos voluntarios y organizar la manera de plantar cientos de árboles para hacer frente al cambio climático en nuestra población. Son muchos los que agradecen su ingenio y generosidad; yo tengo la suerte de ser una de las destinatarias.

Agradezco a nuestra hija, Theo Sweezy, su paciencia, interés y cariñoso apoyo. Aunque ha residido en otra ciudad y no ha tenido que aguantarme pegada al ordenador días y días con este libro, ha convivido anteriormente con mi fiebre escritora, poniendo de su parte una gran tolerancia. Es la bondad personificada.

Por último, quisiera volver a dar las gracias a nuestra editora, Barbara Watkins. Es extraordinaria su habilidad para comprender las sutilezas de nuestro tema y para ayudarnos a entretejer parte del contenido de la primera edición en ésta.

Índice

PRIMERA PARTE

VISIÓN DE CONJUNTO DE LA TERAPIA DE SISTEMAS DE FAMILIA INTERNA

CAPÍTULO 1

El origen de la terapia de sistemas de familia interna

Arrancamos este capítulo introductorio con una breve historia de cómo diseñé (R. C. S.) el modelo de sistemas de familia interna (IFS). Soy el mayor de los seis hijos varones de Genevieve y Ted Schwartz. Ted era un médico académico de gran éxito que hizo varios descubrimientos importantes en el campo de la endocrinología. Posteriormente, fue jefe de Medicina de un gran centro médico de Chicago. Aunque agradezco mucho de lo que me dio, también hubo cargas. Quería que sus hijos estudiaran Medicina, como él, así que yo, al ser el primogénito de los seis, me sentía muy presionado. Sin embargo, yo no tenía (y en gran parte sigo sin tener) una mente científica pura y dura, y en general la escuela no me interesaba, lo que enfurecía a mi padre. Su frustración, expresada mediante arrebatos de desprecio cuando traía a casa las notas, se me fue acumulando en el fondo de la consciencia. Esos episodios me granjearon lo que en este libro denominamos *el peso de la inutilidad*, que iba acompañado del deseo de demostrarle mi valía. Ese deseo llegó a ser un valioso acicate cuando empezaba a intentar articular este modelo de psicoterapia frente a una feroz resistencia.

Mientras fui a la universidad, todos los veranos mi padre me conseguía trabajo de ayudante en la unidad psiquiátrica para adolescentes de su centro médico de Chicago. Mi tarea consistía en llevar a los pacientes a jugar a los bolos, a la piscina o al cine. Así, los chavales y yo nos hacíamos amigos. Los veía mejorar durante aquellos meses, lejos de sus familias, para acabar encontrándomelos otra vez en el hospital al verano siguiente. Como yo trabajaba principalmente los fines de semana, muchas veces me encontraba en la sala de visitas cuando las familias venían a visitarlos y oía a sus padres dar rienda suelta a su indignación por cómo sus hijos abochornaban a la familia. Cuando se iban los padres, yo consolaba a los chavales. También les preguntaba si sus terapeutas hacían algo con respecto a las dinámicas familiares. Respondían que sus terapeutas nunca hablaban con sus familias y pocas veces con ellos mismos. Aunque a veces comentaran lo que significaban los sentimientos o la conducta de los chicos, principalmente se dedicaban a escuchar. Y podían pasar visitas enteras en silencio si un chaval no hablaba. Yo sabía muy poco de psicoterapia, pero tenía claro que ahí algo fallaba. Un verano le tomé especial cariño a una chica encantadora de 16 años que había sido heroinómana. Me contó en confianza que su padre había abusado sexualmente de ella. Un día que sus padres estaban de visita, él se quedó sentado en actitud pasiva mientras la madre despotricaba del daño que el egoísmo de su hija les causaba. La adolescente se suicidó al día siguiente. Sentí muchas cosas, sobre todo furia por la injusticia de lo que le había pasado. Decidí que quería ser psicoterapeuta y hacer mejor las cosas. Un orientador de mi universidad impartía un curso de psicología clínica. En sus clases conocí el enfoque psicoanalítico adoptado en la terapia con estos adolescentes ingresados, incluyendo la justificación para excluir a las familias del tratamiento y mantener a los terapeutas relativamente distantes de los chicos (posteriormente, el psicoanálisis evolucionó y se volvió más relacional e inclusivo con los contextos externos de los clientes). También me presentó algunas terapias que cuestionaban el enfoque psicoanalítico.

Sentía predilección por Carl Rogers y Fritz Perls. Rogers me llamó la atención porque, a diferencia de la postura desapegada de los terapeutas analíticos, su estilo afectuoso y empático apelaba a mi intuición. Me gustaba su idea humanista de que las personas, aunque puedan sufrir heridas, básicamente están sanas. Perls, por otro lado, me pareció un rebelde valiente e indignado que estaba escapando del paradigma analítico. Las emociones deben expresarse y experimentarse, no interpretarse. Su técnica de la «silla vacía», en la que el cliente habla con las partes del «opresor» y «oprimido», que se sientan en una silla vacía enfrente, fue mi primer contacto con la noción de las conversaciones internas.

A pesar del interés que me despertaban Rogers y Perls, me parecía que algo faltaba en sus enfoques. No dejaba de pensar en los padres enfadados atacando a sus hijos, un factor externo que ellos, también, ignoraban. Corría el año 1970 y, sin yo saberlo, un grupo reducido pero creciente de terapeutas había llegado a la misma conclusión años antes y estaba diseñando un nuevo enfoque, llamado *terapia familiar*. Pero tendrían que pasar otros 4 años para que yo supiera de la terapia familiar.

VISIÓN DE CONJUNTO DE LOS SISTEMAS DE FAMILIA INTERNA

La terapia de sistemas de familia interna (IFS) es una síntesis de dos paradigmas: la mente plural, o la idea de que todos contenemos muchas partes diferentes, y el pensamiento sistémico. Con la noción de que los procesos intrapsíquicos constituyen un sistema, la IFS invita a los terapeutas a referirse a todos los niveles del sistema humano —el intrapsíquico, el familiar, el comunitario, el cultural y el social— con conceptos y métodos ecológicamente sensibles, cuyo eje es la comprensión y el respeto de la red de relaciones entre los miembros. La terapia IFS también es colectiva y placentera. Y considera que las personas cuentan con los recursos necesarios, no que tengan déficits o una enfermedad, así que no patologiza. En vez de pensar que las personas carecen de recursos, creemos que tienen mermada la capacidad de recurrir a sus fuerzas interiores debido a unas relaciones polarizadas, tanto en su interior como con quienes las rodean. El propósito de la IFS es ayudarnos a liberarnos de las limitaciones y, al hacerlo, sacar a la luz nuestros recursos.

En el estadounidense Registro Nacional de Programas y Prácticas Basados en la Evidencia (NREFF), la Oficina de Servicios de Salud Mental y Abuso de Sustancias Psicoactivas (SANMHSA) califica la IFS de eficaz a la hora de mejorar el desempeño general y el bienestar; y se considera prometedora con vistas a mejorar las fobias, el pánico, el trastorno de ansiedad generalizada y sus síntomas, las dolencias físicas y los síntomas depresivos. Para aportar un contexto y un trasfondo conceptual del modelo IFS, en este capítulo cuento (R. C. S.) mi historia.

SISTEMAS DE FAMILIA, TERAPIA FAMILIAR

En 1973, había arrancado el movimiento ecologista y me tenía fascinado su énfasis en las interconexiones, que son inherentes al pensamiento ecológico y sistémico en general. Leía a Ludwig von Bertalanffy y Gregory Bateson, sin saber que pocos años antes sus ideas también habían empezado a inspirar a terapeutas familiares. Según ellos, al cambiar un aspecto de cualquier sistema, podían producirse consecuencias imprevistas, indeseadas y a menudo decisivas en los sistemas conectados. Además, los sistemas querrían preservar la «homeostasis». Es decir, un sistema se resistiría a que lo modificaran, sobre todo si se hacía sin tener en cuenta el contexto en que el comportamiento encajaba. A leerlo, comprendí que carecía de sentido pretender que los individuos cambiaran independientemente de su entorno. Cuando supe de un movimiento incipiente llamado «psicología comunitaria», que había incorporado algo del pensamiento sistémico, busqué un programa de posgrado que girara en torno al trabajo con comunidades. Encontré uno cerca, en la Universidad del Norte de Illinois. Allí aprendí tres cosas importantes sobre mí mismo y mis opciones: (1) era demasiado tímido para ser un buen organizador comunitario; (2) el trabajo comunitario tarda mucho en dar fruto, lo cual no iba conmigo, y (3) alguien llamado Earl Goodman, que hacía poco había pasado por el norte de Illinois, impartía un método inspirado en el pensamiento sistémico, denominado *terapia familiar*. Ese método me interesó; podía ser un camino más rápido hacia el cambio.

Inmediatamente me uní a un pequeño grupo de estudiantes que dedicaban muchas horas a observarse entre ellos trabajando con familias; lo hacían desde detrás de un espejo unidireccional, guiados por Earl. Como era poco antes de que se publicaran varios textos seminales de terapia familiar que nos proporcionarían claridad y orientación, andábamos dando palos de ciego, basando las intervenciones en conceptos vagos como homeostasis y chivo expiatorio. Opinábamos que los padres no podían manejar sus propios problemas, por lo que necesitaban a un hijo de chivo expiatorio; tal vez inconscientemente, socavaban los intentos del terapeuta de ayudar al chico, puesto que dependían de los síntomas del chaval para distraerse. El objetivo era ayudar a las familias a dejar de centrarse en el «paciente identificado» y enfocarse en sus dificultades matrimoniales, con lo cual su hijo ya no tendría que protegerlos mostrando síntomas.

Al cabo de algunos logros con esta estrategia, me volví extremista. Nos sentíamos parte de una revolución del conocimiento y el tratamiento de los problemas humanos y, como tales, nos creíamos superiores al resto de profesionales de la psicoterapia. Me convertí en un activista insufrible, que señalaba a las familias los errores en su proceder y en los congresos cuestionaba a los terapeutas psicodinámicos. Al año siguiente se publicaron dos libros que apuntalaron mis desmedidas convicciones: *Families and Family Therapy*, de Salvador Minuchin (1974), y *Change*, de Paul Watzlawick y sus colegas de California (Watzlawick, Weakland y Fisch, 1974).

Después de leer estos libros, leí y releí la obra de los intrépidos que abanderaban la revolución en terapia familiar y vapuleaban el *establishment*. Salvador Minuchin y sus colegas (Minuchin, Rosman y Baker, 1978) aseguraban tener mucha eficacia con la anorexia, una afección considerada muy difícil de tratar. Jay Haley (1976, 1980) también hacía audaces declaraciones por el estilo, al referirse a su labor con jóvenes aquejados de psicosis que no podían salir de casa porque estaban protegiendo a sus familias. Según ellos, el elemento que le faltaba a la psicoterapia era el contexto exterior del paciente. Como ellos, yo estaba convencido de que no hacía falta andar trasteando con los estados internos y los sentimientos, puesto que los clientes lograrían un mayor beneficio terapéutico una vez que reordenáramos sus contextos exteriores. Lo único que las familias necesitaban eran unos límites claros, incluyendo reglas sobre quién interactuaba con quién y cómo, para que los miembros de la familia no estuvieran ni demasiado unidos ni demasiado distanciados entre sí.

Los padres y madres tenían que aliarse y estar al mando. Toda familia necesitaba una jerarquía clara, para que los hijos no tuvieran que preocuparse por sus padres ni ponerse de parte de un progenitor y en contra de otro. Además, en las familias, las creencias que albergaban unos de otros alimentaban patrones repetitivos y problemas con los límites. Eso cambiaría en cuanto el terapeuta «redefiniera» la conducta dañina o misteriosa del hijo como la intención positiva del adolescente de proteger a la familia. Por ejemplo, un padre grita al hijo por ser demasiado tímido, lo que vuelve al chico más retraído. Al cohibirse más el hijo, el padre se frustra más y más, ya no sabe qué hacer, critica más al hijo y así sucesivamente. Creíamos que la dinámica familiar cambiaría si lográbamos convencer al padre de que, con su timidez y permanencia en el hogar, su hijo quería proteger a su madre de enfrentarse a un nido vacío.

Para evaluar a las familias, observábamos sus interacciones y les hacíamos preguntas. Nuestro propósito era descubrir las secuencias y patrones que creaban círculos viciosos, generalmente alianzas inapropiadas de un hijo con un progenitor o la designación de un hijo para proteger a otro miembro de la familia. También se daba lo contrario: en vez de estar sobreimplicados, algunos miembros de la familia estaban demasiado desvinculados unos de otros. Detectábamos si los progenitores eran autoritarios o si renunciaban por completo a sus responsabilidades. Al ver esa situación, se lo hacíamos saber a la familia, los exhortábamos a cambiar siguiendo nuestras instrucciones y literalmente les proporcionábamos redefiniciones de la conducta identificada del paciente.

Al buscar patologías en el seno de la familia y no en la psique, éramos tan detectives de lo patológico como los terapeutas a los que menospreciábamos, que colgaban etiquetas diagnósticas a los clientes. Nosotros éramos los expertos que sabían lo que la familia necesitaba. Si las familias no cumplían y cambiaban como les habíamos prescrito, los tachábamos de «resistentes» e interpretábamos la resistencia como necesidad de seguir encallados. Esta actitud consistente en diagnosticar e imponer funcionaba bastante con algunas familias, pero a otras las enfrentaba y era de todo menos útil. Nuestra mentalidad de expertos nos hacía manejar la llamada «resistencia» de las familias mediante la manipulación con «intención paradójica», que suponía decirles que siguieran haciendo lo mismo, con la esperanza de que se rebelaran. En pocas palabras, considerábamos a las familias adversarios amenazadores tan firmemente adheridos a sus síntomas que a los terapeutas no les quedaba más remedio que sacudirlos para que cambiaran o imponerles el cambio.

Tras obtener el máster en el norte de Illinois, adopté esa perspectiva descendente en mi primer empleo, en el mismo Departamento de Psiquiatría del hospital de Chicago donde había trabajado de ayudante siendo más joven. Me contrataron para trabajar con las familias de pacientes con dolor, y era el terapeuta familiar testimonial de un departamento psicoanalítico. En el año que pasé ahí, hice a las familias un montón de preguntas molestas sobre la función de sus síntomas con el propósito de destapar el papel que el dolor desempeñaba en su dinámica familiar. Aunque en algunos casos ese enfoque resultó valioso, muchas familias básicamente se ofendían ante la insinuación de que su sufrimiento era manipulador, y mis prescripciones para cambiar las desalentaban. Aquellos resultados irregulares me demostraron cuánto me quedaba por aprender y me mandaron de vuelta a las aulas.

MURRAY BOWEN Y VIRGINIA SATIR

Para mi posgrado escogí la Universidad de Purdue, conocida por su Facultad de Ingeniería, pero que también impartía un programa de doctorado en Terapia Familiar de excelente reputación. Después de casarme, me trasladé a Purdue, en West Lafayette, Indiana, donde estudié con Doug Sprenkle, un famoso docente e investigador de terapia familiar. Allí supe de Murray Bowen y Virginia Satir, terapeutas familiares que ponían en tela de juicio mis sesgos al centrarse en la experiencia de los individuos en el seno de las familias. Hasta entonces, aún reacio al enfoque psicoanalítico que había hallado en el hospital, yo evitaba sistemáticamente las consideraciones intrapsíquicas, que tildaba de «lineales» en vez de «sistémicas». Entretanto, Virginia Satir (1970, 1972) examinaba la importancia de la autoestima, y Murray Bowen (1978) la importancia de la autodiferenciación. A veces también trabajaban con miembros individuales de la familia, en vez de citar exclusivamente a la familia entera.

Al haberme esforzado tanto por diferenciarme de mi padre y de mi familia, la perspectiva de Bowen me atraía. Conocía de primera mano el reto de desarrollar mis propias opiniones sin rechazar los valores y el legado de la familia. En esa época, mi pasión por la terapia familiar (y mi éxito moderado en ese ámbito) había acallado las voces heredadas de mi padre que repetían *eres un fracaso* y *debes cambiar el mundo*. La meditación frecuente también me mantenía a flote. Me sentía bien conmigo mismo, más allá de lo que mi padre opinara de mis decisiones. Yo me tenía por un ejemplo clásico de quien ha conseguido diferenciarse de su familia de origen. ¡Poco me imaginaba el largo camino que me quedaba por recorrer!

Satir me parecía interesante por su insistencia en cambiar el modo en que se comunican los sentimientos. Yo me consideraba bastante feliz en general. A veces lloraba y me sentía más unido a mi esposa, Nancy, que me ayudaba a sentirme bien conmigo mismo. No obstante, en ocasiones, Nancy decía algo sin mala intención y yo montaba en cólera. Aunque no tenía ni idea de por qué, yo sabía que, si bajaba la guardia, una profunda vergüenza y autoaversión afloraban a la superficie. Satir afirmaba que una comunicación clara y congruente mejoraba la autoestima y las relaciones. Si su estilo de comunicación era capaz de modificar mi conducta y el potencial de mis sentimientos de causar estragos en mi matrimonio, Satir sería mi nueva heroína.

En mi tesina analizaba la hipótesis de que la mejora de la comunicación en una pareja mejoraría la autoestima de los miembros individuales. Un compañero estudiante y yo impartíamos un programa de comunicación para parejas, diseñado por Sherod Miller, que encajaba perfectamente con las ideas de Satir. También tomábamos muestras previas, posteriores y de seguimiento de la comunicación y los niveles de autoestima de las parejas participantes. Y, en efecto, hallamos una correlación entre las habilidades comunicativas y una autoestima mejorada inmediatamente después del programa. Sin embargo, el seguimiento reveló que la correlación no había perdurado. Al parecer, la autoestima costaba algo más de transformar de lo que Satir y yo creíamos. Decepcionado, compartía con muchos otros la opinión, muy extendida en el colectivo, de que Satir era demasiado «empalagosa». Abandoné sus ideas y regresé a las posturas más duras y «expertas» de Minuchin y Haley, aunque mucho más tarde, al desarrollar la IFS, me di cuenta de que Satir, más que ningún otro pionero en terapia familiar, era mi inspiración.

En 1980, el mismo año que nació nuestra hija mayor, Jessica, me gradué en Purdue y encontré un puesto en el prestigioso Institute for Juvenile Research (IJR) de Chicago, como formador e investigador en terapia familiar. El IJR era básicamente un laboratorio de ideas de donde procedían gran parte de las primeras investigaciones sociológicas sobre delincuencia juvenil. Resultó que era el entorno ideal para consolidar mis ideas. Me junté con unos cuantos colegas (incluidos, en distintos momentos, Doug Breunlin, Howard Liddle y Betty Karrer) para impartir un pequeño programa de formación en terapia familiar en el seno del instituto, que ofrecía terapia a chavales y familias con dificultades del oeste de Chicago. Al tener poca carga docente y clínica, nos podíamos permitir dedicar muchas horas a observarnos entre nosotros y al alumnado desde espejos unidireccionales al tiempo que trabajábamos con familias desfavorecidas.

En el IJR, mis partes deseosas de cambiar el mundo florecieron en toda su plenitud. Creí que había dado con el entorno perfecto y había encontrado las ideas revolucionarias que necesitaba para demostrar que no era un fracasado. Al ser mi padre un médico destacado que había querido que yo también lo fuera, ansiaba ver qué podía aportar la terapia familiar a las afecciones físicas. Quizás —pensaba— mi incapacidad para aprender medicina tendría ahora un lado positivo, pues encontraría un nuevo modo de enfocar los problemas médicos. Cuando, en mi primer año en el IJR, una joven clienta me confesó entre lágrimas que acostumbraba a ingerir enormes cantidades de comida y lo vomitaba todo al cabo de minutos, pregunté en el instituto y supe de la existencia de un síndrome detectado hacía poco, denominado *bulimia nerviosa*, que parecía encajar perfectamente con mis propósitos: un nuevo síndrome de difícil tratamiento con síntomas cuantificables, para poder demostrar la eficacia de mi trabajo científicamente… a mi padre. ¡Sobraba margen para la colaboración! Elegí a Mary Jo Barrett, una colega también interesada por los trastornos de la conducta alimentaria, para que codirigiera el estudio conmigo. Acudimos a una asociación de trastornos de la conducta alimentaria en busca de recomendaciones. En invierno de 1983, mis colegas y yo estábamos metidos de lleno en el estudio y nos iba bien aplicando un modelo estructural/estratégico en las familias de esas mujeres con bulimia.

Por desgracia, el estudio no salió según lo previsto. Varias clientas no «colaboraban». Aunque yo pudiera reestructurar a sus familias tal como Minuchin recomendaba, las jóvenes no dejaban de comer compulsivamente y devolver. ¿Qué hacer cuando las predicciones no se cumplen? Ya había abandonado a Virginia Satir. Ahora también quería abandonar a Salvador Minuchin. O bien éste había exagerado sus resultados con la anorexia o yo era un fiasco como terapeuta familiar estructural.

Justo cuando había llegado a la conclusión de que lo sensato sería intentar cambiar el mundo de otro modo, algo sucedió con una clienta llamada Quinn.

LA DESTRIANGULACIÓN NO BASTABA

Quinn tenía 23 años cuando acudió a terapia, estaba deprimida y tenía tendencias suicidas por su hábito de comer compulsivamente y vomitar. Ella y su familia llevaban más de un año en el estudio y habían respondido bien. Quinn se había implicado mucho en la relación de sus progenitores: había ejercido de confidente de su padre, así como de rival y cuidadora de su madre, todo lo cual es habitual en clientes con bulimia. Muchas sesiones de gran carga emotiva habían revelado aquel triángulo. La joven se había liberado de los roles que desempeñaba para sus padres, y éstos empezaban a negociar entre ellos directamente. Al mejorar ellos, Quinn dejó con cautela el hogar paterno, se instaló en su propio piso, encontró un buen empleo y por primera vez hizo amigos. Habíamos capeado varios episodios en los que las peleas y la angustia parentales la habían absorbido, como un aspirador, de vuelta al medio de la relación de sus padres. No obstante, sus padres eran lo bastante valientes para abordar sus estallidos en terapia matrimonial y, desde mi punto de vista, el sistema familiar evolucionaba satisfactoriamente hacia un nuevo capítulo.

Durante la terapia familiar, hubo altibajos en los síntomas bulímicos de Quinn. En ese momento en el que se desenvolvía por su cuenta y tenía otra perspectiva sobre las crisis y lealtades familiares, yo confiaba en que se deshiciera del trastorno de la conducta alimentaria. Al fin y al cabo, a mi modo de ver, su familia se había destriangulado y ya no necesitaban que la joven cayera en ese mal hábito. Sin embargo, para mi desconsuelo, Quinn parecía no saber que estaba curada. Pese a ser cumplidora a rajatabla y satisfacer cuanta tarea directa o paradójica le impusiera, los efectos fueron, en el mejor de los casos, temporales. Quinn siguió con sus síntomas y su infelicidad, y a mí me fastidiaba no poder proclamar mi éxito en el análisis de los resultados. La frustración me llevó a preguntar a la joven qué ocurría en su interior que la condujera a atracarse para luego purgarse. Me respondió hablándome de las partes en liza.

REDESCUBRIR LA PSIQUE

Con respecto a su ausencia de control sobre lo que sus partes decían o hacían, dijo que éstas eran autónomas. Tenían distintas voces, replicaban, decían cosas extrañas y estaban dispuestas a dar cuenta de sus motivos. Aunque aquello me dejara atónito, quería asegurarme de lo que implicaba. Por un lado, estaba condicionado culturalmente para verme (a mí y a quienes me rodeaban) monolíticamente. En el siglo xx, la experiencia subjetiva de la multiplicidad psíquica, que podemos concebir como la intervención de muchas personalidades internas en una persona, se consideraba generalmente patológica. Por otro lado, en mi práctica profesional se empleaban habitualmente adjetivos como *dependiente*, *hostil*, *nutricio* y *sobreimplicado* para describir a los clientes, como si la esencia de esos clientes pudiera resumirse en uno o dos adjetivos que explicaran su comportamiento. Cuando adopté el paradigma de la multiplicidad, esa clase de descripciones simples ya no bastaban... ni tampoco las categorías diagnósticas. Supe que, si seguía adelante, estaría dando un gran paso.

CONVERSACIONES OCULTAS

Aquellos indicios crecientes terminaron por vencer mis reservas, y acepté la validez de los cuestionamientos de mis clientes a las ideas heredadas. Pensé que, como mínimo, debía tener la mente abierta e interesarme por lo que decían, así que seguí preguntando y oyendo la misma información: una mente charlatana significa una mente no unitaria y relacional. En el transcurso del día, todos vamos pasando de una personalidad a la siguiente. Para muchos de nosotros, este proceso es prosaico, veloz, fluido y en gran parte inconsciente. Sin embargo, aunque nuestro vocabulario limitado a la hora de distinguir entre nuestras entidades internas (al menos en inglés) nos impida ser conscientes de la actividad de esa comunidad interior, nuestra ignorancia no impide que la comunidad esté activa.

LOS CONSTANTES DILEMAS DE QUINN

Resultó que Quinn albergaba varios constantes dilemas internos que tenían vida propia y eran inmunes a los cambios en su familia, por lo que mis intervenciones estructurales/estratégicas habían sido menos eficaces de lo que yo hubiese deseado. Aun estando segura de que podría vencer la bulimia si tenía una relación sentimental con un hombre, la joven no soportaba la cercanía. Se entusiasmaba si le gustaba a un posible novio, pero cuando éste acortaba distancias, Quinn era presa de la convicción de que ella era repulsiva y él un peligroso opresor. Cuando ya no podía más con la tensión entre sus anhelos y miedos en una relación, abandonaba. Y cuando el hombre finalmente dejaba de llamarla y se daba por vencido, ella se hundía en la desesperación, faltaba al trabajo y se quedaba sentada en casa, creyendo que había echado por la borda su única oportunidad de amar. Desde la ilusión inicial hasta el chasco final de aquel ciclo, la paciente comía compulsivamente y vomitaba.

LA BULIMIA, AMANTE Y VERDUGO

Los clientes cuya intimidad física, bienestar y distracción dependen de la adicción suelen estar atrapados en la trampa consistente en ansiar amor y creerse indignos de amor. La adicción los calma y distrae del dilema, pero también genera una imagen muy negativa de sí mismos, para lo que, paradójicamente, la adicción es la solución más rápida. Y vuelta a empezar. Cuando salía con alguien, Quinn se obsesionaba con su aspecto y con la báscula del baño. Si el número que le devolvía la báscula no le gustaba, su deseo de atracarse se intensificaba.

Siempre que se retraía, comer en soledad era su único consuelo, apoyo y placer. La comida llenaba su vacío. Ya hacía mucho que vomitar no le daba asco y le aportaba un sentimiento de purificación física y paz mental muy parecido a un orgasmo; así que Quinn equilibraba los atracones con purgas. No obstante, al vivir con el miedo constante de engordar, la poca serenidad que lograba durante aquel ciclo duraba poco. Si salía con alguien, la atormentaban los hombres; si no salía con nadie, la atormentaba la báscula. Si había problemas en alguno de los dos frentes, se aliviaba comiendo compulsivamente y vomitando. Paralelamente, veía en la bulimia a una agresora: era su carcelera y a la vez su salvadora. Si lograra parar, pensaba, podría intimar con un hombre y conseguir por fin el amor que necesitaba. En suma, ya estuviera optimista o deprimida, seguía en las garras de su trastorno alimentario, que la apaciguaba, le causaba ansiedad y la castigaba físicamente.

ROMPER EL TABÚ

Mientras siguiera aferrado a mi orientación «únicamente externa» de la terapia familiar, no lograría nada con Quinn. Mi incapacidad de ayudarla me obligó a afrontar las limitaciones de mi modelo. Al preguntarle por su experiencia interna, estaba infringiendo la regla no escrita de la terapia familiar: ceñirse a los elementos externos. La desesperación me llevó a hacerlo igualmente, así que le pregunté lo que sentía justo antes de incurrir en el desenfreno de atracones y purgas. Dijo que oía una confusa cacofonía de lo que ella denominaba «partes» y «voces» discutiendo en su mente. Cuando la urgí a distinguir esas voces, descubrió –para sorpresa de los dos– que identificaba con facilidad a varias que habitualmente se enzarzaban en debates acalorados. Una era muy crítica con todo lo que tuviera que ver con Quinn, pero sobre todo con su aspecto. Otra la defendía culpando a sus padres o a la bulimia de sus problemas. Una tercera se sentía triste, desesperada y desamparada. Por último, había una cuarta que «tomaba el mando» y la hacía atiborrarse.

Fascinado por aquel relato, hice las mismas preguntas a otras clientas con bulimia y me contaron cosas muy parecidas. Hablaban principalmente de cambios drásticos, frecuentes y abruptos en sus sentimientos, pensamientos y conductas, como si varias personas muy distintas las poseyeran por turnos. Una clienta se quejaba de que «en 10 minutos paso de ser una profesional que lo tiene todo controlado a convertirme en una niña asustada e insegura, en una perra rabiosa, en una máquina de tragar insensible e inflexible. No tengo ni idea de cuál es mi verdadero yo. Lo que sí sé es que odio lo que me pasa». A pesar del desasosiego que a esas jóvenes les causaba ir rebotando indefensas de una a otra personalidad contradictoria, al contemplar esas personalidades, las entidades se diferenciaban. Las clientas las llamaban sus «partes»: «Esta parte de mí es como una chiquilla; esa parte es madura pero rígida». Al identificar las partes, a las clientas ya no les parecían tan abrumadoras e intimidadoras. Observar a sus partes, en vez de evitarlas, ayudaba a las clientas a enfocar de otro modo su experiencia interna. Las voces parecían tener razones para ensañarse, lo que nos hizo intuir que no todo se reducía a su ensañamiento.

PREGUNTAR

En ese momento, yo contaba con la gran ventaja de la ignorancia supina. No había estudiado teorías intrapsíquicas y tenía pocas ideas preconcebidas. Sólo podía limitarme a escuchar con atención y confiar en lo que las clientas me contaban de sus mundos interiores. Sin marco conceptual para esas exploraciones, dediqué muchas sesiones a preguntar a Quinn y a otras clientas por sus partes. ¿Cómo eran? ¿Qué querían? ¿Qué tal se llevaban unas con otras? ¿Cuáles escuchaban las clientas y eran de su agrado? ¿Y cuáles odiaban, temían o ignoraban? Cuanto más investigaba, más me recordaban sus descripciones a las familias. Cada voz interior tenía su carácter peculiar, con su temperamento, sus deseos y su propia forma de comunicarse. Además, había alianzas y polaridades entre las partes. Descubrimos que las que eran vulnerables se encerraban o, como di en llamarlo, «se exiliaban». Otras dirigían la vida de la clienta, mientras que otras la distraían de la controversia y el dolor. Independientemente de su rol, la mayoría de las partes que conocimos no confiaban en el liderazgo de la clienta, y a menudo creían que aún era pequeña y estaba en peligro.

Cuanto más sabía de las familias interiores de aquellas mujeres, más importantes se me antojaban los conceptos de terapia familiar como homeostasis, triangulación y chivo expiatorio en relación con sus dinámicas internas. Todo cuanto había aprendido de la terapia familiar estructural parecía aplicable. Así que empecé a cocrear experimentos con las clientas, con el objeto de utilizar técnicas de terapia familiar que reestructuraran sus sistemas internos. Mi primer error fue dar por hecho, como se hace en muchas psicoterapias, que las partes son lo que aparentan. Por ejemplo, consideraba a las partes críticas «interiorizaciones» de los padres en su peor expresión, y a las partes responsables de los atracones metáforas internas de impulsos descontrolados.

Ese planteamiento me predispuso para mi segundo error, consistente en alentar a las clientas a adoptar una actitud de mando frente a sus partes. Mi idea era enseñar a las clientas a ignorar, controlar o pelear con sus partes. Por consiguiente, les preguntaba «Cuando el crítico te ataca, ¿qué sueles hacer?». Contestaban algo del estilo «Suelo darle la razón y sentirme fatal». Y las enviaba a casa con la instrucción de enfrentarse al crítico, para que luego me contaran que la cosa había empeorado: el crítico adoptaba un tono más severo y cruel y las insultaba más. Sin embargo, yo insistía. Estaba decidido a ayudar

a las clientas a ignorar a las partes drásticas u obligarlas a obedecer...
hasta que conocí a Roxanne, una clienta con bulimia que me enseñó
la naturaleza de las partes y cómo relacionarme con ellas.

ROXANNE

En la primera sesión, Roxanne dijo que creía que su bulimia tenía
que ver con los abusos sexuales que había sufrido de pequeña. Era
la primera superviviente de abusos sexuales con quien yo trabajaba
y estaba decidido a ayudarla a superar todas las terribles consecuencias de aquella transgresión. Al cabo de algunas sesiones, me enseñó los tajos recientes que tenía en los brazos y me reveló que a
menudo se autolesionaba. Para entonces, yo le había tomado mucho
cariño y al ver esas heridas me quedé horrorizado. Resolví que no
la dejaría marchar hasta tener controlada la parte que se cortaba.
Por aquel entonces, yo estaba probando la técnica de la silla vacía
de la terapia Gestalt: el cliente se sienta en una silla frente a otra
vacía. Se imagina que en la silla vacía hay una de sus partes y le habla. Esta vez, no obstante, hice algo distinto con esa técnica. Le dije
a Roxanne que moviera la silla vacía, para poder hablar yo directamente con la parte que se cortaba. Cuando le pregunté a la parte
por qué lesionaba a Roxanne, respondió que porque era mala y
merecía que le hicieran daño. Le dije a la parte que cortarse ya no
era aceptable y que tendría que buscarse otra cosa que hacer. También encargué a Roxanne que le dijera a esa parte que ya no podía
cortarla. Roxanne, envalentonada, le hizo llegar el mensaje. La parte respondió con desdén, así que le estuve insistiendo dos horas
hasta que por fin aceptó no lesionarla hasta la siguiente visita. A la
semana siguiente, cuando abrí la puerta a Roxanne me quedé sin
aliento. Tenía un gran corte en medio de la cara. Mi coacción de
estilo machista, del tipo «que no te pille haciéndolo», había llevado
al desastre. Al mirarle el rostro, toda mi combatividad se vino abajo. Me superó sentir mi propia impotencia. Le dije a la parte de

Roxanne que se cortaba: «Me rindo. Tú ganas. Este juego es peligroso y no puedo contigo».

Para mi sorpresa, la parte cortante depuso su bravuconería y respondió calladamente: «Yo no quiero ganarte», lo que me sumió en un estado de verdadera curiosidad. «¿Entonces por qué la cortas?», pregunté. Al notar mi genuino interés, la parte describió su doble labor. En el pasado, cuando abusaban de Roxanne, la había sacado de su cuerpo y había controlado su rabia, que podría haberla expuesto a un peligro mayor. Me contó que todavía necesitaba sacar del cuerpo a Quinn cuando esta se asustaba, que aún necesitaba controlar la rabia, y que por eso seguía cortándola. Al escucharla, valoré enormemente a esa parte y el papel heroico que había desempeñado en los primeros años de Roxanne... y se lo dije.

También me llamó la atención el que esa parte siguiera viviendo en el pasado, en la época en que habían abusado de Roxanne. Parecía estar congelada en el pasado, al igual que muchos niños están atrapados en su rol cuando pillan una rabieta. Por lo que sabía sobre familias, supuse que esa parte sólo accedería a cambiar si pasaran dos cosas: que la parte pudiera abandonar el pasado y que el temor y la rabia de Roxanne pudieran cambiar de algún modo. Asimismo, al darme ahora cuenta de que esa parte no era lo que parecía, le pregunté qué le gustaría hacer si se la eximiera de su tarea. Sin dudar ni un segundo, respondió que querría hacer lo contrario de lo que ahora hacía. La parte quería ayudar a Roxanne a experimentar sus sensaciones con mayor intensidad.

Estaba tan entusiasmado que esa noche no pude dormir. ¿Y si resultaba que lo que las partes destructivas pretendían era ayudar? ¿Y si no les gustaban los roles extremos que les habían obligado a adoptar? ¿Y si todos los profesionales de la salud mental estábamos erróneamente fomentando círculos viciosos en clientes y familias? ¿Y si cuanto más aleccionábamos, anestesiábamos y tratábamos de ahuyentar o controlar a partes como ésta, más luchaban por proteger a los clientes? Tal vez estábamos usando como chivo expiatorio a las partes impulsivas y compulsivas, al igual que mis primeros maestros

—los adolescentes desmandados de la unidad de ingresados de Chicago— habían sido chivos expiatorios en sus familias. ¿Y si pudiésemos limitarnos a ayudar a esas partes con sus miedos? ¿Se las podría liberar de esos roles drásticos como se liberaba a los adolescentes en terapia familiar? ¿Podía el mundo interior de las partes ser un reflejo del mundo exterior de las familias y viceversa?

De vuelta al trabajo, enseguida intenté hablar con las partes extremas de otras clientas —las partes anoréxicas, las suicidas, las rabiosas, las que se atracaban— con una actitud no coercitiva, de evidente curiosidad. Para mi satisfacción, respondieron igual que la parte cortante de Roxanne. Dijeron que preferirían sin duda emplear su energía para fines positivos si hacerlo no entrañaba riesgos, pero que su obligación era proteger a la clienta. Aquellas conversaciones me hicieron preguntarme cómo funcionaban los sistemas internos en términos más generales. Como respuesta, las partes de las clientas explicaron las mismas dinámicas y patrones que yo había llegado a conocer tan bien, al cabo de años de estudio y práctica de terapia familiar.

Indudablemente, en los problemas de liderazgo interno había similitudes con lo que yo había observado en familias disfuncionales. Varias coaliciones de partes extremas se disputaban el poder en las vidas cotidianas de las clientas. Y lo que normalmente llamamos «pensar» era a menudo un controvertido diálogo interior («¡Vamos, cómetelo! vs. ¡No lo toques! Como te lo comas, te mueres»), comentado por un coro atento y crítico («¡Das pena y asco!»). Ese conflicto interior tan intenso asustaba a las partes más jóvenes de los sistemas de las clientas. Su miedo activaba a más protectores que disociaban o distraían a las clientas haciendo algo impulsivo como drogarse, enfurecerse, enfermar físicamente o ligar y acostarse con alguien. Ahora bien, la distracción tampoco tardaba en ser objeto de ataques: *¡Eres una ...* [rellenar el espacio:] *drogata, puta, malcarada, TDA sin remedio!* Ese ciclo típico me mostraba cómo la desesperación llevaba a las partes protectoras a atrincherarse en reacciones extremas y a seguir peleando entre sí. En el interior no parecía haber nadie capaz de ganarse la confianza del resto y llevar el timón. Así que, a pesar de las buenas intenciones, esas partes no podían ir a una ni manejar las dificultades de la vida.

Por medio de las técnicas de Satir, Minuchin, Haley y Madanes, empecé a enseñar a las familias internas de las clientas a tener una comunicación más directa, contar con mejores límites, probar nuevos roles y establecer unas jerarquías y un liderazgo apropiados. Al no vivir con las clientas, no quería ser la figura central de sus vidas internas; por lo tanto, les sugerí que se centraran en su interior, que hablaran con las partes y me contaran lo que sucedía. Entonces las guie para que mejoraran las relaciones internas turbulentas comunicándose hábilmente con sus partes.

Descubrí, sin embargo, que las clientas no podían hacer un gran uso interno de las habilidades comunicativas al contener sus psiques demasiado caos y conflicto. Así que traté de que entablaran un diálogo no coercitivo con las partes de una en una. Eso también acabó siendo dificilísimo, puesto que, en cuanto trataban de hablar con la parte elegida, se enfadaban, se ofendían o se asustaban, y su actitud abierta y curiosa se esfumaba. Como terapeuta familiar, conocía esa dinámica. Al tratar de que dos miembros de una familia dialoguen, otros meten baza, toman partido y aumentan el conflicto. He aprendido a «poner límites» diciéndoles a los familiares interferentes que se calmen, a veces hasta pidiéndoles que se aparten físicamente, para que quienes dialogan no se distraigan al verlos. Ahora estaba probando la misma estrategia con las partes.

CORA

Una joven llamada Cora, aquejada de un trastorno de la conducta alimentaria, hablaba de la existencia de una voz pesimista, junto con una crítica, que replicaba con malos agüeros a toda acción positiva por parte de la clienta. Entretanto, según contaba, otras voces arremetían contra esas predicciones funestas, mientras que otras más se avergonzaban y se sentían incompetentes ante esos presagios. La clienta creía que las últimas voces –las de la vergüenza y la incompetencia– eran las de la verdadera Cora. Intrigado por sus luchas internas, le dije que reestructurara la relación entre sus partes en liza para cambiar los resultados de sus interacciones. La única diferencia entre la terapia familiar y mi estrategia ante jóvenes con problemas alimentarios como Cora era que en sus relaciones internas había sentimientos, ideas y conversaciones enfrentados a otras ideas y sentimientos.

Aconsejé a Cora que preguntara a su pesimista por qué insistía en decirle que era un caso perdido. Contestó que no quería que la joven se arriesgara y saliera lastimada. Me pareció una respuesta alentadora. Si la pesimista tenía verdaderamente buena intención, tal vez la clienta podría ayudarla a hallar un nuevo rol. Sin embargo, a Cora no le interesaba. Estaba enfadada con la pesimista y le dijo (con malas formas) que la dejara tranquila. Al preguntarle el porqué de esas formas, emprendió una larga diatriba sobre los efectos negativos de esa voz, que le había puesto grandes obstáculos a cada paso de su vida. Mientras la escuchaba, me di cuenta de que a quien estábamos escuchando era a otra parte, la que luchaba con la pesimista. En una conversación interior, Cora había hablado de una guerra constante entre una voz que la alentaba a triunfar y otra que repetía que era una negada. Al parecer, ésta era la parte agresiva.

Así que le dije a Cora que se concentrara en la voz agresiva y furiosa y le dijera que dejara de inmiscuirse, que «retrocediera» en su mente. Para mi sorpresa, la parte colaboró y de pronto la actitud de Cora volvió a cambiar. Al preguntarle cómo se sentía entonces frente a la pesimista, respondió una persona completamente distinta. Con una voz sosegada y afectuosa, dijo que le agradecía que quisiera protegerla, y que le sabía mal que se hubiera sentido tan sola trabajando tan duro. Su rostro y su postura reflejaban su compasión. A partir de ahí, negociar con la pesimista fue fácil. Seguí utilizando la misma técnica de «retroceso» con otras clientas. A veces, para que la clienta pasara a un estado como el de Cora, teníamos que pedir a dos o tres voces que no interfirieran, pero lo lográbamos igualmente. Yo volvía a estar entusiasmado. ¿Y si las personas podían lograr que las voces extremas se calmaran con sólo pedirlo? ¿Y no sólo en las negociaciones con otras partes, sino también con familiares o jefes? ¿Y si quien se quedaba después de que todo el mundo se retirara era siempre tan compasivo como Cora? Así que pregunté a mis clientas quién de su interior se mostraba tan tranquila y compasiva.

Sus respuestas eran del estilo: «No es una parte como las otras voces, es quien realmente soy, es mi yo». Aunque tardaría años en saberlo, había dado con lo que acabé llamando su *Self*, con S mayúscula, una entidad descrita y abordada de muchas maneras en tradiciones espirituales de todo el mundo (ver Schwartz y Falconer, 2017). En ese momento, no obstante, estaba simplemente encantado de haber descubierto que las clientas sí tenían una líder interior, y que la terapia podía ser menos pesada y más eficaz tanto para ellas como para mí.

Por otro lado, también me sorprendí. Creía, como dicen casi todas las psicoterapias basadas en la teoría del apego, que un liderazgo interno eficaz y leal sólo podía perdurar mediante una relación exterior sanadora. En consecuencia, tenía claro que la terapia sería lenta y meticulosa, que habría que modelar muchos roles y emprender un gran número de experiencias correctivas con el terapeuta. Es más, con aquel giro inesperado en las familias internas, daba por hecho que habría que encontrar y desarrollar –poco a poco y con gran esfuerzo, en el contexto de una relación segura y en sintonía– una parte capaz de aprender a tomar las riendas en el interior. Esa idea de la necesidad de trabajar duro me había llevado a creer que la mayoría de mis clientas no dispondrían del tiempo ni los recursos para sanar del todo, pese a ser optimista y pensar que al menos podíamos ayudar.

DATOS NUEVOS

En ese momento contaba con datos nuevos. Los clientes no sólo se desvinculaban de los sentimientos y convicciones excesivos, sino que demostraban espontáneamente una genuina fortaleza de ego. Nada que yo conociera lo explicaba. A la mayoría de esas personas no sólo les había faltado una buena crianza; sus infancias habían sido una pesadilla de miedo y degradación. A algunos nunca los habían abrazado ni consolado. Carecían de buenas figuras de apego. Las implicaciones de lo que estaba viendo eran sorprendentes para la psicología evolutiva y la teoría del apego. Me pregunté si ya nacíamos con esas cualidades y no necesitábamos obtenerlas del entorno. Puede que nuestras psicologías, filosofías y religiones hubiesen subestimado completamente la llamada *naturaleza humana*. Aunque llevaba años meditando y era capaz de pasar de los sentimientos negativos a la calma (o a veces hasta la alegría) concentrándome en mi mantra unos minutos, si hacía tiempo que no meditaba el sentimiento de inutilidad se deslizaba de vuelta, como una niebla que nublara mi tranquilidad y confianza. Ahora las clientas me enseñaban un nuevo modo de acceder a la calma y la seguridad. Empecé a experimentar detectando las partes de mi cuerpo, a las que pedía que se apartaran, en lugar de usar un mantra. Asombrosamente, funcionó, y así sigo meditando hoy, casi 35 años después.

Paralelamente, recelaba de las grandes conclusiones. Puse a prueba mi nuevo enfoque varios años, hasta estar convencido de que todas y cada una de las personas podían pasar de la angustia a la calma en cuestión de segundos. Tras observar a decenas de clientes encarnar cualidades del Self con absoluta espontaneidad en cuanto sus partes se separaban, acabé aceptando la idea de que somos mucho más de lo que normalmente nos permitimos soñar. Y fuera lo que fuera (al llamarlo el *Self*, estaba dejándome conducir por los clientes), no necesitaba para nada desarrollarse con el tiempo. Siempre estaba ahí si nuestras partes lo dejaban entrar.

Además de ser un estado apacible desde el que presenciar y trascender el mundo, ese estado de atención consciente del Self era sanador, creativo y potenciador del rendimiento. Cuando los clientes accedían al estado del Self, no se limitaban a observar pasivamente sus partes: empezaban a interactuar creativamente con ellas, lo que parecía sanarlos. Llevaban su compasión, lucidez y sabiduría emergentes al proyecto de conocimiento y cuidado de esas personalidades internas. Las partes como la pesimista de Cora me parecían víctimas internas de traumas, atascadas en el pasado y detenidas en un momento de gran angustia, a menudo en la infancia. Eran activistas que necesitaban que el cliente comprendiera sus motivaciones. Otras partes necesitaban básicamente que las escucharan, abrazaran, consolaran y quisieran.

Lo más sorprendente de todo era que, una vez que los clientes se hallaban en ese estado del Self, parecían saber justo lo que necesitaba cada personalidad interna. Quise poner a prueba esa observación. Cuando notaba la presencia del Self de la clienta, dejaba de decirle cómo relacionarse con la parte y le hacía preguntas como «¿Qué quieres decirle ahora a esta parte?». En todos los casos, la clienta pronunciaba las palabras perfectas o se dirigía a la parte para abrazarla. Me di cuenta de que yo no podía enseñarles a relacionarse mejor de lo que ya lo hacían. Mi tarea, por consiguiente, consistía sobre todo en ayudar a los clientes a seguir en el estado del Self. Si estaban «en el Self», podía apartarme y verlos criar a sus familias interiores. Cuando lo hice con la parte de mí que se sentía un gran fiasco e indigna de amor, descubrí a un niño. Y su dependencia inmediatamente me inspiró desprecio. Tras decirle a la parte despreciativa que retrocediera, quise abrazar al niño y decirle lo mucho que sentía haber faltado tanto tiempo. Al cabo de varios encuentros conmigo de este estilo, el niño se sentía mejor conectado y feliz, y a mí ya no me hizo falta esforzarme por mantener a raya sus sentimientos.

Animado, ayudé a los clientes a separarse de sus partes, encontrar a las que estaban sufriendo y prendarse de ellas. Lo bueno era que los clientes se sentían mejor al acabar una sesión donde habían podido aceptar y consolar a sus personalidades infantiles. Lo malo, para mi desconsuelo, era que volvían al cabo de una semana y que les habían pasado cosas horribles poco después de salir de mi consulta. Una clienta tuvo un accidente de tráfico camino a casa. Otra estuvo con 39,5 de fiebre. Una tercera pasó la peor migraña de su vida, que la obligó a guardar cama toda la semana. Esos episodios me asombraban e inquietaban. Oía una y otra vez la voz de mi padre diciendo «¡Lo primero es no hacer daño!». De pronto, cambiar los sistemas internos parecía más complicado, peligroso y difícil de lo que me había imaginado. Me planteé abandonar por completo el experimento y refugiarme en la relativa seguridad de la terapia familiar convencional. Entonces, sin embargo, recordé lo que la parte de Roxanne que se lesionaba había dicho sobre su deseo de protegerla. ¿Cabía la posibilidad de que esa respuesta violenta procediera de partes que se sintieran amenazadas por mí? ¿Las había asustado al centrarme demasiado rápido en la vulnerabilidad de la clienta?

Les pedí a todas esas clientas que se concentraran en la respuesta violenta y escucharan. Y, desde luego, oyeron voces interiores furiosas con ganas de castigar. Al escucharlas pacientemente, esas partes indignadas se calmaron y explicaron que habíamos alterado sus intricados sistemas internos de defensa accediendo a las partes vulnerables sin su consentimiento. Me di cuenta de que estaba tratando con poca consideración unos ecosistemas delicados y bien custodiados, especialmente en el caso de clientas muy traumatizadas. Resolví mostrar respeto a esas partes, aprender las reglas de los sistemas internos y ser más ecológicamente sensible. Como pensador sistémico, me avergonzaba no haber anticipado esta clase de reacción homeostática ante incursiones directas. Si era una verdadera familia interna, evidentemente eran de esperar respuestas contundentes. Los terapeutas familiares saben que, para evitar riesgos al centrarse en la vulnerabilidad, antes deben conectar con los protectores desconfiados de la familia, tranquilizarlos y lograr su autorización. ¿Por qué iban a ser distintas las familias internas?

PONER LOS DATOS POR DELANTE DEL ORGULLO

Durante años no quise aceptar que los terapeutas psicodinámicos tenían toda la razón en ciertos temas: el pasado no afecta profundamente el presente; las personas se mueven por fenómenos inconscientes, es decir, fenómenos que permanecen fuera de la consciencia; la emoción y el cuerpo son fundamentales para una terapia eficaz; y, por último, la relación terapéutica también es fundamental, incluyendo los procesos de transferencia y contratransferencia.

Tras haber tragado el orgullo suficiente como para poner los datos por delante de las ideas preconcebidas, también me di cuenta de que la perspectiva de la IFS proporciona otra interpretación de estas observaciones tradicionalmente psicoanalíticas y otro modo de trabajar con ellas. Podemos adentrarnos en el inconsciente e interactuar con él directamente, preguntando por los deseos, distorsiones y planes del sistema interno. Las partes de los clientes responden con claridad, trasladan al cliente directamente a escenas cruciales del pasado y explican lo más importante del pasado, con lo que desaparece nuestra necesidad de especular, reelaborar, interpretar o instruir. Estas escenas dolorosas del pasado evocan a menudo olas internas de intensa emoción que podrían fácilmente sobrepasar al cliente. No obstante, podemos ayudar al Self del cliente a seguir presente, aunque parezca superado por la emoción, tal como explicamos más adelante.

Cuando el Self permanezca presente y esté al mando, la parte del cliente comprenderá por fin y sus sentimientos negativos se sosegarán. Observé que a veces los cuerpos de los clientes se movían de formas extrañas e incluso asombrosas al llevar a cabo ese trabajo interior. Una vez más, tras preocuparme un tiempo al principio, supe que, para sentirse del todo presenciadas y comprendidas, algunas partes necesitan tomar el mando en el cuerpo transitoriamente. Ahora, siempre que veo signos —aunque sean sutiles— de toma somática del poder, animo a los clientes a no dejar pasar esa experiencia o incluso a exagerarla. Si alguna de sus otras partes se cohíbe o se asusta, primero nos detenemos para ayudarla a sentirse a salvo, para que acceda a apartarse y nos dejen proseguir.

Aprendí que no me hace falta indicar a los clientes qué decir ni qué hacer con sus partes, porque su Self lo sabe. Así que puedo relajarme, estar presente y disfrutarlo mucho. Por ejemplo, si una parte infantil creyera que merecía que la maltrataran, el Self del cliente le daría todas las razones por las que no lo merece, hasta que el niño le creyera. Cuando trabajamos a través del Self del cliente, hacer terapia es más fácil, porque raras veces es necesario instruir ni dirigir. Lo principal es dejarnos llevar por el Self y estar presentes. Cuando los clientes sienten mi presencia no forzada acompañándolos en sus recorridos, acceden más al Self y acaban sanando.

Asimismo, he aprendido que mi relación con los clientes es de vital importancia para ser eficaces, en parte porque les aporta una nueva experiencia de aceptación y compasión, pero también porque mi capacidad de estar en el Self contribuye a calmar a sus partes protectoras, para que sus Selves puedan aflorar. Entonces pueden brindar a sus partes una nueva experiencia, paralela a la que están teniendo conmigo. Al interactuar el Self del cliente con sus partes y aportarles la sensación de calma interior y solidez, ya no estoy tan sujeto a proyecciones transferenciales extremas. Ahora bien, cuando se produce la transferencia, abordo las percepciones erróneas sobre mí de un modo breve y directo, antes de pedir al cliente que busque y alivie a las partes que cargan con esas viejas pautas.

Este estado del Self no es un mero concepto. Cuando el Self está presente, se experimenta una diferencia palpable en el cuerpo. Por ejemplo, los clientes dicen sentirse acogedores y ligeros. Los hay que vibran de energía desbordante. Es más, cuentan que tienen la mente clara y que no se sienten ceñidos a ningún plan. Con el tiempo, he descubierto que puedo enseñar a otros terapeutas a detectar los signos de un Self encarnado, así como a detectar la ausencia de ellos. Así concluí que todos podemos ser conscientes de las partes que se activan al manifestarse físicamente, lo que significa que podemos notar a nuestras partes cuando reaccionan ante un cliente (contratransferencia) y ayudarlas a retroceder, para que nuestro Self permanezca presente. Al acabar la sesión, podemos volver a ayudar a las partes y así evitar que interfieran en sesiones futuras.

Asimismo, podemos hablar con los clientes de nuestras reacciones de contratransferencia si nos parece que va a ser de utilidad. El lenguaje de las partes es práctico para eso, porque no es necesario decir «Estoy enfadado, asustado o ansioso». En su lugar, podemos afirmar «Hace un momento, una parte de mí estaba… y voy a ayudar a esa parte para que no interfiera». En general, el lenguaje de las partes ayuda a clientes y terapeutas a revelar sentimientos profundos que de lo contrario tal vez serían motivo de vergüenza o controversia. Reconocer que una pequeña parte de uno está herida o enfurecida resulta mucho menos humillante o amenazante que decir *Estoy herido* o *enfurecido*.

Llegados a este punto, tal vez el lector se pregunte por la relación del fenómeno de las partes psíquicas con el trastorno de identidad disociativo (DID, por sus siglas en inglés, *Dissociative Identity Disorder*). Desde nuestra perspectiva, los «*alter*» de los clientes con DID son partes, pero sus sistemas internos están más polarizados y desconectados. La razón es que el terrible maltrato en la infancia lleva a los atentos protectores a confiar en las barreras amnésicas, que bloquean la red habitual de relaciones internas. En épocas de peligro, sirve de protección, pero también aumenta el dolor de las partes aisladas y heridas y asienta las tácticas de supervivencia de los jóvenes y rígidos protectores. En ese estado interno extremo, los clientes recelan enormemente del Self y de quien sea. Por desgracia, como en nuestra cultura el DID es una anormalidad fascinante pero extraña, que representa una patología grave, los clientes cuyos sistemas internos no se caracterizan por la disociación extrema pueden temer estar locos al acceder a las partes; y los clientes en quienes el diagnóstico de DID sintetiza bien sus sistemas internos muchas veces no saben que es normal tener partes.

A continuación, se enumeran algunos de los fundamentos de la perspectiva IFS:

1. El pensamiento sistémico nos invita a ser ecológicamente sensibles.
   - La resistencia es la respuesta (a menudo correcta) de las partes protectoras ante una posible amenaza (el terapeuta) al sistema.
   - Los protectores merecen que se los comprenda, aprecie y consuele antes de que el cliente intente acercarse a las partes vulnerables.
   - La tarea de los protectores es asegurarse de que la terapia propuesta no empeore las cosas. Es su deber. Conocen mejor que el terapeuta el delicado ecosistema interno del cliente y los posibles perjuicios de correr demasiado.
   - Los protectores tienen derecho a comprobar la competencia y seguridad del terapeuta antes de dejarle acceder al sistema interno. Para ganarnos la confianza de un protector, debemos dirigir desde el Self. La carga de la prueba recae en el terapeuta.

2. Los protectores extremos normalmente no se transforman hasta que el sistema es menos vulnerable. Por consiguiente, no presionamos a los protectores para que cambien, ni siquiera a los que intervienen en los síntomas destructivos. En su lugar, les sugerimos la posibilidad de liberarse de sus roles protectores si permiten que el Self del cliente eche una mano. Asimismo, les hacemos plantearse qué rol preferirían adoptar una vez que la parte exiliada ya no necesite protección. Entonces les pedimos que permitan al Self del cliente sanar a la parte que ellos protegen. Por último, les preguntamos si están listos para pasar a nuevos roles de su preferencia.

3. Recuperar la confianza en el Self es el camino más corto para mejorar el liderazgo y la armonía interior. De ahí que, en vez de ayudar directamente a las partes del cliente, los terapeutas normalmente busquemos que el Self del cliente interactúe con las partes e informe al terapeuta. A veces, sin embargo, lo más ágil y valioso para el terapeuta es hablar directamente con las

partes. Más tarde describimos este proceso, conocido como *acceso directo*. La función principal del terapeuta es guiar, adiestrar y acompañar al Self del cliente en su exploración del paisaje mental. En segundo lugar, el terapeuta proporciona experiencias relacionales correctivas. A medida que van distinguiendo y estando en compañía de sus partes, tanto dentro como fuera de las sesiones, llega un momento en el que los clientes entienden que se están sanando.

4. Invitamos a los clientes a reparar en que las partes se han «fusionado» con el Self, o ayudamos a las partes a advertir que el Self estará disponible cuando se separen o «retrocedan». Para lograr que el Self del cliente siga diferenciado de sus partes, incorporamos la prioridad que en los sistemas familiares se atribuye a los límites y la diferenciación. Cuando el Self está presente, las partes se sienten a salvo. Del mismo modo, el terapeuta de IFS explora continuamente su propio interior en busca de partes fusionadas y les dice que se separen, para poder recuperar el liderazgo del Self.

5. Los protectores se temen mutuamente, y eso los mantiene en posiciones extremas. Cada una de las partes cree que si baja la guardia, una parte polarizada tomará el mando con consecuencias catastróficas. Por eso en la terapia IFS no dejamos de fijarnos en las polarizaciones y atenderlas. Como terapeutas familiares, trabajamos con miembros discrepantes de la familia interna y les proponemos que, unos frente a otros, hablen de cómo llevarse mejor. La diferencia es que, siempre que se puede, el Self del cliente modera estos diálogos internos para garantizar que las partes se escuchen unas a otras desde el respeto. Cuando el Self modera y las partes polarizadas por fin contactan y ven que tienen un objetivo común (la seguridad del cliente), es frecuente que las antiguas polarizaciones se desvanezcan enseguida.

6. En general, la perspectiva esencial de la IFS aconseja a los terapeutas ser respetuosos y no patologizar. Todos tenemos par-

tes, y las partes, como las personas, tienen talentos y recursos, pero están limitadas por los episodios traumáticos que generaron emociones y creencias extremas (cargas). Al igual que sucede con los miembros de las familias externas, la desatención, el abandono, la violencia o las agresiones sexuales en la infancia cargan y llevan al extremo a las partes; y éstas se ven limitadas por sus roles sistémicos, que los protectores a menudo detestan, pero juzgan necesarios. En la IFS, los fenómenos como la «interiorización» y la «introyección» se consideran cargas que deben aliviarse, no atributos de una parte. En consecuencia, en vez de asumir que el cliente tiene algún tipo de trastorno o déficit, los terapeutas de IFS siempre preguntan por la red de relaciones internas donde las partes están integradas y las creencias extremas que las partes puedan arrastrar.

7. En la IFS podemos movernos con fluidez entre niveles sistémicos, por lo que este método se ha convertido en una psicoterapia completa aplicable a todos los niveles sistémicos. Por consiguiente, a la hora de buscar limitaciones y el mejor portal de intervención, los terapeutas de IFS pueden incluir la red de relaciones externas del cliente. Por ejemplo, podríamos empezar con el mundo interior de un cónyuge, para luego centrarnos en la relación de la pareja y a continuación volver al mundo interior del cónyuge. Así, los terapeutas de IFS emplean los mismos conceptos y técnicas en todos los niveles sistémicos o no les hace falta cambiar de rol al pasar de la terapia individual a la de pareja o a la familiar. Este libro dedica cinco capítulos a la IFS con familias, parejas y otros sistemas externos. El lector encontrará más información sobre la terapia IFS de pareja en el libro de Toni Herbine-Blank sobre el tema, *Intimacy from the Inside Out* (Herbine-Blank, Kerpelman y Sweezy, 2016).

8. Por último, los pensadores sistémicos creen que los organismos vivos tienen la capacidad de autosanarse. Esta capacidad es más evidente cuando nuestros organismos aportan varias estrategias curativas intricadas para intervenir en el daño físico,

pero también sucede con el daño emocional. Al ayudar a los clientes a acceder a su Self, estamos activando la competencia innata del cliente para sanar. Cuando confiamos en los recursos connaturales de la psique, agradecemos la oportunidad de echar una mano y nos pasamos boquiabiertos gran parte de nuestra vida profesional.

CONCLUSIÓN

El resto del libro relata cómo nuestros delicados ecosistemas internos sobreviven y se adaptan a la experiencia, cómo podemos ayudar a los clientes a navegar sin riesgos y respetuosamente por este territorio y cómo todos podemos aspirar a la sanación y la armonía en nuestros mundos internos y externos. El propósito de la terapia IFS es ayudar a los clientes a estar bajo la dirección del Self, lo que significa que sus partes se sientan queridas por el Self y confíen en el liderazgo de éste. Esta relación con el Self puede engendrar abundante paz interior, junto con la capacidad de responder a las dificultades de la vida y a otras personas con claridad, calma, confianza, valor y compasión. Las personas gobernadas por el Self gozan del enorme placer de recuperar toda la energía que antes sus protectores destinaban a la inhibición, la represión, la distracción y la rebelión. Y también consiguen acceder a la creatividad, el deleite y la inocencia de las partes infantiles, antes exiliadas, para que vuelvan a jugar con libertad.

CAPÍTULO 2

Las personas como sistemas

EL PENSAMIENTO SISTÉMICO

A principios del siglo XX, un grupo de biólogos orgánicos admitió que el estudio de las leyes químicas y físicas de los componentes de un organismo vivo limitaba su conocimiento de la coordinación de esos componentes para funcionar en conjunto. Sus investigaciones desembocaron en un nuevo modo de conceptualizar y estudiar los organismos vivos, que dio en llamarse «pensamiento sistémico». A diferencia del análisis de los componentes de un organismo –lo que ahora se conoce como *pensamiento reduccionista, mecanicista o atomista*–, el pensamiento sistémico es holístico, organicista o ecológico. En lugar de preguntar «¿De qué está hecho esto?», los pensadores sistémicos preguntan «¿Cómo funcionan los componentes de esto estructuralmente?» y «¿En qué contexto más amplio opera, y en qué medida lo afecta ese contexto?». En vez de estudiar cada parte individualmente, trazan relaciones entre las partes de un sistema y con el contexto de éste.

A partir de esas primeras investigaciones en biología, el pensamiento sistémico alumbró un concepto de la vida completamente nuevo. Hoy ya no vemos el universo como una máquina compuesta de elementos básicos; vemos que la propia Tierra es un sistema vivo autorregulado (Capra y Luisi, 2014), una red de patrones relacionales. El pensamiento sistémico hizo su entrada en la psicoterapia en los años setenta, a través del campo incipiente de la terapia familiar, y yo tuve la suerte de haberlo conocido antes de descubrir el mundo interior de las partes. Como resultado, en vez de centrarme en las cualidades de cada parte, no tardaron en interesarme sus patrones relacionales y cómo repercutían éstos en el sistema más amplio donde estaban integrados: la persona.

Profundizando en el pensamiento sistémico, un *sistema* puede definirse como una entidad cuyas partes se relacionan entre sí siguiendo un patrón. Por consiguiente, los sistemas lo incluyen todo: desde relojes hasta televisiones y sistemas de transporte. Además, según esta definición, todos los organismos biológicos, desde las bacterias hasta las ballenas, son sistemas. Los sistemas humanos lo incluyen todo, desde la personalidad de un individuo hasta una nación, y ambos operan sobre la base de creencias. Por ejemplo, una nación tiene una serie de leyes que codifican las creencias culturales a lo largo del tiempo. Un sistema se compone de sistemas menores (subsistemas) y también es parte de sistemas mayores, al igual que una región contiene provincias y ciudades, pero también es parte de una nación. Así, según nuestro punto de vista, cualquier entidad que examinemos será el sistema enfocado. Por ejemplo, algunos capítulos de este libro se enfocan en la familia. En ellos, la familia es el sistema enfocado; los miembros de la familia y sus relaciones son subsistemas; y la comunidad étnica o sociedad a que pertenece la familia es un sistema mayor.

Con arreglo a esta definición, un montón de piezas de automóvil no es un sistema. Ahora bien, una vez montadas esas partes de un modo determinado, se convierten en un sistema que es más que la suma de sus partes. Se convierten en un coche. Las piezas de automóvil se relacionan de un modo pautado (es decir, tienen estructura), que crea un medio de transporte. Los sistemas cibernéticos pueden autorregularse al ser sensibles a la respuesta del entorno y cambiar conforme a ésta. Como un coche depende de un conductor y de un mecánico para su manejo y reparación, y no puede autocorregirse, no es un sistema cibernético. Sin embargo, cada vez más coches incorporan subsistemas cibernéticos como el termostato o el controlador electrónico de velocidad, cuya función es mantener unas condiciones estables (homeostasis) cuando el sistema mayor está en funcionamiento. Los sistemas cibernéticos llevan sensores que leen las respuestas del entorno del vehículo y activan adaptaciones automáticas. El coche se adentra en un frente frío y sube la calefacción; con el controlador electrónico de velocidad, el acelerador baja cuando el coche empieza a subir una cuesta. Como la respuesta automática de los mecanismos del vehículo tiene el efecto de reducir la desviación de las condiciones estables —esto es, devuelve el sistema al rango de temperatura o velocidad homeostático—, este aumento de calor o combustible se denomina *retroalimentación negativa*. De manera complementaria, la *retroalimentación positiva* aumenta las desviaciones. Por ejemplo, si se atasca el mecanismo del acelerador o de la calefacción, la velocidad o el calor se verán empujados muy por encima de los topes establecidos.

Suele ser fácil decir qué es parte del coche y qué no lo es, así que el coche tiene límites claros. Ahora bien, estos límites no son inamovibles, porque los componentes pueden cambiarse o añadirse. Al incorporarse a una autopista, un coche se incorpora a un sistema más amplio, en el que tiene influencia y del que recibe una influencia. Si se detuviera de pronto habiendo un tráfico denso, alteraría en gran medida la circulación. Asimismo, la velocidad y la capacidad de maniobra del coche están limitadas por el ritmo de los vehículos que lo rodean. Cuando la autopista está menos congestionada, el coche no se ve tan limitado por su sistema más amplio. Los sistemas, por lo tanto, influyen unos en otros en distintos grados, los grados en que los están integrados o limitados recíprocamente.

Todos los conceptos que acabamos de describir son también aplicables a los sistemas humanos, incluyendo la estructura y los límites, así como la retroalimentación positiva y negativa, la homeostasis y los grados de integración o limitación. Los sistemas humanos son, sin lugar a duda, cibernéticos. Las personas se organizan para preservar un rango de homeostasis en varios aspectos, desde la proximidad a otras personas hasta los niveles de conflicto con los demás. Además, cada persona alberga multitud de subsistemas cibernéticos, desde los que regulan los niveles de glucosa hasta los que regulan la expresión de los sentimientos. Sin embargo, como las personas no sólo reaccionan a la respuesta del entorno, no basta con los principios cibernéticos que la terapia familiar tomó prestados del estudio de los sistemas mecánicos y biológicos para tratar de comprender a las familias. Son necesarios, pero no suficientes para explicar los sistemas humanos. Una perspectiva integral de los sistemas humanos debe incluir más principios derivados del estudio de los sistemas vivos complejos.

La diferencia entre los sistemas humanos y los mecánicos es esencial para el modelo IFS. Una de las premisas básicas de la IFS es que las personas tienen un instinto y una sabiduría innatos con respecto a su salud. No sólo intentamos mantener unas condiciones estables y reaccionar a la retroalimentación; también perseguimos la creatividad y la intimidad. Llegamos al mundo plenamente equipados para gozar de vidas interiores y exteriores armoniosas. De esta premisa básica se deduce que las personas tienen problemas crónicos porque no acceden a la totalidad de sus recursos y sabiduría internos. En los sistemas en los que estamos integrados o aquellos que están integrados en nosotros hay muchas veces elementos que nos limitan el acceso a los recursos internos. El propósito de la terapia IFS es ayudar a encontrar esas limitaciones y resolverlas.

El pensamiento sistémico nos ayuda a examinar los distintos sistemas del entorno o del interior del cliente para hallar limitaciones y zanjarlas. Puede haber limitaciones en el sistema de personalidades internas del cliente, en la relación del cliente con varios miembros de la familia, en la estructuración general de la familia, en el modo en que distintas instituciones extrafamiliares afectan a la familia (escuela, trabajo, salud mental, etc.) y en la influencia de la comunidad étnica y la sociedad más amplia del cliente en los valores y creencias de la familia. Todos estos sistemas humanos están entrelazados. Se influyen recíprocamente.

LOS PRINCIPIOS FUNDAMENTALES DE LOS SISTEMAS HUMANOS

Pretender entender y evaluar todos estos niveles sistémicos humanos sería una tarea abrumadoramente compleja si no fuera porque todos los niveles tienen un funcionamiento parecido. En los siguientes apartados abordamos cuatro principios fundamentales de los sistemas humanos no incluidos en lo expuesto anteriormente sobre los sistemas cibernéticos: equilibrio, armonía, liderazgo y desarrollo. Estos principios son fruto del trabajo con los sistemas internos y familiares, pero se diría que son en gran medida universales.

Equilibrio

Cuando están equilibrados es cuando los sistemas humanos funcionan mejor. Creemos que hay cuatro dimensiones para evaluar el equilibrio de un sistema: (1) el grado de influencia de una persona o grupo en la toma de decisiones del sistema; (2) el grado de acceso de una persona o grupo al sistema; (3) el grado de equilibrio de los límites del sistema, y (4) el grado en el que los subsistemas del interior del sistema tienen límites ni demasiado rígidos ni demasiado difusos. En un sistema equilibrado, a cada persona se le concede el grado de influencia y acceso a los recursos y responsabilidades del sistema que corresponde a sus necesidades, siendo equivalente al de las personas con roles parecidos.

Armonía

El concepto de armonía se aplica a las relaciones que hay entre las personas del sistema. En los sistemas armoniosos, se persigue encontrar el rol que cada miembro desea y le es más apropiado. Las personas obran conjuntamente en pos de un objetivo común, aunque valoran y apoyan los diferentes estilos e ideas individuales. El sistema armonioso permite a cada miembro descubrir y perseguir sus propios fines, sin dejar de intentar encajar el fin de ese miembro en el fin más amplio del conjunto del sistema. En esa clase de ambiente, a las personas no les importa sacrificar alguno de sus recursos y objetivos personales por el bien mayor, ya que se sienten valorados por sus cualidades personales y sus contribuciones, y les importa el bienestar común. Se comunican bien al ser sensibles y receptivos a la información que circula entre los miembros del sistema. La polarización es lo contrario de la armonía. En una relación polarizada, cada persona abandona una posición flexible y armoniosa por una rígida y extrema que se opone a la de otra persona o compite con ella. Más adelante abordaremos las múltiples formas en que las polarizaciones limitan los sistemas.

Liderazgo

Para que en los sistemas humanos haya equilibrio y armonía, se requiere un liderazgo eficaz. Uno o más miembros del sistema deben tener la aptitud y el respeto para hacer lo siguiente: mediar en las polarizaciones y facilitar el flujo de información en el seno del sistema; garantizar que todos los miembros estén protegidos y atendidos, y que se sientan valorados y alentados a ir tras su fin individual dentro de los límites de las necesidades del sistema; asignar equitativamente recursos, responsabilidades e influencia; aportar una perspectiva más amplia al conjunto del sistema; representar al sistema en la interacción con otros sistemas, e interpretar con franqueza la retroalimentación de otros sistemas. Por suerte, aunque nuestros recursos se ven a menudo limitados por diversos factores que examinaremos más adelante, los sistemas humanos cuentan con los recursos necesarios para esa clase de liderazgo.

Desarrollo

A pesar de nacer con los recursos necesarios para gozar de una existencia equilibrada y armoniosa, los sistemas humanos necesitan tiempo para que esos recursos se desarrollen. A modo de analogía, imagina un equipo nuevo de baloncesto. Sus miembros tienen mucho talento natural, pero hasta que descubran los hábitos de unos y otros y aprendan a confiar en el entrenador y a respetarlo, no funcionarán a la perfección como equipo. Análogamente, un sistema humano sabe de salud, pero le lleva tiempo desarrollar las aptitudes y relaciones necesarias para aplicar ese saber. Por lo tanto, un liderazgo eficaz y unos límites claros evolucionan gradualmente y se ven afectados por el entorno del sistema. Si el sistema enfocado está integrado en un sistema armonioso y equilibrado mayor, es probable que tenga la libertad y el apoyo que precisa para volverse armonioso y equilibrado. La habilidad de un sistema humano para destinar sus recursos a un desarrollo sano estará limitada, no obstante, si evoluciona en el seno de un sistema mayor polarizado y desequilibrado, en cuyo caso adoptará las creencias y emociones extremas del sistema mayor.

CONTEMPLAR A LAS PARTES EN CONTEXTO

La IFS traslada el pensamiento sistémico a la esfera intrapsíquica. En psicoterapia, va bien conceptualizar y referirse a las personas como sistemas psíquicos. He aquí algunas ventajas importantes de contemplar la psique como un sistema.

Menor rigidez, mayor flexibilidad

Cuando nos sentimos obligados a negar una verdad en pro de otra (p. ej., «Te quiero, estoy enfadado contigo»), nos embarcamos en un proyecto incesante de negación y autolimitación. En cambio, aceptar la capacidad de la mente para abarcar muchas perspectivas a la vez significa que podemos reconocer que dos cosas aparentemente opuestas son verdaderas y proceder con creatividad (Rosenberg, 2013). Nos movemos en un mundo complejo, donde tiene sus ventajas disponer de muchas mentes que se comunican estrechamente entre ellas y al mismo tiempo actúan con cierta autonomía.

Facilidad de acceso

La mayoría de los clientes toman conciencia de sus partes con sorprendente facilidad. Intuitivamente, comprenden la mente. Al vetar los fuertes sesgos culturales, casi todas las personas pueden acceder a su interior y contactar enseguida con sus partes. Y aunque al principio tal vez teman que ese desorden y conflicto interiores denoten deficiencia y fracaso, eso cambia cuando prestan atención y saben de las pugnas, los sacrificios y las penas heroicos, creativos y a menudo desgarradores de sus partes.

Mapas ecológicos

Cuando contemplamos la psique de una persona como un ecosistema diferenciado, hallamos muchos posibles puntos de entrada. Si la curiosidad es la llave de estos portales, el mapeo es una guía especialmente útil de lo que reside en su interior. Al igual que los terapeutas familiares mapean la organización relacional de una familia, los terapeutas personales pueden mapear la familia interna para arrojar luz sobre las alianzas, coaliciones y polaridades existentes entre las partes del cliente. Un mapa del sistema interno no sólo nos habla de los cometidos y relaciones de las partes; también nos recuerda que estamos abordando un sistema activo lleno de individuos motivados que dispone nuestros instintos sociales y nuestro sentido de la oportunidad. Entretanto, saber cómo interactúan los sistemas nos ayuda a prever el comportamiento de los que giran en torno al cliente —la familia, los amigos y quienes los abastecen—, para poder movernos con destreza dentro de los niveles sistémicos y entre ellos.

Pautas claras para el cambio

En la IFS, el nexo entre teoría y práctica está muy claro: toda intervención (como mostramos a lo largo de todo el libro) tiene por objeto atender las necesidades de la familia interna del cliente resolviendo las limitaciones y aprovechando al máximo los recursos innatos del cliente. El concepto de *multiplicidad psíquica normal* puede esclarecer muchos fenómenos notables a quienes dan el paso hacia este modo de pensar. Esos fenómenos incluyen conductas muy contradictorias, como la conversión de un ateo convencido al fundamentalismo cristiano, un adolescente que se enamora y desenamora porque sí, un activista homófobo declarado al que detienen por ofrecer servicios sexuales a hombres en un baño público, un adulto que se transforma de un personaje en otro con poca o ninguna conciencia de haberlo hecho (conducta que denota el diagnóstico psiquiátrico de trastorno de identidad disociativo) o cómo una respuesta a un problema antes irresoluble viene a la mente «sin más» por la noche. En vez de concluir que quien muestra intereses, creencias, sentimientos, valores o saberes diferentes y a menudo contradictorios presenta cambios abstractos de emociones y sentimientos, podemos considerar que todo ello es producto de una mente plural.

CARACTERIZACIÓN DE LAS PARTES

Hay otros enfoques terapéuticos que han observado y trabajado con la multiplicidad psíquica, y han denominado a las partes *subpersonalidades*, *subyoes*, *personajes internos*, *arquetipos*, *complejos*, *objetos internos*, *estados del ego* y *voces* (Jung, 1969; Rowan, 1990; Stone y Stone, 1993; Watkins y Watkins, 1997). Pese a que la connotación mecanicista de la palabra *parte* no es ideal −y su simpleza puede desalentar a algunos−, la IFS se limita a ceñirse a la lengua vernácula que a los clientes parece resultarles práctica y sencilla. La mayoría de los clientes mencionan las *partes* al hablar de conflicto interno y suele funcionar bien clínicamente.

En *The Compact Edition of the Oxford English Dictionary* (1971) hay una definición intricada de la palabra *parte* que legitima parcialmente la elección de este término: una parte es «una cualidad o atributo personal, natural o adquirido, esp. de tipo intelectual (como elemento constituyente de la mente o el carácter de uno)» (p. 2084). Hay también un precedente en la Biblia: «Nuestros huesos se secaron, y pereció nuestra esperanza, y nos despojaron de nuestras partes» (Ezequiel 37:11); en la obra de Shakespeare *Mucho ruido y pocas nueces* (1598/1974, v. II. 60-61), cuando Benedicto pregunta a Beatriz «¿Por cuál de mis malas partes te enamoraste primero de mí?»; y, en la época de Shakespeare, el comentario de Ben Jonson, en 1598, sobre «un caballero […] con partes buenas de lo más excelentes […]». Si a los clientes no los convence la palabra *parte* –o, con mayor probabilidad, la idea de que tenemos partes–, podemos limitarnos a utilizar la palabra de su elección: *aspecto, pensamiento, subpersonalidad, personaje, sentimiento, lugar, persona*, etc. En este libro, sin embargo, hablamos de *partes*.

Asignar nombres y cambiarlos

Al igual que nos relacionamos mejor con las personas cuando sabemos cómo se llaman, nos relacionamos mejor con las partes cuando tienen una etiqueta que indica algo acerca de su identidad. De ahí que, además de referirnos a nuestras entidades internas como «partes», animemos a los clientes a etiquetar a sus partes. Empezamos adoptando la propuesta del cliente (el *triste, Yoda, Golum*, el *bebé*), que suele guardar relación con el rol de esa parte, aunque a veces una parte nos dirá «Llámame Betty», en cuyo caso la llamaremos Betty. Ahora bien, no seguiremos el ejemplo cuando las partes se insulten. Si una parte llama a otra *imbécil* o *perezosa*, preguntamos directamente a la parte en cuestión cómo prefiere que la llamen. Luego seguiremos empleando la etiqueta de su preferencia hasta que cambie de rol (y a menudo también de apariencia), que es cuando invitaremos a la parte a cambiarse de nombre. Por suerte, asignar nombres y cambiarlos pone de relieve la multidimensionalidad de las partes y la naturaleza mudable de su comportamiento.

Las partes como personas internas

Aunque designemos a las partes con etiquetas, es un error creer que la etiqueta o el rol de la parte (la *parte triste*, la *parte enfadada*, el *líder*, el *cuidador*, etc.) plasma su esencia. En este libro, queremos ayudar a los lectores a ser conscientes de que una parte no es sólo un estado emocional o un patrón habitual de pensamiento. Las partes son sistemas mentales discretos y autónomos, cada uno con su abanico idiosincrático de emociones, maneras de decir, capacidades, deseos y puntos de vista del mundo. Por ejemplo, una parte que esté enfadada también puede sentir dolor o miedo. Si la vemos únicamente como la «parte enfadada», es probable que ignoremos el resto de sus sentimientos. En cambio, si la vemos como una persona enfadada (muchas veces un niño o adolescente), tendremos más probabilidades de interesarnos por toda su gama de sentimientos y su potencial para alternar entre estados emocionales.

Desde la óptica de la IFS, todos albergamos una tribu interior de personas, cada una de una edad, con distintos intereses, aptitudes y temperamentos. La analogía de una familia puede ayudarnos de nuevo a aclararlo. Al igual a que los niños se les imponen roles extremos que no desean y a los que no se adaptan, las partes adquieren a la fuerza roles extremos. En familias alcohólicas, por ejemplo, es frecuente encontrar a un hijo cuidador extremadamente responsable, a un hijo molesto, a un rebelde furioso, etcétera. Una vez liberados, esos hijos cambian radicalmente. Lo mismo ocurre con las partes. Si vemos a una parte como a un niño o adolescente que se muestra tímido o enfadado en un contexto determinado, en lugar de creer que ese único atributo define a esa parte, será más probable que nos planteemos quién sería en otras circunstancias. Como resultado, será también más probable que pensemos en ayudar a la parte a descubrir todo su potencial.

LOS ROLES DE LAS PARTES: UN SISTEMA TRIGRUPAL

En respuesta al peligro, los individuos de los sistemas humanos de todos los niveles abrazan roles que pueden clasificarse en tres grupos. Un grupo tiende a mostrarse muy protector, estratégico e interesado en controlar el entorno para preservar la seguridad. En IFS llamamos a los miembros de este grupo *directivos.* El segundo lo integran los miembros más sensibles del sistema. Cuando estas partes se sienten heridas o resentidas, los directivos los apartan, por su propia seguridad y por el bien de todo el sistema. Los denominamos *exiliados.* Por último, un tercer grupo trata de suprimir, anestesiar o desviar la atención de los sentimientos de los exiliados, por lo que reaccionan con fuerza y automáticamente, sin importarles las consecuencias, ante su propia angustia y la inhibición extremada de los directivos. En IFS conocemos a los miembros de este grupo como *bomberos,* porque combaten las llamas de la emoción exiliada.

Los sistemas internos que responden a un trauma no se dividen sólo en estos roles. Las partes protectoras (los directivos y los bomberos) forman alianzas y tienen conflictos entre sí. Asimismo, pueden ser muy duros (o asfixiantes) con el exiliado al que pretenden proteger o repeler. Cuanto más triste, aterrado, avergonzado, furioso o interesado por el sexo esté un exiliado, más temen con razón los protectores que se desate, y más extreman sus esfuerzos de represión y limitación. A su vez, cuanto más se reprime a un exiliado, más intenta escapar. Así es como los tres grupos se convierten en víctimas de un ciclo creciente de conflicto interno. Judith Herman (2015) describió esos ciclos:

> [Una superviviente de un trauma] se halla atrapada entre el extremo de la amnesia y el de revivir el trauma, entre olas de sentimientos de

abrumadora intensidad y estados áridos donde no siente nada; entre la acción irritante e impulsiva y la inhibición completa de la acción. La inestabilidad generada por esta alternancia periódica agrava la sensación de imprevisibilidad e impotencia de la persona traumatizada. (p. 47)

Los exiliados

Es común enseñar a los niños a temer y ocultar el dolor emocional o el terror, porque los adultos reaccionan con la misma radicalidad que frente a sus partes infantiles heridas: con impaciencia, negación, críticas, repulsión o distracción. Entonces, las partes directivas del niño toman ejemplo y adoptan las mismas actitudes frente a los miembros jóvenes de la tribu interior: los desensibilizan, les vetan el acceso al Self y aumentan su vulnerabilidad al trauma.

Los exiliados son las partes que han sufrido explotación, rechazo o abandono en las relaciones externas, y que luego son objeto de juicios negativos de otras partes del sistema. Si un exiliado se excitó durante un abuso sexual, a los directivos les parece repugnante y peligroso. Como el sistema asocia la estimulación sexual con el abuso, la mera existencia de una parte sexualmente estimulada evoca el miedo a que, en el fondo, el cliente sea como el agresor. Los directivos quieren a esas partes encarceladas y fuera de la mente. En general, los directivos no toleran en absoluto el miedo, la vergüenza ni el dolor emocional. Para ellos, las partes heridas son defectuosas, débiles, amenazantes y despreciables.

Los exiliados están anclados en el pasado y los han dejado atrás, pero son menos vulnerables a los sucesos alarmantes del presente, lo que justifica el punto de vista de los directivos. No obstante, los exiliados, como cualquier grupo oprimido, se radicalizan con el tiempo. Buscando la ocasión de fugarse y contar sus historias, su desesperación y su dependencia se vuelven incluso más peligrosas. Pueden deteriorar y sobrecargar el cuerpo, la mente y el corazón con su pesar crónico no declarado, o abrumar emocionalmente con *flash-*

backs, pesadillas y bocanadas repentinas de dolor, miedo y vergüenza que provocan pánico y excesos en los protectores.

Como niños abandonados que son, los exiliados quieren atención y amor. Por eso persiguen que los rescaten y rediman, y normalmente acuden a alguien parecido a la persona que inicialmente los rechazó, o incluso regresan al maltratador original (Schwartz, 2008). Es frecuente que los exiliados se presten a pagar casi cualquier precio, aunque sea por una pizca de aceptación, esperanza o protección. A cambio, están dispuestos a soportar más degradación y maltrato (y, de hecho, a menudo creen que lo merecen). Cuando los exiliados tienen el control, es posible que los clientes traumatizados se adentren una y otra vez en relaciones de maltrato de las que les cuesta salir. Así que los directivos tienen razones para temer la radicalidad de los exiliados y la de los bomberos, especialmente la de los bomberos enfurecidos por el trauma y sedientos de venganza.

Los directivos

Tras haberlos encerrado, los directivos temen que los exiliados escapen. Los distintos directivos practican diferentes estrategias para evitar las interacciones y situaciones que puedan hacer saltar al exiliado. Cuando hablamos de algunos de los roles más habituales de los directivos, recuerda que los directivos (y los bomberos) adoptan estos roles por la fuerza. Pese a estar convencidos de que deben hacer lo que hacen, no disfrutan con ello. Al temer que el menor desprecio o alarma active a una parte joven y herida, los directivos a menudo intentan que la persona controle todas las relaciones y situaciones. Hay muchos tipos de directivos. Un directivo puede ser muy racional y eficaz a la hora de resolver problemas, pero también estar obsesionado con apartar los sentimientos. Muchos clientes llaman a ese tipo de directivo el *pensador*, el *controlador* o algún apodo similar. Asimismo, algunos directivos se afanan por triunfar profesionalmente o enriquecerse, para que la persona esté en una posición de poder y no atienda a sentimientos complicados. Este directivo voluntarioso y motivador puede ser un crítico mordaz, un supervisor eternamente insatisfecho con los resultados o el rendimiento de la persona. El negador es un directivo que distorsiona las percepciones para que la persona no vea ni responda a las reacciones peligrosas. Al protector que trata de evitar el riesgo interpersonal le preocupan frecuentemente las situaciones que puedan conducir a la ira, el sexo o el temor. Puede ser un pesimista pasivo que mina la autoconfianza de la persona y sabotea su labor, manteniéndola apática y apartada, para que no intente acercarse a nadie ni se atreva a perseguir objetivos. Paralelamente, el pesimista puede buscar y acentuar cualquier defecto del objeto de deseo, para restarle atractivo y evitar la cercanía. En quienes han sufrido maltrato grave, esta parte puede llegar a ser un terrorista interno, que hace suyas cualidades de los agresores y asusta a los exiliados para que se escondan. Al ser la nuestra una cultura patriarcal, muchos directivos se muestran estereotipadamente, y sería interesante estudiar su aspecto (hombre, mujer o ninguno de los dos) según la identidad de género del cliente. A muchas mujeres se las educa para confiar en un directivo perfeccionista en cuanto a la imagen y la conducta. Este directivo cree que si ella no es perfecta y complace a todo el mundo, la abandonarán y sufrirá. También a muchas mujeres se las ha educado para depender en gran medida de un directivo cuidador. Las partes cuidadoras extremas empujan a las mujeres a sacrificar sus necesidades constantemente por el prójimo, y tachan de egoísta a la mujer si hace valer sus derechos. A los hombres, en cambio, a menudo se los educa para que confíen en un directivo facultado o competitivo que los alienta a conseguir cualquier cosa que se propongan, sin importar a quién perjudican sus acciones. Otro rol común de los directivos es el del aprensivo (o centinela) hiperalertado, que se siente permanentemente amenazado y está siempre pendiente del peligro. Cuando la persona pondera los riesgos, este directivo le muestra momentáneamente las peores perspectivas. Y luego está el directivo dependiente, que le dice a la persona que es una víctima y le hace constantemente aparentar desvalimiento, aflicción y pasividad para asegurarse de que los demás le cuiden. Los directivos tienen muchos comportamientos posibles.

La idea es que el principal propósito de todos los directivos es mantener a los exiliados fuera de la mente, tanto para protegerlos a ellos como para proteger el sistema de sus sentimientos y pensamientos. Cuando traspasan las compuertas interiores, son una amenaza para las facultades de la persona. Los directivos previenen los sentimientos exiliados manteniendo a la persona al mando y lejos de situaciones desconocidas o impredecibles; además, complacen a aquéllos de quienes la persona depende. Para mantener esa clase de control interno y externo, los directivos pueden dotar a la persona de la apariencia exterior y la esencia de un triunfador. Aportan la decisión y la concentración necesarias para alcanzar impresionantes logros académicos, profesionales o económicos. El éxito no sólo permite controlar las relaciones y decisiones; también distrae de la vergüenza, el miedo, la tristeza y la desesperación interiores. En cambio, si un directivo pesimista, dependiente o aprensivo domina el sistema interno del cliente, la vida puede llenarse de una serie de intentos descorazonados y fracasos que protegen de la responsabilidad y la decepción. El resto de las herramientas directivas van desde las obsesiones, las compulsiones, la reclusión, la pasividad, la insensibilidad, el desapego emocional y la sensación de irrealidad hasta las fobias, los ataques de pánico, las dolencias somáticas, los episodios depresivos, la hipervigilancia y las pesadillas. (Sí, las pesadillas pueden ser la táctica de un directivo en vez de un exiliado que se abre paso).

La rigidez y severidad de las estrategias directivas serán acordes al grado en el que un directivo crea (con o sin acierto) que la persona corre el riesgo de volver a salir herida. Al igual que los niños parentalizados en las familias, los directivos no están dotados para liderar, pero sienten que no les queda alternativa. Su carga de responsabilidad contribuye a su rigidez y extremismo. No sólo deben lidiar con un mundo que se les antoja peligroso, sino que también han de montar guardia para contener a los exiliados, y quieren desesperadamente proteger todo el sistema de amenazas. Así que los directivos también están desatendidos, sufren y tienen miedo. En *El drama del niño dotado* (1981), Alice Miller hace una descripción conmovedora de la problemática del niño parentalizado que es idéntica a la problemática de muchas partes directivas de las familias internas. La paciente a la que describe Miller era la hija mayor de una mujer con estudios:

> Yo era la joya de la corona de mi madre. Ella a menudo decía: «En Maja se puede confiar, saldrá adelante». Y, efectivamente, salí adelante. Le eduqué a los hijos pequeños para que ella pudiera proseguir su carrera profesional. Se hizo más famosa, pero nunca la vi feliz. ¡Cuánto la echaba de menos por las noches! Los pequeños lloraban y yo los consolaba, pero yo nunca lloraba. ¿Quién iba a querer a una niña llorona? Sólo conseguiría el amor de mi madre si era competente, comprensiva y me controlaba, si jamás cuestionaba sus acciones ni le demostraba lo mucho que la añoraba. (p. 68)

Como la clienta de Miller, los directivos internos de un cliente son esforzados, perfeccionistas y buscan la aprobación. Y a menudo explican que ocultan su soledad y su pena, que se sacrifican para mantener a flote la vida de la persona. Los directivos, como los exiliados, suelen ser los niños que desean fervientemente que los nutran y sanen. A diferencia de los exiliados, no obstante, creen que deben esconder sus vulnerabilidades y sacrificarse por el sistema. Cuanto más competentes son, más depende de ellos el sistema, y más abrumados se sienten por sus responsabilidades y poder. Al final terminan por creer que ellos son los únicos responsables del éxito y la seguridad de la persona, por lo que aún ven menos claro ceder el liderazgo al Self.

Los bomberos

A pesar de los esfuerzos de los directivos, el mundo encuentra la forma de abrirse paso entre sus defensas y activar a los exiliados.

Además, cuando estamos cansados o enfermos, inevitablemente los directivos bajan la guardia. Más allá del motivo de la puesta en marcha de las emociones exiliadas, su activación es una emergencia que llama a la acción a otro grupo de protectores. Los llamamos los *bomberos* porque reaccionan a la aparición de los exiliados como si se hubiera disparado una alarma, haciendo lo que crean necesario para distraer de la tormenta emocional del exiliado o reprimirla; y les importan poco (o nada) las consecuencias que sus acciones puedan ocasionar en el conjunto de relaciones del cliente. Todos tenemos una jerarquía de actividades de los bomberos, así que, si la primera y más leve no funciona, pasamos a la siguiente. La primera táctica de los clientes con bulimia, por ejemplo, suele incluir comida, pero si ésta no es eficaz, el equipo antiincendios del cliente probará con otras medidas, como las drogas, el alcohol, el sexo, la autolesión o el robo. Para muchos clientes, la cúspide de la jerarquía la ocupa el consuelo definitivo del suicidio. En terapia tradicional, las conductas de los bomberos se consideran patológicas, pero en IFS reconocemos la intención protectora de los bomberos, y negociamos con ellos para que el Self del cliente preste ayuda con el problema subyacente de los sentimientos exiliados.

Entre las técnicas de los bomberos, encontramos actividades insensibilizadoras, como la automutilación, la ingestión compulsiva de comida, el consumo excesivo de drogas o alcohol, la disociación y las prácticas sexuales de riesgo. Lo habitual es que un bombero trate de tomar tan a conciencia el control de la persona que ésta sólo sienta una compulsión urgente de practicar alguna actividad disociativa o apaciguadora. Los bomberos pueden volver a una persona egocéntrica, exigente (narcisista) e insaciablemente ávida de cosas materiales. Sus actividades pueden también incluir la satisfacción exagerada de la rabia, la euforia y la indulgencia del robo o el consuelo de pensamientos o conatos de suicidio.

Aunque el objetivo básico de los bomberos —mantener a los exiliados fuera de la mente— es el mismo que el de los directivos, sus estrategias suelen ser bastante distintas de las de los directivos (y a menudo incompatibles). Los directivos se afanan por preservar el control de la persona permanentemente y por complacer a todo el mundo. Suelen ser muy racionales, previsores y capaces de adelantarse a situaciones activadoras y evitarlas. Los bomberos, en cambio, reaccionan cuando aparece un exiliado. Descontrolan a la persona y contrarían a todo el mundo (a menos que la conducta esté aprobada socialmente, como la adicción al trabajo o las dietas). Tienden a ser reactivos, impulsivos e irreflexivos. A diferencia de los directivos, que intentan acallar a los exiliados, los bomberos suelen buscar algo relajante y tranquilizador.

En contrapartida, la impulsividad y extremismo de las conductas de los bomberos dan lugar a una avalancha de críticas internas de los directivos y externas de quienes rodean al cliente. A pesar de que los directivos pueden confiar en los bomberos y hasta recurrir a ellos, los atacan *a posteriori* por haber puesto en peligro a la persona y llevarla a ser indulgente, pusilánime o insensible con los demás. La dinámica típica entre directivos y bomberos es un círculo vicioso que se repite y va a más: los directivos avergüenzan a los exiliados, que se activan, lo cual estimula a los bomberos, lo que a su vez azora a los directivos, y así sucesivamente. En conclusión, los directivos y los bomberos son unos socios extraños y molestos, a menudo contrapuestos.

Hasta quienes no son muy sintomáticos y nunca han sido heridos gravemente tienen esta organización interna en tres grupos: los directivos, los exiliados y los bomberos. Eso es porque a todos nos han educado para exiliar a distintas partes de nosotros y, en cuanto empieza el exilio, los roles de contención y distracción de directivos y bomberos se hacen necesarios. Si tuviéramos que escribir un manual de diagnóstico basado en la IFS, empezaríamos categorizando los síntomas de salud mental según qué grupo de partes lleva el timón interno. Este modo de concebir la búsqueda de equilibrio de la supervivencia humana patologiza mucho menos, en nuestra opinión, que cualquier iteración del *Manual Diagnóstico y Estadístico de los Trastornos Mentales* (*DSM*, American Psychiatric Association, 2013).

Los directivos, por ejemplo, a menudo dominan los sistemas de quienes están crónicamente deprimidos, los exiliados dominan los de quienes experimentan rachas de tristeza o miedo intensos y los bomberos dominan a las personas con problemas de adicción.

En la IFS, la duración del tratamiento depende del nivel de confianza del sistema en el Self y del grado de polarización de las partes, no de la gravedad de los síntomas del cliente. Por lo general, cuanto más prolongada y sádica haya sido la experiencia traumática de una persona, más polarizado tendrá el sistema y menos confiarán las partes en el liderazgo del Self.

INUTILIDAD Y NECESIDAD DE REDENCIÓN

Cuando los niños dudan de lo que valen o cuando son pesimistas al respecto, se afanan por saber qué complacerá a sus padres y tratan de convertirse en ello. La necesidad normal de aprobación se transforma en ansia, y se toman al pie de la letra los mensajes extremos que reciben sobre su valía. Si a un niño le dicen, verbalmente o de otro modo, que vale poco, sus partes se organizan en torno a esa premisa. Las partes buscan desesperadamente la redención a ojos de quien les niega amor, lo que puede incluir a cualquier persona de la que dependa el niño. A partir de ahí, habiendo asumido la carga de la falta de valía, las partes del niño creen que no pueden ser queridas. Esa creencia la mantienen a pesar de las opiniones contradictorias, como si quien las infravaloró fuera el titular de su autoestima. Las partes jóvenes cargadas que buscan redimirse de la inutilidad ejercen gran influencia en las relaciones afectivas, ya sea volviendo a quien les robó la autoestima o buscando a alguien parecido a esa persona. Muchas veces, el resultado es una larga sucesión de relaciones de maltrato e insatisfactorias. Cuando los clientes se desprenden de la carga de la inutilidad, es como si se hubiera levantado una maldición.

DIRECTIVOS SOBRECARGADOS

Los niños saben instintivamente que las consecuencias del desinterés parental pueden ser nefastas, incluyendo abandono, graves perjuicios y la muerte. En esta etapa de gran dependencia, los mensajes incoherentes sobre la valía de uno van a ser trascendentales. Por consiguiente, los niños son, como hemos dicho antes, muy sensibles a los mensajes de los progenitores sobre su valía. Cuando los mensajes que reciben de padres y madres son constantemente tranquilizadores, esta hipersensibilidad se apacigua. No obstante, casi todas las familias tienen varios desequilibrios y polarizaciones notables, algunas cargas heredadas y varios tipos de partes que no son bienvenidos. No hace falta sufrir traumas en mayúsculas para adquirir cargas. Cuando una parte vital de un niño es objeto de rechazo y el niño se siente indigno de amor, los protectores, que persiguen desesperadamente la aprobación, muchas veces adquieren algunas de las peores cualidades de quien está robándole al niño la autoestima y la seguridad. Al creer que el niño debe ser perfecto para que lo acepten, las partes, convertidas en acerbos críticos y moralizadores internos, sacrifican sus relaciones internas y su infancia en pro de la seguridad.

CARGAS POR LEGADO

Como hemos expuesto, las partes adoptan por la fuerza roles extremos cuando están heridas y congeladas en el tiempo, cuando protegen a otras partes y cuando se polarizan entre ellas. Ahora bien, el extremismo tiene otro motivo digno de reflexión. Es frecuente que las partes hagan suyas las ideas, conductas o sentimientos extremos de personas allegadas. Estas cargas transferidas son igual de organizadoras y limitadoras que las cargas personales. Como dependen tanto de sus padres y ansían que los incluyan en la cultura de la familia, los niños son especialmente susceptibles a las cargas que se transmiten de una a otra generación, incluyendo la carga de tener que proteger a otro miembro de la familia, tener que ser grandes triunfadores o creer que el mundo es demasiado peligroso para arriesgarse a explorarlo para desarrollarse.

Las partes sedientas de aprobación pueden imitar prácticamente a cualquier parte extrema de un progenitor u otra figura de autoridad. Es común ver la misma carga recorrer muchas generaciones de una familia, como comprobaremos en más detalle en el capítulo 4. Esta idea de proceso de transferencia de una carga se parece a lo que las terapias analíticas denominan *introyección*, pero con una importante diferencia conceptual. En la IFS pensamos en términos de heredar cargas que no son la esencia del antepasado de las que se derivan ni la de ninguna parte interna. Si consideráramos a la propia parte como un introyecto mental, estaríamos obviando sus valiosas cualidades y su capacidad de transformación. El introyecto es la carga, no la parte. Lo que queremos es liberar a las partes de la influencia limitadora de sus cargas y permitirles perseguir los roles constructivos de su preferencia. En vez de empujarlas a cambiar, las ayudamos a hacerlo.

EL SELF

Tan pronto como confíes en ti mismo, sabrás cómo vivir.

—Johann Wolfgang von Goethe

Todo el mundo alberga en su esencia la sede de la consciencia, que denominamos el *Self*. Desde el nacimiento, este Self tiene todos los rasgos necesarios para un buen liderazgo, incluyendo compasión, perspectiva, curiosidad, aceptación y confianza. No necesita desarrollarse por etapas. En consecuencia, el Self es el mejor líder interior, que engendrará equilibrio y armonía en el interior, si las partes le permiten liderar. Paralelamente, nuestras partes están estructuradas para proteger al Self y apartarlo del peligro del trauma, cueste lo que cueste. Las partes protectoras dicen que echan al Self del cuerpo con afán de protegerlo. Una vez que lo hacen, el sistema interno se queda a solas con los sentimientos o pensamientos extremos que llamamos cargas.

No obstante, el Self sigue intacto. El terapeuta no alimenta ni refuerza el Self. Aunque pueda ser un observador, el Self no es pasivo ni un mero testigo. De hecho, cuando las partes se distinguen del Self, se transforma en un líder activo, compasivo y colaborador. Y por extraño que suene, cuando las partes confían y abren paso al Self, los clientes suelen decir que se sienten, física y mentalmente, presentes, alegres y centrados (más información sobre la práctica de la IFS y el cuerpo en el capítulo 5).

El liderazgo del Self

Los sistemas de todos los niveles —familias, empresas y naciones— funcionan mejor cuando el liderazgo está claramente definido, inspira respeto, es justo y es competente. Lo mismo sucede con las familias internas. El Self puede cuidar y despolarizar a las partes en lidia con equidad y compasión, dirigir los debates con las partes sobre las decisiones importantes sobre adónde se dirige la vida de la persona y tratar con el mundo exterior. Las partes no desaparecen bajo el liderazgo del Self, pero sí sus roles extremos, al igual que la rígida organización trigrupal de directivos, bomberos y exiliados. En un sistema liderado por el Self, las partes más jóvenes tal vez sólo quieran ser espontáneas y jugar, mientras que otras querrán aconsejar, recordar, solucionar problemas, aportar su talento y, en general, ayudar. Cada una tendrá un rol y una serie de aptitudes diferentes y valiosos. Normalmente, las partes colaborarán, en vez de competir y discutirse, pero si surge el conflicto ahí estará el Self para mediar. Una vez que el sistema funcione casi siempre armoniosamente, cada miembro individual (como en todo sistema armonioso) será menos visible y no seremos tan profundamente conscientes de nuestras partes. En resumen: cuando nos lidera el Self tenemos sensación de continuidad e integración. Nos sentimos más unificados... porque lo estamos.

Eso no significa que nunca nos interese que una parte asuma temporalmente el liderazgo. Algunas partes tienen aptitudes que las convierten en los mejores líderes en ciertas situaciones. En otras ocasiones es divertido o emocionante cuando una parte toma la delantera. La cuestión es que las partes pueden tomar el control (con permiso del Self) por razones más allá de la protección una vez recuperado el liderazgo del Self. Y pueden dejar el liderazgo cuando llega el momento de que el Self vuelva a estar al mando.

PRINCIPALES HIPÓTESIS EN IFS

En los siguientes apartados resumimos las hipótesis principales del modelo IFS.

Multiplicidad

El estado natural de la mente humana es contener un número indeterminado de subpersonalidades que reciben el nombre de *partes*; casi todos los clientes se identifican y trabajan con entre 10 y 30 partes durante la terapia. Por el modo en el que se nos presentan, conceptualizamos a las partes como personas internas de distintas edades, temperamentos, aptitudes y deseos que forman una familia o tribu interna. Esta tribu refleja la organización de los sistemas que la rodean, y se organiza de la misma manera que otros sistemas humanos.

La IFS considera obvio que la multiplicidad es el carácter intrínseco de la mente. No es porque se introyecten influencias externas, no es porque el trauma haya fragmentado una personalidad antes unitaria. Además, la multiplicidad es ventajosa. Todas las partes son valiosísimas y quieren ser constructivas, pero a algunas se les imponen roles extremos y destructores debido a las influencias externas así como a la naturaleza autoperpetuadora de las polarizaciones y los desequilibrios internos. Por eso las partes agradecerán encontrar o recuperar los valiosos roles de su preferencia una vez sepan que hacerlo no entraña riesgos.

Polarización

Son muchos los hechos del pasado o del presente que pueden repercutir en el liderazgo, el equilibrio y la armonía del sistema interno de una persona. Entre las más comunes de esas influencias, encontramos las actitudes o interacciones propias de la familia de origen y las experiencias traumáticas. Cuando las partes se quedan ancladas en el pasado, adquieren cargas y asumen el liderazgo, sus relaciones internas pasan de la armonía al conflicto. La razón es que un extremo lleva a otro, al igual que el reparto desigual de recursos, influencia y responsabilidades en un sistema. Las partes polarizadas no dejan de confirmar sus prejuicios sobre la otra parte, y se radicalizan para oponerse a ella o derrotarla. De ahí que, a falta de un liderazgo eficaz, las polarizaciones vayan a más. Las polarizaciones también generan coaliciones, donde una parte líder constituye alianzas que se unen para oponerse o desafiar a otra parte líder y sus aliados.

El ecosistema trigrupal

Los sistemas internos muy polarizados son ecosistemas rígidos y delicados que reaccionan enérgicamente a las alteraciones. Pretender cambiar a cualquiera de las partes sin tener en cuenta la red donde está incluida activa con frecuencia un fenómeno que muchas terapias denominan *resistencia*, pero que para la IFS es una reacción ecológica natural y a menudo necesaria. Un mapa ecológico que ilustre las relaciones internas puede ayudarnos a comprender y apreciar el valor de los comportamientos protectores.

Equilibrio, armonía y liderazgo

Hasta los sistemas internos muy polarizados pueden sanarse si el terapeuta sabe crear un entorno seguro y afectuoso y orientar a la persona en determinadas direcciones. Nuestros sistemas cuentan ya con multitud de recursos, que sólo necesitan sacarse a la luz y reorganizarse. Es más, todas las partes del sistema desean relacionarse armoniosamente y, si se da la oportunidad, abandonarán con gusto los roles extremos. Ahora bien, si alguien vive en un entorno activador o peligroso, interior o exterior, las partes protectoras se resistirán a abandonar sus roles, con lo que el proceso de armonización del sistema interno será más difícil y prolongado. Además, los cambios en un entorno así suscitan muchas veces contrarreacciones protectoras en otras personas. De ahí que aconsejemos encontrar y resolver mediante terapia las limitaciones de los mundos externo e interno del cliente, como describimos en los capítulos sobre terapia familiar y de pareja.

Ecosistemas interconectados

A los pensadores sistémicos les llaman la atención las similitudes existentes entre los sistemas vivos. Es célebre la pregunta de Gregory Bateson (1979, p. 8) «¿Qué vínculo tienen en común el cangrejo y la langosta? ¿Y la prímula y el girasol? ¿Y ellos cuatro y yo? ¿Y yo y usted?». Nos fascina la analogía de la organización de los sistemas internos que encontramos en otros sistemas humanos. En este libro abordamos esas analogías en las familias (ver capítulo 14) y los países (ver capítulo 18).

Los sistemas vivos, del más diminuto al más inmenso, son ecosistemas interconectados. Por consiguiente, cambiar un aspecto de un sistema sin conocer su red de relaciones superior puede tener graves repercusiones. Por ejemplo, en los años cincuenta, una tribu de Borneo sufrió un brote de paludismo. La Organización Mundial de la Salud (OMS) fumigó la zona con DDT, lo que acabó con los mosquitos portadores de la enfermedad y mejoró la situación. Sin embargo, el DDT envenenó a los mosquitos de los que se alimentaban las lagartijas, de las que a su vez se alimentaban los gatos. Al morir los gatos, la población de ratas se disparó, lo que desembocó en otras plagas. Para poner fin al problema, la OMS acabó lanzando en Borneo 14.000 gatos vivos en paracaídas (Hawken, Lovins y Lovins, 1999).

Las similitudes internas y externas de nuestros ecosistemas interconectados

Los sistemas internos son igual de delicados. Al intentar cambiar o sanar una parte sin conocer su red de relaciones internas suele encontrarse resistencia, en el mejor de los casos, y una respuesta muy violenta en el peor. Por ejemplo, un joven llamado Tyrone estaba deprimido debido a la insistencia incansable de su crítico interno. Encontró a un terapeuta que trató de que se concentrara en sus virtudes y relaciones sociales positivas. Su crítico reaccionó despiadadamente. Incapaz de concentrarse en el trabajo, Tyrone cogió la baja. Su terapeuta, que se iba a vivir fuera, lo derivó a un terapeuta de IFS, que le dijo a Tyrone que preguntara al crítico qué temía que pasara si le permitía sentirse bien consigo mismo. El crítico respondió que esa confianza llevaría a Tyrone a arriesgarse socialmente y a que lo rechazaran. Al preguntarle qué tendría eso de malo, el crítico dijo estar seguro de no poder soportar otro rechazo y que se mataría.

En las sesiones siguientes, hablaron con la parte suicida que estaba, desde luego, decidida a no permitir a Tyrone que sintiera el dolor de su exiliado —una parte que había pasado por muchas traiciones y rechazos en el pasado— nunca más. Así, Tyrone supo que su crítico le mantenía con vida manteniéndolo deprimido, y que tenía buenas razones para resistirse a las tentativas del primer terapeuta. En consecuencia, Tyrone y su terapeuta IFS se concentraron en el acceso de Tyrone a su Self y en la obtención del permiso de la parte suicida para sanar al exiliado. Una vez sanado el exiliado, volvieron al crítico, que se alegró de dejar de maltratar a Tyrone.

En el modelo IFS, los mundos interno y externo del cliente son sistemas jerarquizados e interconectados que funcionan con arreglo a los mismos principios y responden a las mismas técnicas. Además, los sistemas intercomunicados acaban reflejándose unos a otros, por lo que los cambios en un nivel probablemente conducirán a algún tipo de cambio en otros niveles. Como los niveles sistémicos se responden unos a otros, un terapeuta no debe trabajar con el sistema interno de un cliente sin tener muy en cuenta el contexto externo de la persona y atajarlo. Es más: podemos empezar la terapia en un nivel sistémico (por ejemplo, la familia), pero alternar con fluidez entre este y otro nivel sistémico (los miembros de la familia), según las necesidades.

Como ilustra la experiencia de Tyrone, somos eficaces cuando nos volvemos sensibles a los ecosistemas. Para ser sensibles a los ecosistemas, abandonamos la postura interpretativa del experto y, desde la más humilde curiosidad, colaboramos con las partes del cliente para trazar el mapa de sus relaciones internas. Cuando tengamos un mapa preliminar, nos guiará desde el respeto y el deseo de seguir aprendiendo. Si damos un paso en falso y el sistema del cliente reacciona intensamente, debemos mantener la curiosidad para no patologizar esa reacción. Si es el Self quien nos dirige, nuestros tropiezos se convierten en una nueva oportunidad de encontrar minas en el campo minado interno del cliente.

CONCLUSIÓN

Vivimos en simbiosis con una población interna de personas que existen en múltiples subsistemas relacionales, al igual que tenemos relaciones simbióticas con los millones de microbios de los intestinos, que están interrelacionados. Somos un hábitat. Los ciudadanos (las partes) de este hábitat pueden herirse y tener conflictos entre ellas, lo que desemboca en daño mutuo, autoagresión y maniobras defensivas (u ofensivas). Por suerte, también tenemos un Self listo para administrar a nuestro sistema interno. Una vez que reconocemos los caracteres y perspectivas dispares de todas nuestras partes, podemos dejar de gastar energía criticándonos (a nosotros mismos o a quienquiera que sea) por ser inconstantes, tener sentimientos encontrados o albergar conflictos internos. Aunque el conflicto puede dividirlas, nuestras sociedades internas también tienen muchas virtudes. Cuando las partes se separan de la sede de la consciencia (el Self), descubrimos lo que las tradiciones espirituales saben y enseñan desde hace milenios: que contamos con los recursos que necesitamos para apoyar y proteger a esta población interna vulnerable con su espectacular potencial. La autoaceptación es el proceso constante de acogida de todas las partes, sin vetar a ninguna. Cuando perseguimos el ideal de la autoaceptación, también cobramos la libertad de vivir movidos por la curiosidad, la indagación y la inclusión.

CAPÍTULO 3

El Self

Ver, observar, escuchar, prestar atención, comprender, empatizar, comunicar, amar… podemos hacer todo eso con nuestras partes. Pero ¿quién es el que mira? ¿Quién es el que escucha? ¿Quién es el que ama? Las tradiciones espirituales esotéricas tienen varios nombres para referirse a la sede de la consciencia. Para los cuáqueros, es la *Luz interior*; los budistas la denominan *rigpa*, que significa la mente del Buda o la naturaleza del Buda; los hindús la llaman *Atman* o el Yo; el teólogo, filósofo y místico alemán del siglo XIII Meister Eckhart la bautizó como la *Semilla de Dios*; y los sufís la conocen como el *Amado* o el *Dios interior*. (Encontrarás una amplia exposición sobre la relación del Self de la IFS con estos aspectos de las tradiciones espirituales en Schwartz y Falconer, 2017.) En términos propios de la IFS, la clave para el equilibrio y la armonía mentales es acceder a nuestra sede de la consciencia que nosotros denominamos el *Self*. La mente plural gira en torno al Self, y cuando las partes no acceden a esta fuerza centrífuga se embarcan en un tira y afloja y amenazan con salir volando en todas direcciones. En cambio, cuando acceden al Self se centran como barro en manos del alfarero.

Todos nacemos con un Self. No se desarrolla por etapas, no toma prestadas del terapeuta la fortaleza y la sabiduría, ni se le puede hacer daño. Eso sí: puede estar obstruido o abrumado por las partes. Es lo que llamamos *mezclarse*. Cuando una parte se mezcla por completo, vemos el mundo a través de sus ojos. Cuando una parte se mezcla parcialmente, su perspectiva nos influye. Cuando partes polarizadas se mezclan, vivimos en medio de un debate constante y no tenemos paz mental. En cambio, cuando las partes se diferencian, el Self está inmediatamente presente y disponible. Cuando el Self acepta y ama a las partes –quizás un niño a quien el terror obligó a someterse o un adolescente furioso que se exilió por luchar contra el acoso–, esas partes vuelven a transformarse en quienes estaban destinadas a ser. La mente dirigida por el Self se autoequilibra y tiene espacio de sobra para todos los sentimientos, opiniones y partes. Además, el Self no es un observador pasivo. Una vez que se diferencian las partes, el Self es un líder compasivo y participativo que puede mostrarse activo o quedo según las necesidades. Aunque en las tradiciones espirituales de todo el mundo hace siglos se le conoce y se le asignan nombres, y casi todos recordamos por lo menos unos cuantos momentos desahogados de paz interior que son signo del Self, para muchos terapeutas sigue siendo el concepto más complicado del modelo IFS. En este capítulo analizamos el Self en mayor profundidad.

* * *

EL «YO»[1] DE LA TORMENTA

En cuanto los protectores extremadamente polarizados se retiran, invariablemente se despierta en los clientes una curiosidad empática y saben exactamente qué hacer o decir para ayudar a las partes extremas. En este cambio interviene una presencia interna que observa a las partes e interactúa con ellas sin ser una parte. Aunque muchas

---

1. N. de la E. En el original en inglés «The "I" in the storm» el autor hace un juego de palabras homofónico pues "I" y "eye" se pronuncian igual siendo sus significados respectivos "Yo" y "ojo".

terapias y religiones hablan de un verdadero yo no condenatorio, lo que describen es un estado de la mente esencialmente pasivo y testimonial. En cambio, los terapeutas que han empleado la IFS en las tres últimas décadas corroboran que toda persona puede acceder al líder activo y compasivo que conocemos como el Self. Éste se caracteriza por la claridad, la perspectiva, la compasión y otras cualidades que constituyen un liderazgo eficaz. Así es, por muy graves que sean los síntomas o muy polarizado que esté inicialmente el sistema interno.

Cuando el Self está diferenciado de las partes, las personas experimentan lo que denominamos un *estado de la mente dirigido por el Self*. En este libro presentamos distintas estrategias que fomentan la diferenciación de las partes con respecto al Self (ver también Anderson, Sweezy y Schwartz, 2017). Los clientes cuyas partes acceden a diferenciarse dicen sentirse centrados, tranquilos y ligeros, con una sensación generalizada de bienestar. Demuestran confianza y franqueza. Sienten que tienen más opciones. Muchos también alcanzan una estimulante sensación de conexión con el prójimo y el universo, similar al estado descrito por meditadores experimentados y buscadores de lo espiritual que recurren a las sustancias psicodélicas.

Siendo doctorando, el psicólogo Mihalyi Csikszentmihalyi (2008) investigó la fuente de la felicidad humana. Tras entrevistar a muchas personas, llegó a la conclusión de que cualquier actividad, incluyendo el deporte, la mecánica, el arte, la lectura y hasta la limpieza del hogar, aportan sensación de plenitud siempre que la actividad ayude a la persona a acceder a un determinado estado de la mente, que el bautizó como *flujo*. El estado de la mente que fluye se caracteriza por la confianza, la profunda concentración y la despreocupación por las recompensas más allá de la actividad en sí. Hay, asimismo, sensación de dominio y bienestar, de abandono de las limitaciones temporales, de pérdida de la timidez y, por último, sensación de transcendencia. Csikszentmihalyi dedujo de su investigación que fluir es un fenómeno humano positivo universal. Los budistas abrazan el mismo fenómeno cuando hablan del mindfulness, al igual que los profesionales de IFS al hablar del liderazgo del Self y de estar liderado por el Self.

Ahora bien, el Self que hallamos en la IFS engloba una extraña y maravillosa dualidad. En *Introducción al modelo de los Sistemas de la familia interna* (2016), yo (R. C. S.) ahondaba en la naturaleza dual del Self como líder interno activo o estado de la mente expansivo que no conoce fronteras. Para concebir esta dualidad, piensa en la luz: la física cuántica ha demostrado que los fotones que forman la luz a veces actúan como partículas y a veces como ondas en un charco (Zohar, 1990). Análogamente, el Self puede vivirse como un «yo» o como una sensación expansiva del espacio y la energía. Por ejemplo, al interactuar con nuestras partes o con otras personas, el Self es un individuo con límites. Sin embargo, cuando estamos con nuestras partes (o con otras personas), la experiencia de estar «en Self» es expansiva e inclusiva; paradójicamente, es una especie de estado de la mente «sin yo». Como terapeutas de IFS, nuestra principal tarea es ayudar a los clientes a acceder a este preciado estado de la mente en ambas formas; nuestra tarea secundaria es apartarnos cuando los clientes se convierten en sanadores de sus propias familias.

LA NATURALEZA DEL SELF

Hay enseñanzas espirituales que distinguen entre un «Self superior» y un Self ejecutivo más mundano, que Freud (1923/1961) bautizó como el *ego*. No obstante, nuestra experiencia clínica en el uso de la IFS contradice esa dicotomía. Lo que Freud llamaba el ego es, para nosotros, un grupo de partes directivas. El Self de la IFS interactúa con las partes y es también transcendente. Como entidad, puede escuchar opiniones contrapuestas, nutrir y resolver problemas. Como onda, es uno con el universo y otras personas; como si, a ese nivel, todas las ondas se sobrepusieran en un mayor sentido comunal. Para las partes, la relación con el Self es increíblemente tranquilizadora; ahora bien, para cosechar el fruto de estar con el Self, antes deben arriesgarse a diferenciarse del Self y reparar en él, una perspectiva aterradora para muchos protectores. Este cambio en el centro de gravedad e identidad de la persona, de las partes y sus cargas a la esencia (el Self) representa la iluminación en la mayoría de las tradiciones espirituales. A través de los ojos de las partes, el mundo es muy distinto de cuando lo vemos con los ojos del Self.

EL LIDERAZGO DEL SELF

Nuestro Self esencial, la mente venerada en las tradiciones espirituales, engloba curiosidad, compasión, tranquilidad, confianza, coraje, claridad, creatividad, afinidad y bondad. No obstante, se ve fácilmente empañado por las partes protectoras que toman el control cuando nos amedrentamos o avergonzamos. Cuando los protectores toman el control, nos identificamos con sus creencias sobre, por ejemplo, lo peligroso que es el mundo o lo débiles que somos, y sentimos que esas creencias nos dominan. Incluso al atisbar nuestra conexión con algo superior a nosotros o entrever nuestra verdadera generosidad y fuerza interiores, nos parece a menudo que son excepciones a la realidad. Pese a que nos cueste ver en la grandeza un derecho inalienable, es lo que somos y en ello puede basarse nuestra existencia, hasta en las actividades cotidianas o en los conflictos con el prójimo.

En el estado dirigido por el Self, manifestamos valiosísimas cualidades, como un interés sincero por cómo relacionarnos con quienes nos rodean y una sabiduría intuitiva al respecto. Ahora bien, no podemos imponernos que la curiosidad con respecto a nuestras partes vulnerables sustituya al desdén. No podemos obligarnos a sentir compasión, por mucho que creamos en sus bondades. Entonces, ¿cómo lograrlo? ¿Cómo lo logran los clientes? Cuando los clientes están dispuestos a concentrarse en el interior y que les aconsejen la mejor forma de separar las partes extremas con sus emociones e ideas distorsionadas, se libera su Self y las cualidades que precisan para ser buenos líderes aparecen espontáneamente. En la IFS, le indicamos al cliente que en primer lugar se centre en lo que denominamos un *punto de partida*. Se trata de una emoción, imagen, voz interior, pensamiento, sensación física o impulso que, cuando se ponga sobre la mesa y se siga, nos conducirá a una parte.

Los puntos de partida que encontramos y seguimos en las sesiones de terapia suelen ser la manifestación de una parte angustiada. Preguntamos al cliente lo que siente por la parte en cuestión de la que emana la emoción, la imagen, la voz, etc. Si otras de sus partes le tienen miedo o antipatía, les decimos a esas partes que se relajen y hagan sitio, para que podamos conocer a la parte que deseamos abordar. Si las partes reactivas colaboran y se apaciguan, el cliente se siente de inmediato más tranquilo y curioso. Como estos sentimientos surgen automáticamente en cuanto las partes se separan, accedemos a la energía del Self que ya está presente, y no hace falta pedir al cliente que se esfuerce por sentir nada en concreto. La única advertencia es que este proceso precisa al menos cierta voluntad de averiguar si el Self existe y algo de curiosidad cuando se experimenta el Self. Sin voluntad y curiosidad, las experiencias del Self pueden antojársenos deliciosas anomalías o ilusiones, inalcanzables en la vida diaria. Si no tenemos la menor idea de quién somos realmente, no podemos ser invariablemente esa persona. Cuanto más confiemos en que el Self está ahí, justo por debajo de las partes, mayor será nuestra posibilidad de llegar a él.

* * *

UN EJEMPLO DE ENCUENTRO CON EL SELF

A continuación viene un ejemplo de presentación de un cliente a su Self. Javier siempre había sentido opresión y miedo de su crítico interior. En esta sesión, al concentrarse en el crítico, lo encontró en su cabeza y afirmó: «¡Oh, qué rabia me da escucharlo!».

TERAPEUTA: ¿Qué tal si la parte a la que le da rabia escuchar al crítico se relaja un poco y te deja escuchar? No para que el crítico tenga más poder, sino para que puedas conocerlo y ayudarlo a dejar atrás su cometido.

[El terapeuta no asigna género a las partes, así que las llama por defecto «él», hasta que los clientes indiquen lo contrario, si lo hacen].

JAVIER: Bueno…, vale.

TERAPEUTA: ¿Qué sientes ahora por él?

JAVIER: No entiendo por qué él me hace eso. *[El cliente indica el género].*

TERAPEUTA: Pregúntaselo.

[El terapeuta se deja llevar por el cliente]

JAVIER: Mmm… Primero me ha amenazado, se ha convertido en una versión gigantesca de mi abuelo. Pero cuando le he preguntado por qué, de pronto parecía un niño.

TERAPEUTA: ¿Qué sientes ahora por él?

[Javier parece más tranquilo y confiado].

JAVIER: Me da pena. Dice que quiere que lo haga todo perfecto, para que nadie me critique. No sé si sabe lo improductivo que resulta actuar como el hombre que tenía por costumbre pegarme.

TERAPEUTA: ¿Lo comprende él?

JAVIER: Parece avergonzado. Él no pretendía causar problemas, pero no cree que pueda parar.

TERAPEUTA: ¿A él le gustaría parar?

JAVIER: Sí.

TERAPEUTA: ¿Y qué teme él que pase si no para?

JAVIER: Que si no soy perfecto, me criticarán y me rechazarán.

TERAPEUTA: ¿Así que protege a las partes a las que hicieron daño de ese modo en el pasado?

JAVIER: Mmm…, sí. Parece que es lo que hace.

TERAPEUTA: Si pudiéramos sanar a esas partes para que ya no fueran tan vulnerables al rechazo, ¿él seguiría necesitando criticarte?

JAVIER: Bueno, no lo cree posible.

TERAPEUTA: Pregúntale qué edad cree que tienes.

JAVIER: Diez años.

TERAPEUTA: Dile los que tienes de verdad, a ver cómo reacciona.

JAVIER: Se ha asombrado. No se lo puede creer. Él creía que yo seguía siendo un crío débil y asustado.

TERAPEUTA: ¿Cómo te responde él?

JAVIER: No sabe lo que quiero.

TERAPEUTA: ¿Y qué le dices tú?

JAVIER: Que estoy aquí para ayudar.

TERAPEUTA: ¿A él le gustaría que le ayudaras?

JAVIER: Pregunta qué le pasaría a él.

TERAPEUTA: Que siempre sería parte de ti, pero que, cuando ya no tuviera que proteger a ese chaval, podría escoger un nuevo rol. ¿Qué le gustaría hacer si le librasen de esa tarea?

JAVIER: Más que nada quiere descansar, pero no me conoce lo suficiente para confiar en mí.

TERAPEUTA: Está bien. ¿Qué le dices tú?

JAVIER: Le pido una oportunidad de ganarme su confianza… Vale. Está dispuesto a intentarlo.

Después de este diálogo, el crítico dio a Javier permiso para dirigirse al niño de 10 años al que protegía, que estaba atrapado en las escenas en las que su inestable abuelo le atacaba. Al tomar Javier el control sabiendo exactamente cómo relacionarse con el chico, el terapeuta ejerció básicamente de testigo. Es algo común en terapia IFS, porque el Self del cliente sabe cómo amar y ayudar a las partes. Cuando acceden al Self, hasta quienes jamás han sido nutridos saben cómo cuidar de sus partes. Al igual que nuestros cuerpos están dotados para sanar lesiones físicas, estamos dotados para sanar emocionalmente.

* * *

UNA VISIÓN POSITIVA DE LA NATURALEZA HUMANA FRENTE A UNA NEGATIVA

La idea de que nuestra esencia es la alegría y la paz, y de que a partir de ella podemos liderar y sanar, contradice lo que nos enseñan a la mayoría. La cultura occidental se ha visto impregnada de varias visiones negativas de la naturaleza humana, sobre todo desde que san Agustín declaró que el deseo es una maldición arraigada en la naturaleza humana (Schwartz y Falconer, 2017). Si bien los antepasados cristianos de san Agustín creían que nacíamos bendecidos, san Agustín decidió privilegiar una alegoría bíblica de menor importancia en esa época que para sus contemporáneos resultaba incómoda (Greenblatt, 2017). En ese relato, Dios humilla y manda al exilio a una pareja (Adán y Eva) por desobedecer una orden y comer el fruto del árbol de la ciencia del bien y del mal. En términos más contundentes, Dios castiga a la pareja por disfrutar del sexo. Para san Agustín en concreto, aquel relato del «pecado original» era seguramente más convincente, puesto que plasmaba su larga lucha por negar su libido y obedecer a su madre cristiana. Lamentando la vida independiente de su pene (del que se dice que disfrutó con fruición muchos años), popularizó la idea de que el deseo lleva a los hombres de la feliz ignorancia al sufrimiento impotente, por lo que debe manejarse con ardua autonegación (Greenblatt, 2017).

Otros pesimistas con respecto a la naturaleza humana se han valido del prisma de la teoría de la evolución de Charles Darwin para dotar de tintes científicos la historia del pecado original, sosteniendo que nuestra naturaleza refleja el entorno competitivo, en que el ganador arrambla con todo, en que hemos evolucionado. Esta idea también ha tenido una enorme influencia. Freud sostenía, al igual que afirman las teorías conductuales y evolutivas de la psicología, que encontramos la motivación para expandir nuestra carga genética maximizando el placer. La teoría freudiana muestra hasta qué punto la psicología se hace eco de la narración cristiana de la caída y de la narrativa científica del «gen egoísta» (Dawkins, 1976).

La teoría del apego de la psicología evolutiva significó un nuevo giro, al afirmar que nuestra naturaleza básica depende de cómo nos criaron (Ainsworth, 1982; Bowlby, 1988). Si tuvimos la suerte de contar con una crianza bastante buena durante las etapas fundamentales del desarrollo temprano, es probable que acabemos la infancia con suficiente fortaleza de ego para apañárnoslas. De lo contrario, mala suerte: estamos condenados a quedarnos rotos hasta tener alguna clase de experiencia reparadora de nueva crianza con un terapeuta o un ser querido. Según este punto de vista, necesitamos interiorizar o que nos enseñen integridad, empatía y respeto. Y nuestras cualidades más valiosas no existen si no se las nutre en las relaciones externas; lo que significa que nosotros, como terapeutas, debemos tratar de dar a los clientes lo que les falta, y ellos deben interiorizarnos.

Este mito de la dependencia ambiental domina nuestras teorías sobre el aprendizaje y nuestro sistema educativo, subestima a los clientes, fomenta una dependencia innecesaria y sobrecarga a los terapeutas. Si somos débiles por naturaleza o un trauma nos ha herido gravemente, debemos confiar en que los terapeutas son nuestras figuras de apego correctas. En teoría, la relación con el terapeuta nos ayuda a desarrollar un ego capaz de autorregularse. En la IFS, confiamos en que la relación con el terapeuta nos ayude a liberar nuestro Self, ya desarrollado e intacto, para que él nos regule y nos nutra, pues estamos dotados para hacerlo. Eso no significa que la relación terapeuta-cliente carezca de importancia en la IFS. Al contrario: como explicamos en el capítulo 6, es importantísima. (Ver también el capítulo I que escribí [R. C. S.] sobre este tema en el libro *Internal Family Systems Therapy: New Dimensions* [Sweezy y Ziskind, 2013] y gran parte de lo que Dan Siegel ha escrito en los últimos 20 años, incluido su libro de 2012 *The Developing Mind: How Relationships and the Brain Interact to Shape Who We Are*).

* * *

LOS RECURSOS DE LA PERSONA LIDERADA POR EL SELF

En los siguientes apartados describimos las cualidades del Self que tienen mayor relevancia para sanar. Curiosamente, todas empiezan con la letra C.

Curiosidad

Además de albergar muchas posibilidades, la mente inexperta rebosa estupor. Nacemos siendo curiosos y seguimos siéndolo por naturaleza, cuando no nos da por juzgar. Frente a la ira de otra persona, podemos preguntarnos si nuestra visión de las cosas no está embotada por experiencias del pasado y partes activadas. Al preguntar qué ha ocurrido, quien se enfadó percibirá interés, en vez de temor y condena. Si no nos ponemos a la defensiva, podemos plantearnos qué herida interior está protegiendo la parte enfadada. La curiosidad es el núcleo de la terapia IFS. Sin planes preconcebidos, el Self se interesa por las voces interiores, las sensaciones, los sentimientos y los pensamientos… y también por las relaciones externas. En todos los ámbitos, la curiosidad genuina e inocente desarma. Cuando algo nos interesa, hasta nuestros propios demonios interiores (las partes desdeñosas, racistas, misóginas, autolesivas) notan la ausencia de riesgos y la oportunidad de abrir el camino al tesoro oculto de la vulnerabilidad.

Calma

Muchas personas, especialmente las que han sufrido traumas, están siempre tensas, como un muelle a punto de saltar. Este estado invariable de alerta las predispone a tener reacciones desproporcionadas ante personas y hechos difíciles. El liderazgo del Self, sin embargo, se caracteriza por una calma constante, tanto física como mental. Los clientes que encarnan el Self son más estables y resilientes. El Self puede relegar a las partes protectoras de las responsabilidades adultas y los miedos obsoletos. Los clientes que han vivido en un estado de agitación interior pueden lograr verdadera ecuanimidad. Quienes estaban divididos entre los extremos opuestos del desbordamiento emocional y la sensación de un letargo insensible pueden gozar del vaivén natural de las olas emocionales. Y cuando las olas se encrespan, pueden confiar en su capacidad de volver al estado dirigido por el Self una vez que amaina la tormenta, porque su Self se ha convertido en un líder activo que se da cuenta de que las partes se han activado y las consuela. Al igual que los sistemas humanos externos están menos polarizados cuando los dirigen líderes respetados y de confianza, los sistemas internos que confían en el liderazgo del Self están más sosegados.

Confianza

Podemos ver un indicio de que las heridas de nuestros exiliados no están curadas cuando los desprecios del presente recuerdan a agravios acumulados, y los críticos internos atacan por dentro mientras otros protectores corren a las barricadas para defendernos de los demás. El Self interrumpe este ciclo haciendo algo del todo inaudito para el sistema interno: legitimar y consolar a sus exiliados. Nacemos con la capacidad de sanar. Las bacterias y los virus dificultan la sanación del cuerpo. Las creencias y los estados emocionales agobiantes (las cargas) dificultan la sanación de la psique. El Self proyecta una confianza contagiosa que transmite a las partes protectoras que no pasa nada por relajarse, porque en vez de intentar «olvidarlo y seguir adelante» (el consejo típico del protector que lleva a las personas a abandonar y aislar a sus partes jóvenes cargadas), las heridas pueden curarse. La confianza del Self arranca un ciclo ejemplar: los exiliados se alivian de la carga, el sistema deja de ser tan delicado y reactivo y las partes protectoras son más propensas a confiar en el liderazgo del Self. Palabras como *firme* y *sólido* describen los efectos de la confianza del Self, y esa confianza nos aporta una plataforma de estabilidad al afrontar retos en el mundo exterior.

Conexión

En una carta de 1950, Albert Einstein decía:

> Un ser humano es una parte del todo, llamado por nosotros «universo», una parte limitada en tiempo y en espacio. Él se experimenta a sí mismo, a sus sentimientos y a sus sensaciones como algo separado del resto, una especie de ilusión óptica de su consciencia. Esta ilusión es una especie de cárcel para nosotros, que nos limita a nuestros deseos personales y al afecto por unas cuantas personas cercanas a nosotros. Nuestra tarea debe ser liberarnos de esta cárcel ampliando nuestro círculo de compasión para abrazar a todas las criaturas vivientes y a toda la naturaleza en su belleza. Nadie es capaz de lograrlo del todo, pero luchar por ello es de por sí parte de la liberación y una base para la seguridad interna.

El Self tiene por naturaleza el sentido de conexión del que hablaba Einstein. En vez de tener que esforzarnos por sentirnos conectados, al acceder al Self nos sentimos conectados sin más. De hecho, como el Self quiere conectar con las partes y otras personas, incluso con quienes antes temíamos o demonizábamos, nos incita a conectar. La conexión se asocia con la tranquilidad y la confianza para reflejar algo mucho mayor, que a veces recibe el apelativo de *divino*.

Claridad

La claridad es la capacidad de percibir situaciones sin los efectos distorsionadores de las creencias y emociones extremas (las cargas). Vemos claro cuando lo hacemos con los ojos del Self, y nuestra visión se distorsiona cuando vemos con los ojos de las partes extremas. Algunas distorsiones son extrañas y radicales; otras son mundanas y comunes. Tenemos claro que una persona delgada con anorexia que ve a una persona obesa en el espejo está enormemente desquiciada; pero cuando somos incapaces de recordar a nuestro amante perfecto de ayer, porque estamos decepcionados, tal vez no seamos conscientes de nuestra grave distorsión perceptiva. Si las partes protectoras nos ciegan, ya no podemos acceder a la curiosidad. En vez de estar abiertos a descubrir, nos llenamos de ideas preconcebidas, expectativas y distorsiones visuales de nuestras partes. Cuando nuestras partes retroceden y miramos con los ojos del Self, los monstruos interiores parecen de pronto adolescentes asustados. Además, ya no tememos a los enemigos externos, porque podemos ver el dolor que los lleva a sus extremos.

Creatividad

Científicos, inventores y artistas suelen decir que la inspiración toma completamente forma al cabo de horas, días o incluso años de confusión y reflexión conscientes y racionales. Nuestra experiencia con los clientes confirma que, en cuanto el ruido interior se apacigua y aparece el Self, podemos acceder a la creatividad. Cuando las partes directivas que se nos agolpan en la consciencia por fin pueden sosegarse, de repente podemos resolver los problemas con sentimientos súbitos e inusitados que inspiran más creatividad, junto con un gran placer y alivio. Cuando retrocede la parte que dice «No tengo la menor idea de qué hacer ahora», los clientes declaran espontáneamente «Voy a probar esto». Por consiguiente, los terapeutas no tienen por qué dar a los clientes nuevas interpretaciones, apreciaciones, sugerencias ni directrices; una vez emerge el Self del cliente, éste tiene a su alcance soluciones creativas rumbo a su objetivo que superan cualquier propuesta que pueda hacerles otra persona.

Coraje

En lo que llevamos de capítulo, hemos subrayado la vertiente calmada, compasiva y nutricia del Self, pero, cuando es preciso, el Self también puede ser enérgico y protector. De hecho, las artes marciales liberan esta vertiente del liderazgo del Self. Aunque tolerante y franco, el Self no se mantiene al margen ni pasivo frente a la injusticia. Los opresores atacan a las personas lideradas por el Self, porque la energía de éstas mina el control de los opresores. Por eso mismo, los adultos maltratadores atacan a las cualidades del Self en los niños. La mayoría de los clientes que han sufrido graves maltratos relatan que se los castigaba por mostrar empuje, espontaneidad e independencia. Sus protectores respondieron vetando al Self del cuerpo y de la mente. De ahí que se requiera un coraje tremendo para incurrir en lugares aterradores de la psique.

Paralelamente, no hace falta que el cliente tenga una biografía tremenda para que los protectores teman que el liderazgo del Self le lleve a abandonar la negación y a correr riesgos que para ellos son inaceptables. Muchos protectores son reticentes a abandonar sus roles porque creen que, sin ellos, la persona sería débil y pasiva. Los protectores siempre temen inmensamente dejar a los clientes abrir la puerta a los exiliados a quienes encerraron años atrás en sótanos, cárceles y cavernas del interior. Cuando un cliente dice temer hacer algo en el mundo interno, sabemos que quien habla es una parte. No obstante, en cuanto la parte se percata de la valiente naturaleza del Self en el mundo interior, aunque haya dolor emocional, vergüenza, rabia y terror, su temor se esfuma.

Naturalmente, además de curiosidad, calma, confianza, conexión, claridad, creatividad, coraje y compasión, el Self manifiesta muchas otras cualidades: por ejemplo, perspectiva, alegría, paciencia, bondad, gratitud, persistencia, ecuanimidad, jovialidad y especialmente amor. Sin embargo, para aprender e impartir terapia IFS, las ocho palabras con C ya bastan para plasmar la esencia sanadora del Self.

Compasión

Al probar la IFS con los clientes, te asombrará ver lo que sucede cuando se separan un poco de las partes a las que odian o temen, sobre todo las partes indignadas y asustadas. Sin más, de pronto dirán: «¡Qué pena me da esta parte! Quiero ayudarla». Ese deseo inherente de ayudar a las partes (o personas) que sufren denota compasión. Procede de la conexión, del hecho de saber intuitivamente que no podemos estar separados. Tú eres yo y yo soy tú. Es inevitable que tu sufrimiento me afecte, y tu alegría es también la mía. Este pensamiento es inconsciente en casi todas las personas; simplemente, se sienten arrastradas a hacer con sus vidas algo «significativo». Desde el punto de vista de la IFS, la compasión no es un músculo que necesite desarrollarse; es una cualidad innata del Self eclipsada por las cargas que necesita salir a la superficie.

La empatía conlleva *sentir con* otra persona, mientras que la compasión conlleva *sentir hacia* otra persona, lo que genera preocupación y el deseo de ayudar. Cuando investigaba la compasión y la empatía, la neurocientífica Tania Singer (comentario personal, noviembre de 2017) hizo un asombroso descubrimiento. Esperando encontrarse con que estas dos emociones empleaban la misma vía neural del cerebro, resultó que la compasión empleaba el circuito de recompensa y la empatía (la experiencia de *sentir con*) el del dolor. La empatía puede, por consiguiente, saturarnos de dolor, pero una dosis proporcional alimenta la compasión. En consecuencia, en la IFS no decimos a las partes que dejen de sentir con intensidad, pero sí les pedimos que se separen lo suficiente para no desbordarnos con sus intensos sentimientos. Cuando no somos capaces de atender a nuestros exiliados, nos cuesta tolerar el sufrimiento del prójimo. Sin embargo, cuando nuestros exiliados se separan y se comunican en vez de abrumar, el Self está presente, los protectores no se activan y sentimos compasión tanto por nuestras partes como por otras personas que sufren.

El Self en acción

La mayoría somos bastante egocéntricos, porque nuestras partes se hallan encalladas en estados emocionales extremos y llevan a cuestas creencias extremas (las llamamos *cargas*, como veremos en el siguiente capítulo), por los cuales seguimos sintiéndonos separados del resto de la gente, de la naturaleza y de la tierra. Las cargas nos hacen pensar en cambiar el pasado, gozar de seguridad o de placer. O bien nos dejan la mente llena de sentimientos desordenados. Como escribió T. S. Eliot, «La distracción nos distrae de la distracción, llenándonos de fantasías y vaciándonos de significado».

Para muchas tradiciones espirituales, esta cháchara interna es producto de lo que Freud llamaba el ego. La perspectiva de la IFS, no obstante, es otra. Cuando ayudamos a las partes que nos distraen a relajarse y a nuestros exiliados a soltar las cargas, toda esta actividad y ruido interiores se extinguen y podemos acceder al coraje y la claridad del Self, lo que nos cambia el enfoque. Una vez libres de la ilusión óptica de que todos somos independientes, vemos claramente la injusticia, tememos por nuestro entorno y nos orientamos a la acción. Sabedores de que todo está interconectado, dejamos de ser egocéntricos y nos volvemos *socio* y *especie*céntricos, *bio* y *geo*céntricos. Nuestra compasión y la consciencia que nuestro Self tiene de la conexión nos llevan a la acción social o medioambiental, en función de nuestras capacidades y recursos individuales. Como dijo Parker Palmer (2004), el alma (el Self) es «esa esencia dadora de vida del ser humano, con su hambre de verdad y de justicia, amor y perdón [...], cuando vislumbramos el alma, podemos convertirnos en sanadores en un mundo herido: en la familia, en el barrio, en el trabajo y en la vida política» (p. 2).

Allí donde las partes sintonizan con los extremos de otras partes, el Self encuentra el dolor exiliado por debajo de los extremos y quiere comprender de dónde viene. Y eso aunque el Self se oponga a los comportamientos extremos. La acción encabezada por el Self es más eficaz a largo plazo que la encabezada por las partes, porque su mensaje imbuido de compasión es más capaz de sortear a los protectores de los contrincantes y llegar a sus Selves. En cambio, las partes arrogantes, celadoras o deseosas de poder se polarizan, lo que a corto plazo magnifica el peligro y a largo plazo desemboca en una sensación inevitable de agotamiento y escepticismo.

Cuando es necesario, el coraje, la claridad, y la confianza del Self nos permiten actuar con arrojo y enérgicamente, sin perder la calma y la flexibilidad creativa frente a las consecuencias. Y es que la perspectiva del Self nos proporciona el saber sistémico que precisamos para prever las consecuencias. Yo (R. C. S.) antes pensaba que el Self no tenía planes, pero con el tiempo me he dado cuenta de que me equivocaba. El Self no se ciñe a ningún plan, pero sí tiene la intención y la habilidad de brindar sanación, armonía, equilibrio y conexión a todo sistema con el que se encuentre. El objetivo principal de la IFS es sencillamente dotarnos a todos de mayor acceso a nuestros Selves y traer al planeta más energía del Self.

CONCLUSIÓN

El Self tiene su propio capítulo en este libro porque es la piedra angular del modelo. La IFS postula que el Self existe, es invulnerable, a menudo es rápidamente accesible, sabe curar, se moviliza para remediar la injusticia interna o externa con el corazón abierto y se convierte en la presencia de apego adecuada tanto para las partes como para las personas. Visto así, el proceso terapéutico puede ser complejo, pero la intención es clara. Hasta la última pauta y ejemplo clínico de este libro están pensados para ayudarte a ti y a tus clientes a acceder al Self.

CAPÍTULO 4
Las cargas

Uno de los hallazgos más importantes de la IFS es que las partes extremas que se muestran irracionalmente autodestructivas y agresivas no son lo que parecen. Las partes extremas tienen razones para comportarse así. Se ven llevadas al extremo por creencias, emociones y energías que entran en nuestros sistemas debido a traumas o heridas del apego. Además, estas creencias, emociones y energías pueden ser herencia familiar, étnica o cultural. A las creencias, emociones y energías extremas que llegan por medio de las experiencias vividas, las denominamos *cargas personales*. A las adquiridas de la familia, el grupo étnico, o la cultura, las llamamos *cargas por legado*.

Es inestimable la importancia de distinguir entre las partes (que son valiosas) y sus cargas (que deben soltarse). Casi todas las psicoterapias y tradiciones espirituales confunden las partes con sus cargas, por lo que echan toda la carne en el asador y acaban pagando justos por pecadores. Para la IFS, por ejemplo, nuestro despiadado crítico interno no es sólo la voz crítica interiorizada de la abuela, a la que necesitamos censurar o expulsar. Es un niño de 8 años que usa la voz humillante, la imagen y la energía de la abuela en un intento desesperado de impedir que le hagan más daño. Cuando el crítico de 8 años se convenza de que no pasa nada por soltar la carga –por sacar esa energía humillante del sistema interno– éste se transformará. En este capítulo veremos cómo se polarizan los protectores cargados, cómo se inhiben o desinhiben y se radicalizan aún más, mientras los exiliados cargados amenazan la estabilidad interna con su tristeza, soledad y desesperación.

* * *

ENTORNOS FORMATIVOS

La cultura forma a los niños. En los Estados Unidos, la cultura dominante lleva a las familias a favorecer a los niños que demuestran ambición e independencia, y a menospreciar a los que parecen muy vulnerables y dependientes. Una cultura patriarcal otorga a los varones más deferencia, recursos, influencia y responsabilidades que a las mujeres de edades o roles similares. Una cultura racista otorga a un grupo racial más deferencia, recursos, influencia y responsabilidades que a otros. Los sesgos culturales como el individualismo, el patriarcado y el racismo son cargas que desequilibran profundamente a familias y culturas. (Para saber más sobre en qué medida estas cargas culturales repercuten en los Estados Unidos, ver el capítulo 18).

En la IFS exploramos cómo los padres transmiten cargas de generación en generación al valorar o rechazar algunas de sus propias partes, y luego hacerles lo mismo a sus hijos (y a otras personas), con lo que les enseñan a valorar o rechazar esas clases de partes internamente. Por ejemplo, pongamos que una madre, cuyo dominante directivo tiene por prioridad complacer a los demás, humilla a su hija siempre que expresa enfado. Como resultado, su hija desarrolla a un directivo preocupado por la aprobación, que se dedica a silenciar a las partes asertivas. Su parte deseosa de aprobación tiene demasiada responsabilidad, influencia y acceso a los recursos, mientras que sus partes asertivas tienen demasiado poco de las tres cosas. Es el producto de la carga por legado del exceso de complacencia. Esa carga puede haberse originado varias generaciones atrás, en las tribulaciones de sus antepasados.

LA NATURALEZA DE UNA CARGA POR LEGADO

Cuando Joe (o quien sea) esté nervioso, nos relacionaremos con él igual que nos relacionamos con nuestras partes nerviosas. Se trata de una ley importante de lo que yo llamo *física interna*. Si te da rabia tu vulnerabilidad, castigarás a tu hijo cuando sea vulnerable. Si temes tu ira, castigarás a tu hija por sus rabietas o cederás ante ellas. Si los directivos de tu madre reaccionan internamente a determinados sentimientos —como la tristeza— con impaciencia, negación, críticas, revulsión o distracción, sus directivos reaccionarán igual cuando tú manifiestes tristeza, y entonces tus directivos adoptarán la misma actitud. Un niño al que le digan «En esta familia no presumimos» exiliará a su parte orgullosa. Una niña a quien le digan «En esta familia somos fuertes» exiliará a sus partes débiles. Así es como cualquier sentimiento —desde la tristeza o la ira hasta la emoción y el amor— pueden exiliarse en las familias. Los sentimientos nos orientan, así que al vetarlos no sólo perdemos el contacto con las partes que expresan esos sentimientos, sino que también nos exponemos a sentirnos vacíos y perdidos.

LA DIFERENCIA ENTRE UNA CARGA PERSONAL Y UNA CARGA POR LEGADO

Las cargas más elementales y comunes, como la de *no valgo nada, soy un pesado, no merezco que me quieran,* suelen forjarse en respuesta a experiencias en primera persona. Cuando un niño es objeto de humillación, le aterrorizan o le hieren por algún otro medio, el sistema del chiquillo puede tomarse esa experiencia como información objetiva sobre su persona. Por ejemplo, imaginemos que un hermano mayor descubre que abochornar a su hermano menor es un modo eficaz de ejercer control sobre él, así que lo avergüenza una y otra vez para animarse. Los protectores del pequeño, a su vez, observan que «exagerar» tiene malas consecuencias, y ponen manos a la obra para vetar internamente a la parte entusiasta. Cuando en la terapia proponemos ayudar a la parte entusiasta, esos protectores se ponen nerviosos. Necesitan que se los tranquilice para que pierdan el miedo a exagerar, y en última instancia necesitan ver que el Self invalida el veredicto de la vergüenza queriendo y valorando a la parte entusiasta.

Toda carga puede ser personal. También puede ser una carga por legado impuesta por uno o ambos progenitores a todos los hijos de una familia. Por ejemplo, con respecto a la cultura natal de la familia: «¡En esta familia las cosas no se hacen a medias!». O con respecto a la cultura dominante: «¡Somos autosuficientes!». Las cargas por legado se comunican directamente de padres a hijos, pero son indirectas porque el origen de la creencia (la razón por la que tener una necesidad o deseo en particular es una amenaza) emana de la experiencia de otra persona, alguien que tal vez vivió hace generaciones (Sinko, 2016).

Puede que la epigenética, por la cual el trauma se transmite de generación en generación a través de los genes de una persona o animal traumatizado, sea un factor decisivo en la transmisión de las cargas por legado. Los estudios epigenéticos sugieren la existencia de una relación entre los estresores ambientales que causan un cambio genético denominado *metilación* y dolencias como el asma, el trastorno bipolar y la esquizofrenia. Un estudio reciente sobre la influencia epigenética concluyó que los hijos de los soldados de la Unión encarcelados durante la guerra civil estadounidense (una población traumáticamente maltratada) solía morir antes que los hijos de los soldados de la Unión que no habían sido hechos prisioneros durante la guerra (Khazan, 2018). Esta clase de hallazgos nos hacen preguntarnos cómo ejercer una influencia positiva en lugar de negativa. Queda por estudiar si la terapia, por ejemplo, podría reducir el nivel de metilación de los genes relacionados con el estrés.

Aun sin saber cuáles son los orígenes de las creencias heredadas y emociones anacrónicas, esas cargas pueden ser muy determinantes en nuestra vida. Por ejemplo, una mujer que no entienda el porqué de sus problemas en las relaciones sentimentales podría haber heredado la creencia inconsciente de que todos los hombres son peligrosos debido a la violación en grupo que sufrió una bisabuela en tiempos de guerra. Las cargas por legado se encuentran en estados emocionales crónicos compartidos («Mi madre también sufría de los nervios»), hábitos comunes («En casa siempre bromeamos cuando tenemos miedo») y creencias compartidas («Me enseñaron a no cuestionar la autoridad»). Cuando alguien expresa un prejuicio o temor con respecto a un tipo de personas (por su género, orientación sexual, identidad sexual, raza o etnia, p. ej.) o a un sentimiento determinado (como la vergüenza, la ira, el duelo, el entusiasmo o el amor) o comportamiento (p. ej., la intimidad física, la autoafirmación, la generosidad o la intrepidez), muchas veces estamos escuchando una carga por legado. En las cargas por legado hay mucha historia familiar y pueden remontarse muchas generaciones (Sinko, 2016).

Si queremos averiguar si una carga es personal o por legado, preguntamos a la parte «¿Qué porcentaje de esta creencia (sentimiento, conducta, etc.) pertenece a otro?». La respuesta puede variar del 100 al 0 %, pero suele superar el 50 %. Seguimos con otra pregunta: «¿Estarían dispuestas la parte o las partes que le llevan a cuestas esta carga a soltar el porcentaje que no te pertenece a ti?». Cuando están listas para soltar, la descarga puede lograrse enseguida. A veces, sin embargo, una parte (o un grupo de partes) es reticente a dejar ir una carga por legado. Los puntos conflictivos más destacados suelen ser la lealtad a la familia, al grupo étnico o al país; la creencia de que la carga es la única manera de permanecer conectado con alguien importante; o la creencia de que alguien a quien quieren deberá llevarla a cuestas si la parte la suelta. Sea cual sea la razón, estudiamos lo que preocupa de una carga por legado, como haríamos si se tratara de una carga personal (Sinko, 2016).

LAS CARGAS POR LEGADO DE LEONARD

Leonard era un joven homosexual de 19 años que había recibido varias cargas por legado: el esfuerzo y el perfeccionismo de su padre, así como la vergüenza (según sospechaba Leonard) por ser gay; la obsesión de su madre por la apariencia y el desprecio de ambos progenitores por las partes tristes de Leonard. El cliente también tenía cargas personales, entre ellas el creerse responsable de la felicidad de sus padres y la convicción de que era débil y repulsivo. En la terapia se dio cuenta de que no podría hacer gran cosa con sus cargas personales hasta hallar y resolver sus cargas por legado. Se pasó toda la infancia viendo a su madre aparentemente deprimida, y aunque en el joven había partes convencidas de que ella nunca sería feliz, también albergaba una parte que se sentía culpable y quería llevar esa carga por ella.

Además, había partes de Leonard enfadadas por su gran preocupación por sus padres. Antes del penúltimo año de secundaria, esas cargas habían llevado a sus directivos a tratar de complacer a sus padres, pero cuando empezó ese curso una parte indignada empezó a tomar el control. Se hizo con un documento de identidad falso para ir a discotecas de ambiente, donde bebía demasiado y tenía sexo sin protección. Cuando Leonard acudió a terapia, se odiaba a sí mismo por el hecho de que su homosexualidad le supusiera conflictos y desazón, porque creía que debería sentirse a gusto y feliz. Saber por sus partes que el 60 % de la sensación opresiva de represión e incompetencia procedía de cargas por legado aceleró la terapia de Leonard. En cuanto se esfumaron las cargas por legado, supo que podía diferenciarse de sus padres de un modo más afable, y eso le hizo ser más seguro y confiado con respecto a sus cargas personales.

* * *

CARGAS PERSONALES

Tal como ilustramos a lo largo de este libro, además de las dinámicas familiares y del sesgo cultural, cualquier experiencia personal de rechazo, abandono, consternación, miedo o maltrato (físico, sexual o emocional) puede cargar a nuestras partes más sensibles de temor, vergüenza y dolor emocional. Por lo general, los exiliados mencionan una o más de unas cuantas creencias rotundamente condenatorias sobre su valía. Las primeras de la lista son la inutilidad, la incapacidad de inspirar cariño y el exceso o la carencia. Menos a menudo, pero no pocas veces, las partes jóvenes llegan a convencerse de que son malos o perversos. Asimismo, los traumas pueden cargar a los protectores de desdén frente a la vulnerabilidad y de creencias extremas sobre determinadas categorías de personas o sobre el mundo en general. En todos los casos, los niños interiores y exteriores tienden evolutivamente a traducir la experiencia en identidad: «No me quieren» se convierte en «No soy digno de amor», y «Ha pasado algo malo» se convierte en «Soy malo».

La necesidad de redención del exiliado

Cuando un niño tiene motivos para no creer en su valía, la necesidad normal de aprobación se convierte en ansia. Esos niños están pendientes de los mensajes acerca de lo que valen y son vulnerables a la opinión negativa de aquéllos de quienes dependen. Con afán de romper la maldición de la incapacidad de ser queridos, estas partes jóvenes influyen en los adultos –por lo demás, sensatos– para que regresen a las personas que les hicieron daño o busquen a un sustituto parecido, lo que probablemente acabará dando como resultado un desfile de relaciones insatisfactorias y peligrosas.

Las cargas personales de Leonard

Volvamos a Leonard. Aunque nunca hubiera sufrido ningún trauma profundo, la cultura de su familia le hubiera llevado igualmente a exiliar a sus partes sensibles, aisladas e iracundas. Pero Leonard sí había pasado por traumas. Según avanzaba la terapia, sus partes heridas empezaron a mostrarle en qué puntos del pasado se habían quedado ancladas. Primero vino la criatura de 5 años cuya madre un día había desaparecido. Más adelante, Leonard supo que su madre había estado ingresada por una «crisis nerviosa» cuando él tenía 5 años. En esa época, no obstante, su madre desapareció sin más. Se despertó solo y no la encontró en casa. Cuando por fin halló a su padre, éste no le respondió al preguntarle por el paradero de su madre. Por la tarde, al acudir a cuidarle su abuela, que no era una mujer nutricia, tampoco se pronunció cuando el nieto preguntó por su madre. El pequeño de 5 años dedujo, como hacen los niños, que él debía de ser la causa de su desaparición, por alguna razón literalmente inconfesable. Durante el mes en que su madre estuvo ausente, Leonard se sumió en un estado de miedo y culpa, donde se contaba a sí mismo por turnos relatos estremecedores y tranquilizadores. Más adelante, cuando su madre por fin regresó y los adultos siguieron actuando como si nada hubiera pasado, el chico se enfadó y eso provocó a los directivos de los adultos, que le riñeron y le mandaron callar.

Después de que Leonard ayudara al pequeño de 5 años en la terapia, apareció otra parte, ésta de 7 años, con otra historia traumática. Un primo adolescente había engañado a Leonard para que fuera con él al bosque, donde había obligado a Leonard a tocarle el pene y jugar con él. Leonard había querido contárselo a sus padres, pero sus directivos, que consideraban a sus padres demasiado frágiles para enterarse de cosas impactantes, le habían humillado para que no dijera nada. Tras ayudar al niño de 7 años, Leonard supo de otras partes que habían pasado por más experiencias aterradoras antes de cumplir los 20. Como sus directivos habían dejado a las partes heridas en el pasado y habían llevado adelante el resto del sistema, Leonard tuvo que recuperar y ayudar a cada una de esas partes a descargarse y sanar (un proceso que más adelante explicamos con detalle).

LAS CARGAS DE LOS PROTECTORES

Los protectores también tienen cargas. En primer lugar, se creen la prensa negativa sobre los exiliados; en segundo lugar, sus cometidos son pesados. Una de las terribles ironías del abandono y el maltrato emocional es que las partes protectoras de un niño imitan a los maltratadores, ya sean adultos u otros niños. Los directivos sedientos de aprobación y los bomberos reactivos son capaces de reproducir, internamente, casi cualquier conducta extrema de la que haya sido víctima un niño, desde el perfeccionismo, la crítica y el moralismo hasta el ataque físico, todo con la falsa esperanza de que a un niño perfecto (o castigado) le querrán mejor. La tarea de imitar a un maltratador es desagradable, por supuesto, así que la parte está mal vista en el sistema. Los protectores necesitan de nuestra ayuda para soltar las energías parentales negativas que constituyen cargas por legado.

Como todos los protectores, los de Leonard también cargaban con distintas creencias sobre él (en realidad sobre el Leonard niño): que era extremadamente sensible y nervioso; que tenía los pies demasiado grandes; que sus necesidades eran un lastre para los demás, sobre todo para sus padres, y que su ira era un síntoma odioso de egoísmo. Las tareas de esos protectores iban desde la represión *(no hables, no te quejes, no te enfades)* hasta la distracción *(bebe, practica el sexo, desconecta)*. Sus objetivos eran ocultar sus defectos, castigarle por fracasar, hacerle sentir aceptable y distraerle de sentirse desgraciado.

CARGAS, GRAVEDAD DE LOS SÍNTOMAS Y DURACIÓN DEL TRATAMIENTO

La duración y dificultad del tratamiento en la IFS no dependen de la gravedad de los síntomas, sino del grado de polarización interna, de la desconfianza en el liderazgo del Self y del nivel de las cargas del cliente. Como hemos expuesto, a las partes se les imponen roles extremos de varias maneras: protegen a los exiliados proactivamente (directivos) o reactivamente (bomberos), se polarizan y se quedan ancladas en una época aterradora del pasado (tanto protectores como exiliados). Dado que a la mayoría de las personas las educan para que exilien a varias de sus partes, hasta quienes nunca han sido gravemente heridas se organizarán según esta tríada directivo-exiliado-bombero, y los síntomas del cliente nos revelan qué grupo es el dominante. Por ejemplo, los directivos suelen serlo en quienes padecen depresión crónica, los bomberos en quienes son propensos a las conductas impulsivas y los exiliados en quienes padecen ansiedad aguda, miedo, tristeza y soledad. Cuando los exiliados llevan muchas cargas a cuestas, la terapia lleva más tiempo, porque los protectores son más extremos y están más polarizados y el sistema apenas confía en el Self del cliente. No perdamos de vista que los protectores también arrastran cargas, pero es improbable que las suelten hasta que los exiliados a los que protegen se hayan sanado (descargado) y el sistema sea menos vulnerable.

CONCLUSIÓN

Las partes a menudo se confunden con sus cargas, lo que hace mucho daño. Mientras los protectores exilian a las partes vulnerables, los familiares bienintencionados, las amistades y los cuidadores combaten a los peligrosos protectores... y no gana nadie. Las partes no son sus cargas. Cuando lo tenemos claro, podemos tranquilizar a las partes temerosas diciéndoles que no tenemos planes ocultos que conlleven purgar ni aniquilar a ninguna parte del sistema interno. Esta certeza altera de por sí la dinámica de un sistema polarizado, que hasta entonces se ha basado en la idea de que extirpar a alguien es la única cura posible para la enfermedad de ser inaceptable. Queremos que los protectores comprendan que será bueno para el sistema en conjunto que todo el mundo se libere y que todos quienes quieran un nuevo rol de su gusto lo consigan. Queremos que todos se sientan acogidos.

Las cargas se fraguan de muchos modos: verticalmente entre las generaciones de una familia o debido a la conducta de otras figuras de autoridad influyentes, como profesores, entrenadores o sacerdotes. Las cargas también pueden crecer a manos de extraños, horizontalmente con los hermanos y hermanas, o por azar de la naturaleza (incendios, terremotos, tsunamis, inundaciones, etc.). Las cargas por legado se desarrollan en las familias y pueden remontarse muchas generaciones. Las cargas personales se crean en respuesta a episodios personalmente traumáticos. Cuando un niño o una niña sufre daño, las cualidades por las que le atacaron o que cree que le causaron problemas son, para el sistema interno, una responsabilidad, así que las partes que dirigen con esas cualidades (p. ej., ingenuidad, dulzura, espontaneidad, entusiasmo, coraje, ira, tristeza, frustración, sensibilidad, compasión) serán vetadas, por lo que esas partes se sentirán indeseadas y se desesperarán. Desde su lugar de exilio, anhelan que las rescaten y rediman. Entretanto, los protectores se ven limitados por lo que creen de las partes exiliadas. En definitiva, el sistema cargado es un retrato de la limitación, la obligación, la rebelión y la frustración. Y a eso es a lo que la mayoría dedicamos casi toda nuestra energía.

Lo bueno es que todo eso puede cambiar. Las cargas pueden soltarse y las partes liberadas pueden transformarse. Más adelante mostramos cómo las partes se autodescargan. Sabemos que a muchos lectores eso les parecerá imposible –demasiado bueno para ser verdad– y entendemos su escepticismo. Las partes escépticas son bienvenidas. La experiencia nos ha enseñado que, en cuanto las partes están seguras de que sus preocupaciones por la seguridad pueden afrontarse debidamente, normalmente están dispuestas a probar algo nuevo.

CAPÍTULO 5
La IFS y el cuerpo

Las partes pueden repercutir en el cuerpo y viceversa: la IFS puede influir en procesos somáticos, incluidas enfermedades que normalmente no se consideran psicosomáticas. Mi (R.C.S.) temprana colaboración con Ron Kurtz (quien diseñó el método psicoterapéutico Hakomi, centrado en el cuerpo; Kurtz, 1990) me enseñó que los clientes suelen ser capaces de ubicar a las partes en el cuerpo y seguir las sensaciones físicas hasta el mundo interior, donde pueden establecer profundas conexiones. En este capítulo describimos el enfoque que hace la IFS de la encarnación, con varias ideas aportadas por Susan McConnell (2013), terapeuta Hakomi y una de las primeras formadoras principales de la institución educativa de la IFS (el Center for Self Leadership). Susan se ha valido de su dominio del trabajo corporal y la psicología somática para ampliar el modelo de la IFS.

* * *

EL SELF FUERA DEL CUERPO

El cuerpo es el recipiente de las partes y del Self. Por consiguiente, cuando en la IFS hablamos de una «persona», nos referimos al cuerpo, las partes y el Self. Cuando las experiencias vividas inyectan cargas a este sistema, las partes pueden decidir separar el Self del cuerpo, lo que a su vez aumenta el riesgo de que el sistema absorba más cargas. Por ejemplo, si nos enfrentamos a un terrible peligro, una parte protectora a menudo ejercerá de guardaespaldas, «parando el golpe» (según cuentan esas partes), mientras que otras «echarán» al Self del cuerpo. Esta descripción encaja con frecuentes relatos de los clientes, que cuentan cómo presenciaban desde arriba el maltrato que recibían. Sacar al Self del cuerpo parece un medio de supervivencia útil en momentos aterradores, pero también deja una insensibilidad interior envolvente que, aunque alivie, aletarga.

En cambio, cuando las partes se descargan, nos sentimos más animados, estables y despiertos, así como más serenos y mentalmente más conscientes. Como el Self es milagrosamente resiliente e invulnerable, podría extrañarnos que las partes traten de protegerlo. En algunos casos, las partes jóvenes pueden no saber que el Self no precisa protección, pero muchas veces los agresores castigan a los niños por mostrar cualidades del Self (p. ej., curiosidad, confianza, conexión, coraje, compasión). En respuesta a este tipo de maltrato selectivo, las partes echan al Self del cuerpo para impedir más castigos.

Aunque se puede expulsar completamente al Self del cuerpo, también puede desencarnarse en un proceso continuo. Casi todos hemos tenido experiencias a raíz de las cuales nuestro Self en algún momento se desencarnó hasta cierto punto. Durante los 4 años en los que jugué a fútbol americano en la universidad, yo (R. C. S.) me lancé muchas veces a toda velocidad sobre tipos casi me doblaban en tamaño y me hice, entre otras lesiones, varias conmociones cerebrales. Luego me hicieron falta años de trabajo interno para volver a experimentar ciertas sensaciones y emociones en el cuerpo. Mientras llevaba a cabo ese trabajo interno, me di cuenta de que los ataques de furia y las azotainas de mi padre habían llevado a mi Self a huir asustado, con lo que me había quedado insensibilizado. A merced de mi propio protector enfurecido, yo quería tumbar a la gente y era capaz de ignorar el dolor físico, aunque mis partes más cuerdas me gritaran que parara. Cuando las cargas nos expulsan del cuerpo, estamos más expuestos a practicar actividades físicamente peligrosas que provocan lesiones y mayor desencarnación.

EXPERIMENTAR EL SELF EN EL CUERPO

Sólo nuestras partes pueden decidir si permiten que el Self regrese al cuerpo. Una vez que los protectores reactivos lo autorizan, hay muchos modos de encarnarlo. Por ejemplo, podemos emplear la respiración o concentrarnos en el corazón, los huesos, la columna y la coronilla. A veces moverse ayuda. La práctica de yoga, meditación, artes marciales y otras modalidades de sanación mente-cuerpo pueden ayudar a las partes a sentirse acogidas y a salvo, para que el Self pueda encarnarse. Estas estrategias nos permiten acceder al yo, reforzarlo y estabilizarlo en el cuerpo. Así gozamos de compenetración, estabilidad, fluidez, grandeza y a menudo notamos un cosquilleo. Cuando el Self está encarnado, somos sensitivos y abiertos al cambio, y respiramos plenamente y sin dificultad (McConnell, 2013). Asimismo, hay muchísimo espacio para las partes.

La encarnación es importante para el liderazgo del Self por dos razones. Primeramente, el Self tiene acceso a nuestro *hardware* físico y, en segundo lugar, con una sensación sólida del Self en el cuerpo, las partes confían más en su liderazgo. Curiosamente, experimentar el Self de este modo estable y físico puede también generar una expansión transcendente que rebasa los límites de la individualidad y del cuerpo para abrazar la sensación de unidad oceánica. Ahora bien, sí hay una importante advertencia sobre las prácticas destinadas a acelerar la encarnación.

Encarnar al Self puede dar mucho miedo a quienes han sufrido maltratos graves. Como hemos dicho antes, los avispados agresores tratan de impedir el acceso de la víctima al Self. Para que la víctima siga obedeciendo y no deje de creer en lo que le han hecho creer, el agresor intensificará el castigo siempre que el niño (o adulto) encarne la energía del Self (cualesquiera de las cualidades que empiezan con C, de la curiosidad a la compasión). Como resultado, los supervivientes de maltratos graves se exponen a reacciones violentas de sus protectores cuando traten de encarnar el Self. Estas reacciones pueden ser sentimientos o impulsos suicidas, enfermedades físicas, dolor o miedo al terapeuta y ganas de dejar la terapia. Por eso consideramos esencial, antes de aconsejar al cliente que encarne directamente el Self, pedirle que compruebe si hay algún protector temeroso de dejarle hacerlo. Si a alguna de las partes le asusta, nos encargamos de sus miedos antes de seguir.

Yo (R.C.S.) he diseñado una práctica de encarnación cotidiana que me ayuda a encontrar las partes activadas y saber mi nivel de encarnación del Self. A lo largo de la jornada, compruebo a menudo la apertura de mi corazón, porque cuando estoy encarnado está bastante abierto. Asimismo, compruebo si lo recorre una energía vibrante. Es lo que conocemos como energía del Self; las tradiciones orientales lo llaman *qi, chi* o *prana*. Si tengo el corazón bloqueado, ya sé que es un protector quien lo bloquea. Puedo decirle que se tranquilice, o dedicarme a ayudarle a confiar en que ya no necesito esa clase de protección. También sé que mis protectores más activos pululan en forma de tensión por encima de las cejas, pesándome en los hombros y tirándome del cuello, así que paso por esos puntos para calmar a esas partes. Cuando se liberan, noto de inmediato mayor grandeza y tranquilidad en cuerpo y mente.

LAS PARTES DEL CUERPO Y EL CUERPO COMO HERRAMIENTA PARA LAS PARTES

Las partes no sólo encarnan o desencarnan; pueden estar más o menos encarnadas. Cuanto más encarnadas estén, más se manifestarán sus experiencias y enfoque de la vida en la postura, los gestos, la voz y las expresiones faciales. Por ejemplo, pueden expresarse en forma de tensión muscular o dificultades respiratorias; pueden ser insensibles, débiles o estar crónicamente calientes o frías; pueden estar famélicas o desear el aislamiento de la obesidad para no suscitar interés sexual; pueden también estar sexualmente hiperestimuladas. En 2013, Susan McConnell escribió:

> Cuando las partes asimilan cargas durante toda la existencia, la consciencia y los patrones respiratorios del cuerpo, su capacidad de identificarse con otras personas y de moverse con facilidad, gracia y libertad y de tener contacto físico se ven perjudicadas, [pero] el daño tanto psíquico como físico [que] se produce en el cuerpo [...] puede curarse en el cuerpo. (pp. 105-106)

Una vez tuve (R. C. S.) una clienta que descubrió a un directivo que se dedicaba a crear síntomas de fatiga crónica para que la parte de una niña desvalida disfrutara de cuidados y descanso. Otra clienta, miembro de una secta, halló una parte que le ocasionaba una enfermedad ambiental para que los líderes de la secta la rechazaran. Su enfermedad era, al mismo tiempo, un modo elocuente en que sus partes le comunicaban su sensación abrumadora de que el entorno de la clienta era tóxico. Personalmente, sé de una parte que tiene tales expectativas de mi cuerpo que siente como traiciones la enfermedad y el envejecimiento. Algunas de mis las partes se relacionan con mi cuerpo como si fuera una planta que molesta, o un animal de compañía al que hay que mantener sano, dar de comer y sacar de paseo. He tenido clientes cuyas partes odiaban y temían al cuerpo. Estas partes (y no son poco comunes) pueden hacernos descuidar, juzgar, insensibilizar o inmovilizar el cuerpo. Asimismo, pueden valerse de sensaciones, energías y apetitos poderosos del cuerpo en pro de distintos objetivos. Pueden llegar a agotar, deteriorar y hasta matar al cuerpo.

Las partes usan el cuerpo para sus propios fines, que suelen diferir en exiliados y protectores. Los exiliados lo emplean para comunicar que necesitan ayuda; los directivos, para ejercer control; y los bomberos se sirven del cuerpo para distraer del dolor emocional o de la inhibición desmesurada (la labor de los directivos). En pro de estos objetivos, las partes pueden distraer y también provocar toda clase de disfunciones y dolores físicos. Los bomberos pueden causar estragos en el cuerpo, con conductas como la adicción, trastornos alimentarios, promiscuidad y autolesiones, aunque el daño físico suele ser un efecto secundario, no el objetivo. Es más, cuando los protectores se polarizan, el cuerpo puede convertirse en un campo de batalla. Por ejemplo, mientras una parte se insensibiliza, otra puede luchar por intensificar las sensaciones físicas.

Al contemplar los roles protectores, más o menos podemos asociarlos a síntomas físicos. Los directivos –que necesitan contener, reprimir, retener, paralizar y controlar– suelen manifestarse en los músculos y la fascia. Pese a poderse encontrar en cualquier punto del cuerpo, los directivos manejan mejor las energías en las zonas de unión: todas las articulaciones, los diafragmas pelviano y respiratorio, la garganta y la mandíbula, los hombros y la zona lumbar. Los bomberos tienden a activar los sistemas endocrino y nervioso, para favorecer la respuesta de lucha y huida, lo que genera hormonas del estrés, frecuencias cardíaca y respiratoria crecientes y pupilas dilatadas. Asimismo, los bomberos se valen de la excitación física o el deseo (p. ej., ansias de comida, sexo, alcohol, drogas o sueño) para distraer de las emociones que consideran una amenaza. Entretanto, es frecuente que los exiliados se oculten dentro o en el entorno del corazón, el intestino y la espalda.

De ningún modo pretendemos dar a entender que las enfermedades sólo las provocan o mantienen las partes. Naturalmente, la genética, los virus, las bacterias, las lesiones y las toxinas ambientales afectan al organismo y nos hacen enfermar, más allá del estado de la psique. Lo que decimos es que, cuando las partes quieren repercutir deliberadamente en los procesos biológicos, parecen capaces de hacerlo. Sabemos de partes que dicen haber aumentado las respuestas inmunes (con los consiguientes trastornos autoinmunitarios) o haberlas reducido (lo que permite crecer a virus y bacterias). Y también hemos oído de partes que aseguran haberse aprovechado de la debilidad ya existente en los órganos o la predisposición genética para crear determinados síntomas en pro de algún plan. No tenemos la menor idea de cómo han podido hacerlo, pero lo que sí sabemos es que los clientes mejoran cuando las partes que decían estar haciéndole algo al cuerpo aceptaron detenerse.

Las partes también empeoran sin querer las dolencias físicas. Cuando tratan de combatir un trastorno autoinmunitario, como la artritis reumatoide, o desviar la atención de él, el perjuicio resultante puede ser igual o superior al problema original. Y cuando no comunican información sobre el cuerpo a los profesionales médicos, u olvidan tomar la medicación y asistir a las visitas, nos exponen a un riesgo (Livingston y Gaffney, 2013). La IFS has también se ha utilizado para constituir alianzas con las partes rebeldes y negadoras de los adolescentes con diabetes de tipo 1, una población especialmente vulnerable. Para estos chavales, la falta de adhesión al tratamiento médico, que puede incluir varias conductas predictibles, como la ingesta de alimentos no permitidos y el olvido de tomar insulina, puede desembocar en amputaciones o incluso la muerte.

LA IFS Y LA MEDICINA

Nancy Shadick, Nancy Sowell y sus colegas (2013) hicieron un estudio donde se administraba terapia IFS a pacientes con artritis reumatoide (AR). Treinta y siete pacientes aquejados de AR asistieron durante 9 meses a terapia IFS grupal e individual. Se los comparó con un grupo de control de 40 pacientes con AR que sólo recibieron una intervención pedagógica. Una vez acabado el estudio, se hizo un seguimiento de ambos grupos durante 9 meses. El grupo tratado con terapia IFS mostró mejoría del dolor general y la funcionalidad física, así como del dolor articular notificado por los pacientes, la autocompasión y los síntomas depresivos. Todas esas mejoras se mantuvieron durante el seguimiento. Además, yo (R. C. S.) llevo 20 años empleando la IFS eficazmente con pacientes para abordar una gran variedad de afecciones físicas. He trabajado con pacientes aquejados de cáncer, lupus o toda clase de dolor, entre otras enfermedades. Si las partes tenían que ver con la generación o el mantenimiento de la enfermedad o sus síntomas, el paciente mejoraba y muchas veces la enfermedad llegaba a remitir.

LOS ESTUDIOS ACE

En 1995, la compañía de seguros Kaiser Permanente de California y los Centros para el Control y la Prevención de Enfermedades de los EE. UU. emprendieron conjuntamente el estudio «Adverse Childhood Experiences» (ACE, circunstancias adversas en la infancia), un ensayo epidemiológico que demostró una correlación asombrosa entre el maltrato infantil, la enfermedad física geriátrica y la muerte prematura (Corso, Edwards, Fang y Mercy, 2008; Wylie, 2010). Mientras se recogían exploraciones físicas, se entrevistó a más de 17.000 pacientes para el estudio ACE. Se les preguntó por la presencia de maltrato, desatención o un hogar disfuncional en la niñez. Los investigadores buscaron en esa información correlaciones entre las circunstancias adversas en la infancia y la salud emocional y física adulta. Como era previsible, quienes tenían resultados elevados en ACE también incurrían en muchas conductas de graves consecuencias como fumar, beber, comer en exceso y consumir drogas, que clasificamos como actividades propias de los bomberos. Todo ello, por supuesto, incrementaba el riesgo de enfermedad física. Sin embargo, el estudio también concluyó que, incluso teniendo en cuenta las actividades de riesgo, seguía habiendo una estrecha correlación entre episodios adversos en la niñez y enfermedades como el cáncer, la arteriopatía coronaria y la neumopatía crónica. Estos hallazgos sorprendieron a los investigadores, pero corroboraban lo que quienes trabajamos en salud mental intuíamos desde hacía mucho sobre los traumas y el organismo. Asimismo, sugerían que puede ser al revés: si una psique herida puede dañar el cuerpo, una psique recuperada puede ayudar a sanarlo. (Más información sobre el tema en el capítulo de Nancy Sowell «The Internal Family System and Adult Health: Changing the Course of Chronic Illness» [«El sistema de familia

interna y la salud adulta: cambiar el curso de la enfermedad crónica»]
del libro *Internal Family Systems Therapy: New Dimensions* [2013],
que aborda varias aplicaciones importantes de la IFS).

AYUDAR, NO CULPAR

Estamos acostumbrados a que los clientes reaccionen enérgicamente
al sugerirles que una parte puede tener intenciones ocultas con respecto a sus síntomas físicos. Seguramente contribuyen a ello varios
factores, entre ellos, el que las partes polarizadas se culpen mutuamente de todo el sufrimiento, la tendencia cultural a culpar a la víctima y las enseñanzas religiosas o New Age según las cuales creamos
nuestras propias enfermedades. Aun así, si introducimos cuidadosa-
mente la pregunta sobre las partes y la enfermedad, a menudo se
despierta el interés de los clientes. Yo (R. C. S.) les digo algo del estilo:

> Algunas partes pueden estar influyendo en tu cuerpo sin que lo sepas,
> y tal vez quieran hablarte. Con ello no pretendo en absoluto sugerir
> que tú estés decidiendo enfermar. Las partes no piden permiso para
> afectar el organismo, pero pueden ser demasiado jóvenes para saber
> que están causando perjuicios físicos. O quizás tengan alguna razón
> de peso para hacer lo que hacen. Ayudar a esas partes puede cambiar
> mucho las cosas».

Si sospecho que el cliente va a reaccionar mal al sugerirle que una
parte puede estar provocando o exacerbando una dolencia física, me
limito a decirle que pregunte por las partes que podrían ayudar a
sanar el cuerpo. He conocido partes que aseguraban que podrían
ayudar si lográbamos convencer a otras partes de que se calmaran,
y he conocido a partes que saben cómo sanar el cuerpo, incluso si
ninguna otra parte tiene que ver con el daño que éste sufre.

* * *

PAUTAS PARA EMPLEAR LA IFS CON DOLENCIAS FÍSICAS

Los terapeutas de IFS aplican el mismo enfoque básico frente a problemas físicos y de otra naturaleza. El primer paso consiste en vaciar la mente de expectativas, decirles a nuestras partes que retrocedan y encarnar nuestro Self. A continuación, le pedimos al cliente permiso para explorar la enfermedad física. Proseguimos con una de las siguientes opciones:

1. Indicamos al cliente que se concentre en un síntoma físico y entonces prestamos interés y atención, como hacemos en general con las partes.
2. Hablamos directamente con el síntoma como parte.
3. Si ninguna parte tiene que ver con el síntoma, le decimos al cliente que inquiera si alguna parte tiene información sobre el síntoma.
4. Preguntamos al cliente qué opina del síntoma, y luego preguntamos a las partes que odian o temen el síntoma si están influyendo en el cuerpo o en la adhesión del cliente al tratamiento.
5. Aconsejamos al cliente que pregunte por las partes que saben cómo sanar el cuerpo, en general o en ese punto en concreto.

Estas distintas estrategias a menudo ayudan a las partes a hablar sin reservas. Si lo hacen, podemos dar el paso de relacionarnos con el síntoma como lo haríamos con cualquier parte. Las pautas para explorar la enfermedad física se resumen en la tabla 5.1.

TABLA 5.1. Opciones de exploración del síntoma físico como parte
1. Indicar al cliente que se concentre en un síntoma físico, mostrar interés y prestar atención.
2. Recurrir al acceso directo para hablar directamente con el síntoma como parte.
3. Si ninguna parte tiene que ver con el síntoma, decirle al cliente que inquiera si alguna parte tiene información sobre el síntoma.
4. Preguntar al cliente qué opina del síntoma.
5. Preguntar si alguna de las partes que odia o teme el síntoma está influyendo en el cuerpo o en la adhesión del cliente al tratamiento.
6. Aconsejar al cliente que pregunte por las partes que saben cómo sanar el cuerpo, en general o en ese punto en concreto.

LOS EXILIADOS PROVOCAN DOLOR Y ENFERMEDADES FÍSICAS PARA LLAMAR LA ATENCIÓN O CONTAR UNA VIVENCIA

Si decidimos empezar por tratar al síntoma como una parte –ya sea indicando al cliente que se concentre y se interese o accediendo directamente nosotros al síntoma y hablándole–, llegará el momento en el que podamos preguntar a la parte por qué está afectando así al cuerpo del cliente. Si dice que quiere que el cliente comprenda su dolor, o que no ha hallado otro modo de llamar la atención del cliente, probablemente esa parte sea un exiliado. En ese caso, el Self del cliente pide a la parte que deje de intensificar el dolor y negocia con los protectores que le permitan ayudar al exiliado.

Veamos un ejemplo de un exiliado que agrava el dolor presa del pánico. Jonny, de 18 años y estudiante de primero de carrera, había cogido la baja por los ataques de pánico que multiplicaban su dolor estomacal, diagnosticado por su médico como síndrome del intestino irritable (SII). El médico le aconsejó que acudiera a terapia, puesto que sabía que el estrés complicaba el SII. En el momento de esta sesión, Jonny había asistido a un par de sesiones de terapia IFS y estaba informado del concepto de las partes.

TERAPEUTA: ¿Tienes dolor ahora mismo, Jonny?

JONNY: Casi siempre tengo algo de dolor, pero a veces siento que no puedo respirar y de pronto empeora.

TERAPEUTA: ¿Tienes asma?

JONNY: No. Los pulmones los tengo bien. Es síndrome del intestino irritable.

TERAPEUTA: Según mi experiencia, las partes pueden influir en el cuerpo sin que lo sepamos. Si alguna parte te está dificultando la respiración, seguro que tendrá un motivo. ¿Podemos preguntar?

[El terapeuta introduce la idea de hablar con las partes sobre los síntomas físicos del cliente].

JONNY: Mira, yo no quería dejar la facultad.

[Alguna parte cree que están acusando a Jonny de causar el problema].

TERAPEUTA: Lo sé, las partes no piden permiso para hacerle cosas al cuerpo. Tienen sus motivos y no los controlamos. A veces, una parte es demasiado joven hasta para comprender que está haciendo daño. Así que, si una parte está provocando o agravando una enfermedad, lo único que podemos hacer es ofrecer ayuda. Según mi experiencia, las partes lo agradecen de un modo u otro.

[Ahora el interlocutor del terapeuta es la parte que cree que están acusando a Jonny].

JONNY: De acuerdo.

TERAPEUTA: ¿Nos concentramos en el dolor de estómago o en la respiración?

[El terapeuta deja que Jonny decida por dónde empezar].

JONNY: En la respiración.

TERAPEUTA: ¿Qué notas?

[Reforzando la parte focalizada].

JONNY: Tensión. Me cuesta respirar.

TERAPEUTA: ¿Qué opinas de eso?

JONNY: Que no quiero este cuerpo.

[Quien responde no es el Self de Jonny, sino una parte].

TERAPEUTA: Entendido. Y al no querer este cuerpo, ¿qué opinas de esa tensión?

[El terapeuta repite la pregunta detectora de la parte].

JONNY: Me da miedo.

TERAPEUTA: De acuerdo. ¿Puedo hablar con ella directamente?

[El terapeuta pasa enseguida al acceso directo, pidiendo permiso para hablar con la parte. Parte del supuesto de que muchas de las partes reactivas se activarán en torno a los problemas físicos de Jonny y en ese momento será más rápido dirigirse directamente a la parte].

JONNY: Sí.

TERAPEUTA: Entonces quiero hablar con la parte que no puede respirar. ¿Estás ahí?

JONNY: Sí.

TERAPEUTA: ¿Qué quieres decirle a Jonny?

JONNY: ¡Ayuda!

TERAPEUTA: ¿Qué clase de ayuda necesitas?

JONNY: ¡Tengo que salir de la nevera!

TERAPEUTA: ¿Sabes lo que eso significa, Jonny?

JONNY: Sí. Me sorprende un poco. A los 6 años mi hermano mayor y sus amigos me metieron en una vieja nevera del sótano. Mi padre quería quitarle la puerta, pero el picaporte estaba roto, así que seguro que creyeron que no me costaría salir. Querían darme un susto y ya está. Pero la puerta se atascó. Conseguí encogerme y abrirla de una patada. Nunca se lo conté a nadie, ni siquiera a mi hermano.

TERAPEUTA: Pregunta si el niño de 6 años sigue ahí.

JONNY: Dice que sí. ¡No tenía ni idea!

TERAPEUTA: ¿Quiere que tú le ayudes?

[Aunque pueda parecer obvio, es buena idea seguir preguntando a la parte por lo que desea].

JONNY: Sí, pero ¿cómo puedo hacerlo?

TERAPEUTA: Puedes regresar a ese momento y atenderle. Pregúntale qué necesita que hagas tú que en aquel momento necesitara que alguien hiciera.

[A esto lo llamamos rehacer. En lugar de tratar de deshacer el pasado, una estrategia habitual de las partes protectoras que siempre

fracasa al basarse en el intento de impedir una experiencia traumática que ya ha ocurrido o de negar que sucedió, sugerimos al exiliado dibujar una situación de su preferencia con un desenlace de su preferencia].

JONNY: Quiere que arranque la puerta y la mande al espacio exterior.

TERAPEUTA: Bien, hazlo.

JONNY: Ahora le estoy sacando y él tira la nevera entera y la desintegra con una pistola láser.

TERAPEUTA: Estupendo.

JONNY: Y ahora quiere que le diga a su hermano que ser malo no tiene gracia.

TERAPEUTA: *(Al cabo de unos instantes).* ¿Algo más?

JONNY: Sí. No quiere que le deje solo.

TERAPEUTA: ¿Le gustaría marcharse de ese momento y venir a vivir contigo en el presente?

JONNY: Sí.

TERAPEUTA: Entendido, tráele al presente. ¿Puede el niño respirar ahora?

JONNY: Aún lleva un cinturón metálico en el pecho.

TERAPEUTA: ¿Necesita que le ayudes con eso?

JONNY: Se lo he cortado y ahora está fundiéndolo con la pistola láser.

TERAPEUTA: ¿Y qué tal?

JONNY: Bien.

TERAPEUTA: ¿Repercutía el niño en tu dolor intestinal?

JONNY: Su miedo lo empeoraba.

TERAPEUTA: ¿Ahora se acabará?

[Ahora el terapeuta dirige la sesión a Jonny].

JONNY: Será de gran ayuda. Puede respirar.

TERAPEUTA: ¿Y qué tal ahora el dolor intestinal?

JONNY: Mejor.

TERAPEUTA: ¿En una escala del 1 al 10?

JONNY: 5.

TERAPEUTA: ¿Cuánto te dolería ahora mismo si fuera exclusivamente dolor físico?

[El terapeuta proporciona a Jonny esta sencilla herramienta para valorar su dolor físico en una escala numérica, para que se dé cuenta de en qué medida las partes repercuten en su dolencia física].

JONNY: Probablemente entre 1 y 3.

TERAPEUTA: Entonces, ¿qué debe ocurrir para reducirlo?

JONNY: Creo que sólo necesito recuperarme y pasar un tiempo con él.

TERAPEUTA: ¿Probamos a ver qué tal, pues?

JONNY: Sí, vamos a ver qué tal.

Como hemos visto, Jonny encontró a un niño de 6 años que estaba atrapado en una situación aterradora. Esa parte no había creado el síndrome del intestino irritable de Jonny, pero el pánico del chiquillo había empeorado el dolor de Jonny y el pequeño sí necesitaba la ayuda de Jonny.

PROTECTORES POLARIZADOS

A diferencia de los exiliados que quieren ayuda, si una parte dice que utiliza un síntoma para *hacer* algo al cliente o por él, como herir, castigar, controlar o distraer, se trata de un protector. Por ejemplo, Greta era una superviviente de abusos sexuales de 25 años que vino a terapia en busca de ayuda para su respuesta emocional al lupus. Albergaba una parte (desconocida para ella) que le aumentaba el dolor.

TERAPEUTA: ¿Puedo sugerirte algo un poco fuera de lo común? Vamos a preguntarle a tu cuerpo por esta enfermedad.

GRETA: Pues sí que es un poco raro. Supongo que no pasa nada por hacerlo.

TERAPEUTA: Tómate un momento para escuchar si hay alguna objeción en tu interior.

[El terapeuta se asegura de si alguna de las partes puede reaccionar negativamente].

GRETA: No.

TERAPEUTA: ¿En qué notas el lupus?

[El terapeuta orienta a Greta para que encuentre la parte del cuerpo].

GRETA: Me duelen las articulaciones.

TERAPEUTA: ¿Te parece que nos concentremos ahí?

[El terapeuta vuelve a pedir permiso].

GRETA: Sí.

TERAPEUTA: ¿Te parece bien indagar en la enfermedad?

GRETA: Mmm... Tengo más costumbre de combatirla.

[Como dijimos en el capítulo 3, cuando estamos mezclados con las partes protectoras perdemos el acceso a la curiosidad. La capacidad de Greta de hacer esta observación significa que al menos está algo separada de la polaridad entre la enfermedad y las partes que la combaten].

TERAPEUTA: ¿Las partes que la combaten accederían a relajarse unos minutos y permitirte mostrar curiosidad?

GRETA: Entendido..., ahora sí tengo curiosidad.

TERAPEUTA: Dirige esa curiosidad directamente a ese dolor.

GRETA: Dice «Te estoy salvando». ¿Qué demonios significa eso?

TERAPEUTA: ¿Te parece bien seguir indagando?

[En vez de detenerse a atender a la parte que pregunta «¿Qué demonios significa eso?», el terapeuta toma de nuevo el atajo y pregunta si otras partes permitirán a la clienta indagar].

GRETA: Sí. En eso estoy... Vale. Dice «Te harás daño».

[Ahora Greta sabe de una parte que tiene que ver con el agravamiento de su dolor].

TERAPEUTA: ¿Lo comprendes?

GRETA: No sé.

TERAPEUTA: ¿Te llega alguna imagen?

[Encontrar, poner en primer plano y describir a los protectores es el primer paso para llegar a conocerlos, como explicamos deta-

lladamente en el capítulo 8. Aquí, el terapeuta vuelve a poner en primer plano y describir a la parte focalizada, que acaba de identificarse].

GRETA: Sí. Es como una nube con cabeza, un genio grande inclinado sobre mí.

TERAPEUTA: Pregunta al genio qué edad cree que tienes.

[Esta pregunta revela si un protector tiene algún conocimiento de la vida actual del cliente; de lo contrario, destapa la existencia de un exiliado o de un protector polarizado, porque es a éste a quien ve la parte].

GRETA: 5.

TERAPEUTA: ¿Eso te cuadra?

[Hacemos a menudo esta pregunta porque queremos saber si el cliente comprende que las partes tratan de comunicarse. Si no es así, queremos asegurarnos de que tenga la oportunidad de pedir aclaraciones. Si el cliente lo comprende, proseguimos].

GRETA: Sí, ahora lo entiendo.

TERAPEUTA: ¿Qué opinas ahora del genio?

GRETA: Se lo estoy dejando claro: ya no tengo 5 años. Parece que no se fía.

TERAPEUTA: Dile que tú puedes ayudar a la niña de 5 años con permiso de él.

GRETA: Se le ve asustado.

TERAPEUTA: Naturalmente, necesitarías el permiso del genio. No estamos aquí para quitarle nada ni queremos que se vaya. El genio podría llegar a conocerte y decidir si puedes ser de ayuda.

[Seguramente, este genio es un bombero, un empleado de emergencia reactivo con gran necesidad de tener el control. Los bomberos necesitan muchas veces que les confirmen que no pretendemos vencerlos ni querremos ignorarlos].

GRETA: Le parece buena idea.

TERAPEUTA: Dile que te mire a los ojos y te diga qué ve.

[Mike Elkin, formador jefe especialista en IFS, diseñó esta técnica. El contacto visual, si las partes colaboran, puede ser un modo muy

eficaz de detectar las partes reactivas o, si no, revelar al Self y presen-tarlo a la parte focalizada].

GRETA: Ve a una niña asustada.

TERAPEUTA: Hazle saber a la niña que vamos a arreglar las cosas para que tú puedas ayudar y, de momento, déjala en una estancia cómoda. Dile que espere ahí a que tú vuelvas. ¿Le parece bien a la niña?

[Greta no avanzará con el genio hasta que este exiliado se separe. Dejar a una parte en una estancia cómoda –la técnica de la habita-ción– ayuda a la parte focalizada a separarse. Concretamos que la estancia debe ser cómoda, para que la parte no regrese a un espacio que haya sido incómodo o peligroso. La técnica de la habitación pue-de ir especialmente bien para diferenciar, porque las partes se toman lo que proponemos literalmente y el sistema se apacigua cuando se recluye y se pone a salvo a una parte polarizada controvertida].

GRETA: De acuerdo. Está en un cuarto de juegos.

TERAPEUTA: Dile ahora al genio que te vuelva a mirar a los ojos y te diga qué ve.

GRETA: ¡Me ve! Se ha sorprendido.

TERAPEUTA: ¿Qué ha estado haciéndole al cuerpo para proteger a la niña?

GRETA: Tiene varios medios de persuasión: dolor, hinchazón, cefaleas, calor.

TERAPEUTA: ¿Estaría el genio dispuesto a dejar de usar esos me-dios el tiempo suficiente para que tú pudieras ayudar a la niña?

GRETA: Lo noto preocupado al oírte decir eso.

TERAPEUTA: Seguro que tiene una buena razón para hacerle todo eso al cuerpo, pero ¿qué le preocupa? ¿Qué pasaría si dejara de hacerlo?

[El terapeuta legitima proactivamente la buena intención del genio].

GRETA: No quiere que yo vaya a casa por vacaciones.

[A cambio, el genio colabora y concreta].

TERAPEUTA: Entiendo. ¿Puedes aceptar esas condiciones?

[El terapeuta no se detiene en ese punto para abordar la historia. Greta y sus partes ya saben el origen de esta inquietud. El terapeuta sigue negociando un acuerdo entre Greta y el genio].

GRETA: Tengo que ir a casa. Mi madre está enferma.

TERAPEUTA: Ya veo. Así que el genio no quiere que vayas a casa, pero otra parte quiere que vayas a casa. ¿Cómo reacciona el genio?

[El terapeuta detecta y enuncia una polaridad].

GRETA: Se ha hinchado como un nubarrón. Dice que me va a reventar. Está enfadadísimo.

TERAPEUTA: O sea, que el genio tiene muy claro que no debes ir a casa, pero la otra parte cree que debes ir a casa a ver a tu madre. ¿Es así?

[El terapeuta vuelve a enunciar la polaridad].

GRETA: Sí.

TERAPEUTA: ¿Qué hacer, entonces?

[El terapeuta pasa el testigo al Self de Greta. Ella reflexiona un momento].

GRETA: Bueno, si el genio afloja, no iré a casa. Hablaré con mamá por FaceTime.

TERAPEUTA: ¿Está él de acuerdo?

GRETA: No se opone. Lo único que no quiere es que me acerque a mi hermanastro. De momento está de acuerdo.

TERAPEUTA: Creo que por ahora no necesitamos más. ¿Cómo te sientes?

GRETA: Como una válvula de escape abierta.

Como hemos visto en esta interacción, el genio intensificaba los síntomas del lupus de Greta para evitar que sus directivos la metieran en situaciones donde una parte de 5 años volviera a traumatizarse en manos de un hermanastro, y probablemente donde una parte furiosa también se activaría. Cuando Greta se comprometió a tener en cuenta lo que inquietaba al genio (en vez de dejar que los directivos dictaran su comportamiento), el genio accedió a dejar de presionar al cuerpo. El siguiente paso sería obtener el permiso del genio (y el de esos directivos) para ayudar al exiliado.

OTROS MOTIVOS PARA PROTEGER

Un directivo puede recurrir a un síntoma para prevenir sentimientos que cree que el cliente no es capaz de manejar. Teme que el exiliado (o un joven protector exiliado como la ira) sobrepasarán al cliente emocionalmente. Por la misma razón, un bombero puede utilizar un síntoma para distraer de los sentimientos. En esos casos, hacemos exactamente lo mismo que haríamos con un problema que no fuera de carácter físico: pedimos a la parte que afloje el síntoma para que negociemos con el exiliado que no sature al cliente. Por ejemplo, a Frances, que era campeona de natación universitaria, el dolor de espalda la había obligado a dejar de entrenar poco antes de una competición.

TERAPEUTA: ¿Qué te parecería hablar con el propio dolor de espalda?

FRANCES: Una tontería.

TERAPEUTA: ¿Te parece bien hacer una tontería?

[El terapeuta insiste].

FRANCES: ¿Por qué no?

TERAPEUTA: De acuerdo. Concéntrate en el dolor. ¿Qué opinas de él?

FRANCES: Hombre, ¡ahora me ha entrado curiosidad!

TERAPEUTA: Estupendo. ¿Qué quiere el dolor que tú sepas?

FRANCES: ¡Estoy furiosa!

[Éste es un protector al que unos directivos más diplomáticos han exiliado, como veremos enseguida].

TERAPEUTA: ¿Lo estás?

FRANCES: *(Cerrando los ojos).* Sí.

TERAPEUTA: ¿Eres consciente de ello, Frances?

FRANCES: Ahora no puedo enfadarme.

TERAPEUTA: ¿Una parte tuya está enfadada y otra dice que no está bien enfadarse?

[El terapeuta enuncia la polaridad].

FRANCES: Me encantaba mi entrenadora. La tenía idealizada. ¿Por qué hago esto?

TERAPEUTA: Comprendo. ¿Y el dolor de espalda qué te dice a ti?

FRANCES: La mataría.

TERAPEUTA: ¿Qué notas al oír eso?

[El terapeuta quiere saber cómo reaccionarán otras partes a esa ira].

FRANCES: ¡Ay, madre! ¿En serio?

TERAPEUTA: ¿Aceptaría la parte que acaba de hablar dejarte escuchar un momento a la parte enfadada mientras no le causes agobio?

FRANCES: Acepta a regañadientes.

TERAPEUTA: Bien. Pídele a la enfadada que se separe también y que no te atosigue, para que puedas escuchar.

FRANCES: Dice que siempre soy tonta.

TERAPEUTA: ¿La parte enfadada cree eres tonta?

FRANCES: Sí. No hago caso de los avisos.

TERAPEUTA: ¿Los avisos?

FRANCES: De la parte enfadada.

TERAPEUTA: ¿Eso te cuadra?

[El terapeuta comprueba si la parte más conciliadora vuelve poco a poco o si el Self de Frances sigue ahí para oír a la parte enfadada].

FRANCES: Sí. Es verdad. Casi nunca digo lo que pienso cuando debería hacerlo.

TERAPEUTA: La parte enfadada está furiosa contigo. ¿Y responde haciéndote daño?

FRANCES: Sí.

TERAPEUTA: Si ayudaras a la parte que no te deja decir lo que piensas, ¿accedería la parte enfadada a dejar de hacerte daño?

FRANCES: Demasiado tarde. Quiero marcharme.

[No es una respuesta directa a la pregunta del terapeuta].

TERAPEUTA: Tienes una parte que quiere marcharse ahora. ¿Qué le contestas?

[El terapeuta se deja llevar por la clienta].

FRANCES: Puedo decirle lo que siento. Si se lo toma mal, bueno…, entonces puedo marcharme.

[Al terapeuta esta respuesta le parece más dirigida por el Self].

TERAPEUTA: ¿Te permitiría la parte enfadada que hablaras en su nombre al dirigirse a la entrenadora?

FRANCES: Tiene miedo de que no lo haga.

TERAPEUTA: Comprendo. Si la parte que no dice lo que piensa te deja manejar esto, ¿la parte enfadada te dejaría hablar por ella?

FRANCES: Sí.

TERAPEUTA: ¿Y a ti qué le parece?

FRANCES: Hombre, sé bien qué decir. Si también recuerdo las cosas que agradezco, creo que puedo decirlo como es debido.

TERAPEUTA: ¿Está de acuerdo la parte enfadada?

FRANCES: Sí.

TERAPEUTA: ¿Qué tal te notas la espalda ahora?

[Frances se levanta y se mueve con cuidado a derecha e izquierda].

FRANCES: Algo menos tensa.

Como hemos comprobado, Frances es presa de una polaridad entre un protector diligente y un protector furioso. Este último causa suficiente dolor de espalda para obligar a Frances a dejar el equipo (y así alejarse de la entrenadora) o alzar la voz. En cuanto estas partes polarizadas se disocian, Frances ya puede plantearse hablar con la entrenadora en nombre de la parte enfadada, y la parte enfadada empieza a aflojar el dolor de espalda.

Observa que al terapeuta no le ha hecho falta utilizar esta sesión para indagar en lo que sucedió entre Frances y la entrenadora. Si Frances hubiese dicho que aún no estaba lista para hablar o que necesitaba pensar en lo que quería decir, podrían haber dedicado otra sesión a representar la futura conversación con la entrenadora. No obstante, en cualquier caso, hubiese sido importante volver a indagar en las limitaciones (cargas) por las que el aplicado directivo de Frances le impidió ser asertiva, y eso apuntaría a un exiliado.

SI LAS PARTES LO EMPIEZAN, CASI SIEMPRE PUEDEN PARARLO

En general, las partes pueden ocasionar al cliente cefalea, dolor estomacal, tensión muscular, dolor de espalda, náuseas, agotamiento, ansia de dormir, palpitaciones, escalofríos e insensibilidad en manos y pies, entre muchas otras cosas. También pueden introducir sentimientos e imágenes intrusivos en la consciencia del cliente que provocan respuestas físicas. Sin embargo, cuando les pedimos que digan claramente lo que quieren y necesitan, en vez de perjudicar físicamente al cliente o aniquilarle mentalmente, y cuando se convencen de que atenderemos sus inquietudes si deponen su actitud, puede haber cambios espectaculares.

* * *

ALGUNAS ADVERTENCIAS SOBRE LA IFS Y LA ENFERMEDAD FÍSICA

Éstas son algunas advertencias a la hora de recurrir a la psicoterapia para tratar dolencias físicas. En vista de las conclusiones de las investigaciones sobre IFS hasta la fecha (Shadick *et al.*, 2013), así como la experiencia de muchos terapeutas expertos de IFS, creemos que sanar a los exiliados y liberar a los protectores puede beneficiar a un amplio abanico de enfermedades físicas. En este sentido, nos ilusionan los nuevos hallazgos sobre el papel central de la inflamación en muchas afecciones. Fíjate en esta cita de un artículo de 2019 de Jonathan Shaw publicado en *Harvard Magazine*, «La idea de que la inflamación –una activación del sistema inmunitario constante pero leve– podría ser la causa de muchas enfermedades no transmisibles es una afirmación sobrecogedora, por lo que requiere pruebas *excepcionales*. ¿Podrían enfermedades aparentemente inconexas del cerebro, el sistema vascular, los pulmones, el hígado y las articulaciones realmente tener una relación biológica? Cada vez hay más evidencia de que estas dolencias crónicas comunes –incluyendo el alzhéimer, el cáncer, la artritis, el asma, la gota, la psoriasis, la anemia, la enfermedad de Parkinson, la esclerosis múltiple, la diabetes y la depresión– las desencadena, efectivamente, la inflamación leve prolongada. No obstante, hicieron falta ensayos clínicos a gran escala con humanos para disipar cualquier duda remanente: la respuesta inflamatoria del sistema inmunitario está matando a la gente poco a poco». (parr. 4)

Si eso se confirma y, como concluimos en el estudio sobre la artritis, la IFS puede reducir la inflamación crónica, las implicaciones son inmensas. Al mismo tiempo, existen límites. Los tejidos pueden dañarse hasta el punto de imposibilitar el pleno restablecimiento, independientemente de la armonización del sistema interno del cliente. Por ejemplo, la bulimia perjudica gravemente la dentadura, por lo que algunos clientes requieren tratamiento dental exhaustivo, un lujo que muchos no pueden permitirse. Y aunque la reducción de la inflamación ayudó indiscutiblemente a algunos de los pacientes con artritis del estudio, quienes tenían las articulaciones gravemente deterioradas necesitaron prótesis. En la misma línea, cuando ya se han puesto en marcha varios procesos fisiológicos, éstos no responden rápidamente a la transformación de una parte y siguen su curso. Por último, el pleno restablecimiento exige otros cambios relacionados, entre otros factores, con la dieta, la medicación, los estresores ambientales y la adhesión al tratamiento médico. Además, nunca podemos obviar otras posibilidades de curación prometedoras, como la meditación, el masaje, la naturopatía y la acupuntura.

* * *

CONCLUSIÓN

Las partes viven en el cuerpo, tienen cuerpos, el cuerpo las afecta y pueden afectar al cuerpo si lo desean. El cuerpo puede ser un tablón de anuncios para los exiliados o un campo de batalla para los protectores enfrentados. Las cargas pueden estar en el cuerpo, pero también pulular a su alrededor. Las cargas se acumulan y, tal como documentan los estudios ACE, perjudican al cuerpo. Cuando los protectores también perjudican al cuerpo, sus motivos a menudo mencionan un tiempo pasado y se los puede ayudar a parar.

Como demostró el estudio sobre la artritis reumatoide, la IFS puede ser de ayuda en las enfermedades físicas. Muchas veces, las partes pueden detener los síntomas físicos que activan. Es más, algunas partes pueden contribuir a curar. Por consiguiente, hay razones para la esperanza. Ahora bien, recomendamos adoptar un enfoque informado con los clientes. A algunos los habrán culpado de su enfermedad familiares, amistades o cuidadores, y muchos serán objeto de grandes dosis de culpabilización interna. Si la medicina no se interesa por el sistema interno y sus cargas, los aspirantes a sanadores se exponen a no captar el mensaje, porque intentan matar al mensajero. En la IFS acogemos al mensajero e indagamos en la enfermedad física como siempre: preguntando.

CAPÍTULO 6

El rol del terapeuta en la IFS

Las relaciones que los terapeutas forjamos con los clientes están gobernadas por nuestros sentimientos y creencias. Si creemos que las personas tienen la capacidad de manejar eficazmente sus problemas, nos centramos en descubrir y cambiar lo que sea que limite sus aptitudes innatas. En cambio, si creemos que las personas tienen problemas porque les falta algo —ya sea un ego fuerte, un conocimiento flexible del problema, un progenitor o pareja nutricia, una adquisición de habilidades o química—, tratamos de dotarlas de lo que carecen mediante interpretaciones, información, enseñanza, directrices, reestructuraciones, nuevas experiencias de crianza o medicación. Se trata de dos estrategias muy distintas frente a los clientes. Por un lado, una alianza democrática de colaboración, que implica confiar en que los clientes disponen de lo necesario para ser autosuficientes y relacionarse; por otro lado, una relación más jerárquica, donde se considera que los clientes tienen deficiencias o están incompletos.

En la práctica, casi todos los terapeutas fluctúan entre estas estrategias. A veces, el terapeuta colaborador informa o aconseja, mientras que en otras ocasiones el terapeuta que adopta el rol de figura de autoridad alienta a los clientes a emplear sus propios recursos. La diferencia es el énfasis durante las interacciones inmediatas y la visión general que tiene el terapeuta de la motivación humana. Según el modelo IFS, todos tenemos los recursos internos que necesitamos. Partimos de la base de que las partes están limitadas por desequilibrios sistémicos y cargas, y creemos que el cliente dispone de los recursos necesarios (el Self) para resolverlos y armonizar el sistema interno. Dado que para la IFS la relación entre el Self y las partes del cliente es la principal fuerza sanadora, la tarea primordial del terapeuta es ayudar al cliente a acceder a suficiente Self. Como escribió Hermann Hesse (1927/1975), «Quería tan sólo intentar vivir aquello que tendía a brotar espontáneamente de mí. ¿Por qué había de serme tan difícil?». El modelo IFS pretende ayudar a las personas a superar obstáculos para que puedan vivir de acuerdo con su verdadero Self.

Pese a que el gran cambio conceptual de la IFS conlleva centrarse en el poder sanador de una relación interna, la relación terapéutica externa sigue siendo crucial, porque los protectores se adentran en la terapia en estado de gran alerta con respecto a la vulnerabilidad, la confianza y la exposición. Para dejar que el cliente acceda a su Self, la mayoría de los protectores necesitan sentir que están a salvo con el terapeuta, que es de fiar, que no duda y que es alguien compasivo. Necesitan conocer al terapeuta.

TRANSFERENCIA Y CONTRATRANSFERENCIA

Desde la perspectiva de la IFS, las partes que reaccionan al presente como si fuera el pasado están congeladas en éste. Las terapias psicodinámicas denominan a esta respuesta *transferencia* y *contratransferencia*. Los clientes ven a veces al terapeuta como si fuera alguien de su pasado (transferencia). Y a la inversa: el terapeuta a veces ve en el cliente a uno de sus progenitores u otra persona importante (contratransferencia). El modelo IFS tiene su propio concepto y manejo de este fenómeno. No creemos que el cliente vea en el terapeuta a un padre, un hermano o un maltratador: creemos que una parte del cliente ve así al terapeuta, una parte congelada en el pasado y cargada de creencias o sentimientos extremos que se formaron cuando ocurrió algo complicado con esa persona. Para nosotros, esta reactividad a la transferencia es un *punto de partida*, esto es, una oportunidad de saber más de las vivencias que han perjudicado al cliente.

LOS PUNTOS DE PARTIDA

Siempre que distinguimos un sentimiento, pensamiento o sensación física, se trata de un *punto de partida*. Un punto de partida puede consistir, por ejemplo, en una clienta que nota que busca desesperadamente la aprobación del terapeuta varón. En la IFS, darse cuenta de ese sentimiento de desesperación –el punto de partida– es una oportunidad de conocer (y ayudar) a una parte que se sintió rechazada por su padre y que sigue teniendo una gran influencia en la clienta. Entretanto, pongamos que la clienta también alberga una parte para quien el terapeuta no es de fiar y le aparta, porque cree que la rechazará al igual que hizo su padre. El terapeuta puede definir a la clienta este sentimiento de anhelo y el ansia de apartarle como sentimientos de transferencia. También puede pasar directamente a preguntar a las partes que anhelan la redención y a las que quieren apartarle si les gustaría que las ayudara el Self del cliente, que carece de estas opiniones y sentimientos anacrónicos. Una vez que el Self del cliente rescate y alivie de su carga a la niña rechazada (la parte anhelante), la parte rechazadora se verá eximida de su trabajo. De esta forma, utilizamos los sentimientos de transferencia (y contratransferencia) para localizar a las partes que necesitan auxilio, al igual que utilizamos cualquier sentimiento o creencia intenso.

CUANDO EL SELF DEL CLIENTE NO ESTÁ DISPONIBLE

Los clientes dependen especialmente de la relación terapéutica cuando no pueden acceder rápido a su Self, como suele ser el caso en quienes han sufrido graves maltratos toda la vida y tienen fuertes sistemas protectores que mantienen al Self oculto o fuera del cuerpo. Pese a que este callejón sin salida a la hora de acceder al Self acostumbra a ser temporal, impide la coterapia entre el Self del cliente y el Self del terapeuta. Por lo tanto, el Self del terapeuta tiene que intervenir y hablar directamente con las partes del cliente hasta que el Self del cliente esté disponible. Esta intervención recibe el nombre de *acceso directo*.

Aunque el acceso directo es una opción valiosísima, expone al terapeuta a las expectativas y acusaciones transferidas de las partes extremas. Como resultado, el terapeuta que recurre al acceso directo puede sentirse acosado y que le cueste mantener el liderazgo del Self. La situación es mucho más llevadera si no perdemos de vista que estamos tratando con una parte joven congelada en otra época. La energía de nuestro Self ayudará a la parte focalizada a diferenciar entre las personas dañinas del pasado y nosotros. Y aunque el Self del terapeuta deba ser por un tiempo una figura de apego primordial para las partes de los clientes, no lo será hasta que las partes del cliente admitan que el Self del cliente lleve el timón.

COLABORACIÓN

El terapeuta de IFS confía en que los clientes vean utilidad en sus tribulaciones y actúen eficazmente una vez eliminadas las limitaciones (cargas). De ahí que pocas veces les aportemos interpretaciones, redefiniciones o directrices con respecto a los problemas. Nuestro saber hacer no reside en resolver nada, sino en legitimar y explorar el sistema del cliente con el fin de dar paso al Self del cliente. A base de comunicar las premisas de la IFS y formular preguntas, pretendemos resolver las polarizaciones limitadoras y, en último término, las cargas.

En la IFS, las necesidades del cliente determinan el equilibrio de enfoque entre el interior y el exterior. Si no tiene experiencia, al terapeuta le puede ir particularmente bien distinguir (y ayudar) a aquellos de sus protectores que se aferran a prácticas seguras y conocidas que mantienen el foco en el exterior. Asimismo, el cliente puede no querer enfocarse en el interior, y tal vez el terapeuta deba usar por un tiempo el lenguaje del cliente (es un sentimiento, un pensamiento, etc.) hasta que el terapeuta repare en las partes del cliente. En cualquier caso, sean cuales sean nuestro lenguaje y la disposición del cliente, estaremos practicando IFS siempre que no perdamos de vista las partes y que nos relacionemos con el cliente desde nuestro Self. Mantener el interés por los detalles del cliente (y recordarlos) fomenta una conexión sanadora. Apoyar explícitamente al cliente al arriesgarse, aceptar sus supuestos fracasos y las partes que él cree vergonzosas, nuestro diseño colaborador de estrategias para manejar relaciones difíciles y aprietos, así como nuestro entusiasmo ante sus éxitos son medidas importantes para acompañar al cliente en su viaje. Paralelamente, dado que cualquier parte puede arruinar una relación terapéutica dirigida por el Self, somos francos con nuestras partes, es decir, hablamos y nos responsabilizamos cuando nuestras partes se interponen.

Colaboración significa que nos unimos al cliente (y, cuando proceda, a la familia del cliente) para identificar a las partes y resolver las limitaciones al liderazgo del Self. También explicamos detalladamente las premisas de la IFS: todo el mundo alberga partes; las partes viven en una red de relaciones, al igual que una familia; las partes pueden acabar adoptando roles limitadores y necesitan ayuda; todas las partes son valiosas; y todo el mundo tiene, en su esencia, un Self con capacidad de dirección. Somos aliados curiosos, compasivos y respetuosos en la terapia. Aunque desempeñemos un rol de liderazgo al formular al principio preguntas sobre determinados tipos de limitaciones y sugerir posibilidades de separar a las partes, en cuanto emerge el Self del cliente y toma la iniciativa, cedemos el liderazgo. Y al hacer sugerencias u orientar al cliente para trabajar con las partes, siempre respetamos los conocimientos del Self del cliente sobre lo que ha vivido y le pedimos sus ideas sobre intervenciones.

Así pues, la responsabilidad principal del cambio no se asigna al terapeuta, como sucede en algunas terapias, ni se asigna al cliente como en otras. En la IFS, los Selves de cliente y terapeuta ejercen de coterapeutas y comparten la responsabilidad. Trabajan en equipo para armonizar el sistema interno del cliente y su relación con el mundo exterior. Si hay protectores temerosos y resistentes, la coterapia de los Selves de cliente y terapeuta se desarrolla de modo más gradual, puesto que el terapeuta se gana la confianza de ambos con el tiempo. Esta postura participativa brinda al cliente de IFS la oportunidad de sentirse cuidado y acompañado a lo largo de la terapia.

En cuanto se crea una alianza coterapéutica liderada por el Self, los clientes a menudo llevan a cabo trabajo interno entre una y otra sesión. Unas veces completan los planes trazados en una sesión y otras siguen indagando por su cuenta. La capacidad de los clientes para escuchar y atender a las partes más allá de la consulta del terapeuta los empodera y acorta la terapia. Asimismo, el rol del terapeuta en la IFS requiere menor esfuerzo y tiene un coste inferior al de los modelos terapéuticos que apelan a las reflexiones y orientaciones del terapeuta para quienes andan perdidos. Al ser el Self del cliente la figura de apego principal del cliente, trasladamos al interior los principios de la teoría del apego. La experiencia nos ha enseñado que puede representar un cambio profundo en el proceso y el resultado de la psicoterapia.

LA VIVENCIA CORRECTIVA DEL CLIENTE EN LA IFS

La vivencia de creer que te van a rechazar y humillar y, en cambio, sentirte aceptado y valorado es de por sí emocionalmente correctiva. En la IFS, una atención firme ayuda a la clientela a acoger a todas sus partes; se trata de una postura contundente, puesto que incluye a las partes que han dado pasos desagradables de graves consecuencias por intentar proteger al cliente a costa de otros. Lo que decimos de esas partes es: «Esta parte no es lo que aparenta ni tú eres esa parte.

Ella también necesita que tú la ayudes». Cuando los clientes acceden a su Self, se empoderan al experimentar la bondad y la fuerza de su verdadera identidad.

Beatriz recuerda la terapia

Beatriz, una lesbiana de ascendencia latina que había vivido varias formas y grados de prejuicio y acoso a lo largo de su existencia, había acudido a terapia por primera vez a los 73 años, porque su nieta de 16 años, también homosexual, quería competir en motociclismo. Al cabo de dos años, cuando ya sólo se visitaban de vez en cuando, contó al terapeuta sus primeras impresiones.

BEATRIZ: ¿Sabes qué pensé la primera vez que te vi? Madre mía, parece un *hippie* de esos que llegaron a Nuevo México en autostop y se quedaron allí a vivir. ¿Cómo va a entender mi vida? ¡Será un mirón y encima me tocará pagarle!

TERAPEUTA: ¿Es ésa tu parte vigilante? Te mantenía en guardia.

BEATRIZ: Sí.

TERAPEUTA: Me alegro de que te dejara quedarte para ponerme a prueba.

BEATRIZ: ¿Sabes qué? Le gustaban tus ojos. Parecían bondadosos. Y cuando te dije que yo era una vieja bollera que no quería que su nieta muriera joven, tú respondiste sin más «Sé lo que es padecer por los niños». No pareciste asombrarte ni asustarte.

TERAPEUTA: Pero recuerdo que una parte tuya reaccionó mal cuando pregunté «¿Te gustaría hablar con la parte que teme por tu nieta?».

BEATRIZ: ¡Sí! Pensé: «¡Ya estamos!».

TERAPEUTA: ¿Creías que te estaba diciendo que era una enfermad mental?

BEATRIZ: ¡Ya lo creo! ¡Es ver entrar a una lesbiana de piel morena y hale! Esa parte es como la de la película *Sybil*. Creo que ese día fui bastante maleducada.

TERAPEUTA: Supongo que tendría que haberte dado más explicaciones antes de usar ese lenguaje. Lo siento.

BEATRIZ: Aunque mi centinela estaba seguro de que me estabas encasillando, otra parte dijo: «¡No! Vamos a escuchar un momento. Esto parece otra cosa». Y luego empecé a interesarme cuando explicaste tu punto de vista. Yo te temía, pero tú no parecías temerme a mí, ni siquiera cuando me enfadaba. Le hablaste directamente y con amabilidad a mi parte enfadada y dijiste: «No aceptes sin más nada de lo que yo te diga».

TERAPEUTA: Así que te quedaste.

BEATRIZ: Así es, pero una parte en mí temió largo tiempo que la decepcionaras.

TERAPEUTA: ¡Me acuerdo!

En la primera conversación, el terapeuta había transmitido curiosidad, tranquilidad y confianza. Le había mostrado al receloso sistema interno de Beatriz un nuevo modo de ver la mente. Y había respetado la necesidad de sus protectores de asegurarse de que el enfoque del terapeuta no entrañaría riesgos. En la IFS, la sensación de seguridad procede, en primer lugar, de la transmisión de confianza y curiosidad por parte del terapeuta, que tiene una visión legitimadora y no patológica de lo que llevó al cliente a la situación actual. Asimismo, transmitimos paciencia y respeto para con «la resistencia», que consideramos la necesidad legítima de las partes protectoras de garantizar que el cliente está a salvo. Al ser la terapia un proceso paralelo para terapeuta y cliente, nuestra paciencia, perspectiva y presencia son contagiosas.

CUANDO UNA PARTE DEL TERAPEUTA TOMA LAS RIENDAS

La clave para mantener una relación participativa con los clientes es liderar desde el Self, así que vigilamos a nuestras partes y evitamos que tomen las riendas durante la terapia. Debemos estar atentos a las partes que se activan con el rol del psicoterapeuta, así como a las partes que reaccionan frente a ciertos tipos de clientes o problemas. Un gran número de terapeutas puede alcanzar un liderazgo del Self suficiente para ser eficaz con determinadas personas, en especial aquéllas con quienes se sienten a gusto, sin tener una terapia en curso. Ahora bien, para ser intuitivo con el modelo IFS no hay nada como conocer a la propia familia interna. Nuestras partes —las partes de los terapeutas— entorpecen a menudo nuestra eficacia. Si un cliente se comporta como uno de nuestros exiliados o uno de nuestros protectores menos querido, puede costar mantener el liderazgo del Self. Por ejemplo, si el terapeuta teme estar con un exiliado vulnerable suyo, puede que tenga ansias de distracción cuando aparezca el exiliado vulnerable del cliente. O si nuestras partes están frustradas con el crítico interno, puede que no tengamos paciencia con el crítico interno del cliente.

Muchos clientes sufrieron humillaciones de pequeños y luego los rechazaron por ser demasiado sensibles, susceptibles o impulsivos al reaccionar a la humillación. Son muchos los que nunca oyeron una disculpa. Quienes han pasado por graves maltratos, traiciones y desatención pueden tender a reaccionar desmesuradamente, porque sus protectores automáticamente ven a sus interlocutores (o terapeutas) como agresores. En consecuencia, sus vidas relacionales son tensas. Cuando nos dirige el Self, brindamos a los clientes más heridos la oportunidad de intimar con alguien que, ante el dolor que subyace en su conducta desagradable, puede reequilibrar su interior y seguir siendo una presencia compasiva (Schwartz, 2013).

TERAPEUTAS CON CARGAS

Cuando los clientes se acercan a sus exiliados y aumenta su vulnerabilidad, es frecuente que los protectores extremos contraataquen, lo que a su vez puede llevar a los protectores del terapeuta a causar daño. Cuando el cliente es más vulnerable, el liderazgo de nuestro Self es crucial. Si oímos en la cabeza sentimientos negativos sobre el cliente o nos detectamos en la voz un tono moralizante, es que nuestro sistema necesita ayuda. Cuando pedimos a los protectores que se alejen, prometiéndoles que más tarde pasaremos, nuestra vuelta al liderazgo del Self puede bastar también para ayudar a los protectores del cliente a apaciguarse. Por otro lado, también podemos aprovechar esos momentos para mostrar en qué consiste hablar en nombre de las partes, diciendo algo como «He notado la reacción de uno de mis protectores moralizantes ante tu crítico. ¿Tú también la has notado? Le he dicho que se aleje. Discúlpame».

Hay veces en las que seguir el liderazgo del Self puede ser un verdadero reto. Es frecuente que las partes extremas de los clientes susciten emociones intensas en los terapeutas, en cuyo caso es más probable que nuestros directivos intervengan y patologicen a los clientes. Cuando nuestros directivos toman el mando, corremos el riesgo de desvincularnos profesionalmente, ponernos a la defensiva y volvernos controladores; o bien de abandonar los límites apropiados y pretender rescatar a los clientes. Rescatarlos, a su vez, probablemente incitará una polaridad interna entre nuestras partes celadoras y las molestas por tener que responsabilizarse tanto de los demás. Es entonces cuando los terapeutas empiezan a decir que los clientes son manipuladores. Cuando cerramos los corazones, nuestros clientes se sienten abandonados y se activan sus protectores. Sabemos de muchos casos en los que un cliente se descompensó y acabó sobremedicado en el hospital debido al desconocimiento de un terapeuta de su propia reactividad. Algunos de esos clientes respondieron enseguida a la perspectiva IFS, mejoraron y pudieron retomar la terapia, pero a otros les costó mucho más volver a confiar en un terapeuta.

Pese a que minimizar o ignorar la influencia de nuestras partes es mal remedio, no insinuamos que los terapeutas puedan pretender entablar este proceso sumamente íntimo sin que sus partes se activen. Cuando un cliente muestra debilidad o dependencia, nos dice que nos equivocamos totalmente o pone en duda nuestra competencia, nuestras heridas no sanadas nos exponen a no hacer bien nuestro trabajo. ¿Y quién de nosotros no ha sufrido heridas para luego padecer los efectos nocivos de nuestra propia protección interna? ¿Quién se ha librado de la fiel compañía de un crítico interno? ¿Quién no ha detestado su debilidad, dependencia o ira? Y, por otro lado, ¿quién no ha sentido rabia cuando los de fuera parecen condenar la debilidad o la dependencia?

Los clientes pueden pisar los campos de minas de incontables vulnerabilidades y polarizaciones comunes del interior de sus terapeutas. Y pueden hacerlo con toda la inocencia, tal vez sólo por parecerse a un miembro temido de la familia de origen del terapeuta; quizás por discutir con el cónyuge igual que discutían los padres del terapeuta; o a lo mejor por actuar como lo hacía el terapeuta en la adolescencia, una actitud que los directivos pendientes del terapeuta continúan juzgando con dureza. Cuando un cliente activa a nuestros protectores polarizados y, sin darnos cuenta, transmitimos mensajes contradictorios, somos lo opuesto a lo terapéutico. Debemos ser conscientes de que nuestros protectores son perfectamente capaces de confundir, herir y derrotar a los clientes. Por eso, en la IFS nos concentramos en no perder el liderazgo del Self en presencia de los protectores de los clientes. Nos enfrentamos al reto de mantener el liderazgo del Self distinguiendo a nuestras partes en las sesiones, así como despolarizando a nuestros protectores y liberando a nuestros exiliados de su carga fuera de las sesiones.

COMPORTAMIENTOS COMUNES EN LAS PARTES DIRECTIVAS DE LOS TERAPEUTAS

Los directivos que albergan los terapeutas tienen los mismos intereses que todos los directivos: controlar las apariencias, el desempeño y las relaciones. Viven conforme a la filosofía directiva «nunca más». «Nunca más te dejaré intimar tanto con nadie. Voy a insistir en que hagas las cosas a la perfección y estés perfecto, jamás te dejaré bajar la guardia lo más mínimo». Los directivos se mantienen ojo avizor, son perseverantes y proactivos a la hora de mantener a los exiliados fuera de la mente. Critican. Intentan evitar que sintamos demasiado, o quizás que sintamos nada de nada. Nos mantienen en nuestras mentes. Nos recuerdan los fracasos del pasado. Insensibilizan el cuerpo. Inhiben. Controlan. Ellos también llevan a cuestas su propia carga. Muchos directivos creen, por ejemplo, que hay algo repugnante oculto en nuestro interior que repelería a quienquiera que lo viese; que somos demasiado ineptos para triunfar, así que no debemos intentarlo; que debemos ser perfectos o no le caeremos bien a nadie, y que somos verdaderamente indignos de amor. A veces son muy jóvenes y se quedan congelados en escenas traumáticas, a menudo creyendo que nosotros también tenemos esa edad. Ésta es una lista de conductas habituales en los directivos de los terapeutas en las sesiones de terapia:

1. *Directivos esforzados*: Se vuelven críticos si el cambio no es lo bastante ágil. Al no soportar la debilidad y la vulnerabilidad, pueden llegar a mostrarse muy dominantes o coercitivos. Dicen cosas como:
   - «Debes explicarle de qué va todo esto. Está demasiado agobiada para entenderlo».
   - «Lleva más de un año acudiendo a tu consulta. ¡Eres la velocidad personificada!».
   - «No hace más que llorar..., ¿por qué no deja de lloriquear y espabila?».
2. *Directivos en busca de aprobación*: A menudo quieren que los clientes dependan de un terapeuta o lo veneren. Estas partes temen no caer bien o que duden de su eficacia si un cliente está descontento o molesto.
   - «¡Ya lo has conseguido! Se ha enfadado contigo. No le caes bien. Le dirá a todo el mundo que ni tú ni tu estúpido modelo terapéutico sirven para nada».

3. *Directivos pesimistas*: Pueden decirle a un terapeuta que tire la toalla, o culpar al terapeuta o al cliente (o ambos) si las cosas no van bien. Lo irónico es que estas partes muchas veces pretenden hacernos desistir y decepcionarnos o decepcionar a los demás.
   - «Está mucho más enfermo de lo que creías».
   - «No sabes lo que haces».
   - «Con lo manipuladora que es, ¿a ti qué más te da si lo pasa mal?».

4. *Directivos cuidadores*: Necesitan rescatar y no soportan estar con clientes disgustados.
   - «Tendrás que hacerlo tú: está claro que él es incapaz».
   - «Si la dejas sufrir, es que eres mal terapeuta».

5. *Directivos furiosos*: Impacientan y agobian al terapeuta.
   - «¿Y ahora qué quiere? Va de drama en drama».
   - «Qué dependiente y exigente es..., ¿es que no puede ser más fuerte?»
   - «Igual esta semana anula la visita».

6. *Directivos evaluadores*: Critican el peso, los hábitos dietéticos o las licencias del terapeuta y de los demás.
   - «Madre mía, está más delgada que tú y se queja de lo que pesa. ¡Estás como una vaca!».

7. *Directivos prudentes y miedosos*: Se identifican excesivamente con el dolor del cliente.
   - «¿Cómo soporta hablar de eso? ¡Fue demasiado horrible! No le escuches, es demasiado doloroso».
   - «Ya no puede más. ¡Haz algo! Párala ya».
   - «Te las ves y te las deseas para que no te afecte. Se parece demasiado a lo que te pasó. Búscale otro terapeuta y ya está».

No podemos ser siempre un modelo de liderazgo del Self ni hace falta que lo seamos, pero podemos mostrar cómo responsabilizarse de las partes. En la IFS tenemos un axioma. Si tropezamos con un problema en la terapia, probablemente es que una parte está interfiriendo..., pero no sabemos de quién es esa parte, si del cliente o nuestra. Los terapeutas de IFS se entrenan en distinguir a sus propias partes y ayudarlas. O bien ayudamos a las partes a apaciguarse y confiar en nuestro Self sobre la marcha o bien, cuando no lo logramos por mucho que nos esforcemos, admitimos la interferencia de una parte, pedimos disculpas al cliente y más adelante trabajamos con nuestra parte.

SER EL «YO» DE LA TORMENTA

Suele costar menos prescribir un liderazgo compasivo del Self que ejercerlo constantemente. La terapia está repleta de altibajos predecibles pero que llegan sin avisar. Un terapeuta que se dedique a aliviar los síntomas no tardará en alegrarse cuando a un cliente le vaya bien, pero se desanimará, se pondrá a la defensiva y será pesimista cuando esto no ocurra. Y eso no hará sino alimentar el pesimismo y los reproches internos del cliente. Al terapeuta que teme la ira o el distanciamiento le costará mantener el liderazgo del Self frente a partes del cliente furiosas o distanciadoras. Si la ira y el desdén causan aversión al terapeuta, deberá combatir la aversión y las reacciones defensivas frente a miembros de la familia del cliente enfadados o desdeñosos. Nuestros clientes nos ayudan a encontrar los puntos de partida que nos llevan a nuestros exiliados.

Si el terapeuta es capaz de separarse de las partes reactivas y mantener la estabilidad, la curiosidad y la seguridad al navegar por aguas turbulentas —en pocas palabras, si es capaz de ser el «yo» de la tormenta—, el cliente y su familia contarán con apoyo para tolerar las recaídas e interesarse por los obstáculos que aparezcan. El terapeuta y el cliente capaces de compartir la curiosidad frente a los extremos pueden analizar con tranquilidad los contratiempos, a la vez que toman medidas reparadoras y previsoras de recidivas. Cuando nos proponemos aprender de las recaídas, ya no les tenemos tanto miedo.

La terapia IFS puede ser un polvorín. Ante la provocación, incluso la provocación constante, el terapeuta liderado por el Self expresa lo que podría denominarse *cuidado tenaz*, un cuidado que ayuda a que la terapia prospere contra todo pronóstico. Las recompensas por trabajar así son tan grandes para el terapeuta como para el cliente, porque esforzarse por mantener el liderazgo del Self es extremadamente terapéutico. De esta forma, nuestros clientes más difíciles se convierten en nuestros mentores más útiles. Al martirizarnos nos guían y ayudan a hallar a las partes que necesitamos sanar.

CONCLUSIÓN

Por definición, los terapeutas que mantengan al menos cierto grado de liderazgo del Self sentirán y expresarán curiosidad por las tribulaciones de los clientes, así como respeto por las habilidades de los clientes. No es que los terapeutas no vayan a experimentar otras emociones como la ira, la felicidad o la tristeza. No vetamos a nuestras partes. Están con nosotros e influyen en lo que vivimos. Los clientes pueden agradecer los comentarios de nuestras partes no extremas, y alentamos a los terapeutas de IFS a hablar de sus partes a los clientes cuando sea conveniente. No obstante, antes de hablar en nombre de una de nuestras partes, debemos saber, si es posible, si sus percepciones están distorsionadas. En caso de no poder saberlo, hay que ser honestos e informar al cliente de nuestra incertidumbre.

Tenemos la responsabilidad de impedir que nuestras partes distorsionen las sesiones y entorpezcan su desarrollo, de tener una buena comunicación con nuestras partes fuera de las sesiones y de dirigir con la compasión y el respeto inherentes al liderazgo del Self, que se transmite con el tono de voz y con conductas no verbales. Cuando lideramos desde el Self, podemos retar u oponernos a los clientes sin dejar de transmitir respeto y compasión. Hasta ahora hemos destacado la naturaleza colaboradora del terapeuta, pero a veces los clientes están demasiado mezclados con las partes extremas para distinguirlas. Sucede especialmente con las partes que llevan a cuestas las cargas de nuestra cultura por legado —racismo, patriarcado, materialismo e individualismo (que abordamos en el capítulo 18)—, porque llevamos desde niños empapándonos de todo ello, y las creencias de estas partes pueden ser un sesgo implícito o parecer simplemente algo indiscutible.

Asimismo, no pocos clientes albergan partes que niegan o minimizan las repercusiones de sus adicciones, narcisismo, afectación o privilegios. Por consiguiente, a veces el terapeuta tiene que decir algo del estilo «Me hago cargo de que no lo ves, pero una parte de ti está causando estragos en tus relaciones y necesitamos comunicarnos mejor con ella. Sé que la intención de esa parte es protegerte y eso no es malo. Si te parece bien, podemos ayudarla a abandonar su rol protector». Los clientes suelen resistirse menos a los enfrentamientos como éste liderados por el Self de lo que se resistirían a los enfrentamientos tradicionales. Y es por dos razones. En primer lugar, no es por ellos: se trata sólo de una parte, y esa parte actúa con afán protector, así que no es mala. Y segundo: el tono y la actitud del terapeuta transmiten afecto y confianza en la capacidad de la parte de cambiar de comportamiento. Los clientes tienden a ser receptivos si notan que nos importan, que nos preocupan y que queremos ayudar. Como un diapasón, nuestro Self saca a la luz sus Selves.

SEGUNDA PARTE

LA PRÁCTICA DE LA TERAPIA IFS INDIVIDUAL

CAPÍTULO 7

Preparación del tratamiento

Según nuestra experiencia, todo tipo de persona puede acceder a los fenómenos de su mundo interno. Entre nosotros, hemos hecho una labor eficaz con clientes de todos los sectores económicos que llegaban a la terapia con una variedad representativa de diagnósticos y edades procedentes de un amplio (aunque en absoluto exhaustivo) abanico de culturas. Hemos descubierto que la mayoría de las personas intuyen en qué consiste el proceso de la IFS. Los directivos intelectuales, no obstante, suelen ser reticentes a ceder el foco de atención. Si tienen una psicología sofisticada y están acostumbrados a llevar las riendas, ralentizan la terapia IFS en vez de acelerarla. Los directivos temerosos también pueden reaccionar mal a la terapia IFS. Nuestro cometido es aceptar a esas partes, adaptar el lenguaje para que los clientes comprendan los conceptos de la IFS y ser flexibles a la hora de aceptar los múltiples modos diferentes en los que los clientes interactúan con sus mundos internos.

¿QUIÉN ES APTO PARA LA TERAPIA IFS?

A pesar de que no utilizamos todas las técnicas descritas en este libro con todos los clientes, el modelo mental de la IFS rige nuestra visión de la motivación y la conducta humanas, nos determina las opciones técnicas y dirige cada decisión clínica que tomamos. Ahora bien, todos tenemos casos que se inclinan hacia el trauma. Por consiguiente, tenemos mucha experiencia en el empleo de la IFS con quienes han recibido múltiples diagnósticos y muestran síntomas amedrentadores. Sabemos por experiencia que los procesos psicológicos considerados patológicos –entre ellos la disociación, los *flashbacks*, las distintas adicciones, los trastornos de la conducta alimentaria, los ataques de pánico, la depresión, la ansiedad, las fobias, la ideación suicida y la psicosis reactiva breve– son generalmente actividades de las partes y podemos negociar con las partes. Así que utilizamos la IFS con todos los clientes, como muestran los ejemplos a lo largo de todo el libro. Confiamos en que los terapeutas que se inicien en la IFS desarrollen su propio estilo y animamos a todo el mundo a ser creativo y aportar técnicas compatibles extraídas de años de actividad y formación.

Ni que decir tiene que es responsabilidad de los terapeutas emplear sin riesgos las herramientas aquí presentadas. ¿Cuándo quedarnos en el umbral e informar al cliente de nuestro modelo mental y hablar con los directivos, pero sin presionar para adentrarnos en su mundo? ¿Cuándo seguir adelante sin riesgos? Éstos son algunos ejemplos de circunstancias que llaman a la cautela: (1) Si un cliente está muy polarizado y tiene un número limitado de sesiones, puede ser desacertado ir más allá de trabar amistad con sus protectores y legitimarlos. Aunque los grupos competentes de *managed-care* saben que proporcionar a clientes muy traumatizados tantas sesiones como necesiten es rentable, la opción del *managed-care* puede limitar enormemente el acceso de una persona a terapia regular. (2) Cuando el entorno externo de un cliente es peligroso o inextricable, o la posición del cliente en la familia o el trabajo deja poco margen a la vulnerabilidad, primero nos esmeramos por aumentar la seguridad de ese entorno. Si no es posible, somos prudentes al dirigirnos a los exiliados del cliente y estamos muy atentos a las reacciones de los familiares ante los cambios del cliente. (3) Por último, si hay algo del cliente o su situación que active a los protectores del terapeuta, algo que con el tiempo interfiera en su capacidad de dirigir desde el Self, no debemos ejercer de guías del interior del cliente.

Para acompañar sin riesgos a los clientes en sus mundos internos necesitamos tiempo, así como un grado razonable de seguridad exterior y acceso a nuestro Self. Sin embargo, aunque una o más de estas condiciones peligre o esté ausente, podemos seguir ayudando a los clientes a escuchar los temores de sus directivos, comprender la reactividad y las buenas intenciones de sus bomberos, reconocer la vulnerabilidad que impulsa la conducta de esos protectores, localizar a sus Selves y empezar a relacionarnos con todo su sistema interno de otro modo. En otras palabras, aunque no podamos completar la labor observando a los exiliados y liberándolos de su carga, forjar relaciones con los protectores puede ser empoderador.

LA IFS CON CLIENTES MUY ALTERADOS

Al presentar el modelo terapéutico IFS, a veces nos preguntan: «Cuando hablas de las partes con clientes muy alterados, ¿no te expones a una mayor fragmentación?». La respuesta es sí. Sin embargo, el peligro no reside en invitar a las personas a verse como seres múltiples. Los clientes muy alterados tienen muy clara su multiplicidad y, por lo general, para ellos es un alivio saber de alguien que no lo considera una patología. El problema no es que la psique sea plural, sino que las partes de la persona están muy polarizadas. Las polarizaciones impiden el liderazgo del Self, por lo que los clientes con sistemas muy polarizados apenas han conocido un liderazgo interno eficaz ni la sensación de continuidad y cohesión.

Como explicamos detalladamente en el capítulo 8, dos técnicas importantes de la IFS son la comunicación interna (*in-sight*, cuando el Self del cliente se comunica con las partes internamente) y el acceso directo (cuando el Self del terapeuta se comunica con las partes del cliente). Cuando estas técnicas no se usan bien, sobre todo cuando se presiona sin ningún respeto a los directivos para que den acceso antes de tiempo a los exiliados, el grave conflicto interno y la disociación crónica pueden agravar la sensación de fragmentación del cliente. Y esto, a su vez, puede desencadenar fuertes reacciones de los bomberos, más conflicto interno y mayor polarización, que no es otra cosa que la sensación de estar fragmentado. No obstante, cuando los terapeutas siguen las instrucciones descritas en este libro y en el Manual de habilidades de IFS (Anderson, Sweezy y Schwartz, 2017), las técnicas de la comunicación interna y el acceso directo generalmente no entrañan riesgos. Asimismo, recomendamos encarecidamente la formación de Nivel Uno (que también dispone de un manual [Pastor y Gauvain, 2019]) con el Center for Self Leadership (https://www.selfleadership.org). Al ayudar a las partes extremas, aisladas y polarizadas a aplacarse y confiar en el Self, se integran y se armonizan, con lo cual la sensación de fragmentación disminuye y no va a más.

IFS CON NIÑOS Y ADOLESCENTES

Los niños suelen ser más receptivos al modelo IFS que los adultos, al estar menos educados al margen de su multiplicidad. Cuando yo (R. C. S.) descubrí que incluso los niños pequeños maltratados acceden al Self al separarse sus partes, me convencí por fin de que el Self está plenamente formado en todas las personas y de que no necesita desarrollarse por medio de una relación externa nutricia. Como todos los terapeutas infantiles, los terapeutas de IFS que trabajan con niños emplean con frecuencia herramientas externas, como una caja de arena con pequeñas figuras o marionetas. También proponen a los pequeños que dibujen sus partes e interactúen con los dibujos, o que representen historias en forma de psicodrama. De hecho, cualquier estrategia empleada en ludoterapia puede adaptarse a la IFS con niños o con adultos. Asimismo, los terapeutas de IFS pueden aplicar el modelo en adolescentes. En cuanto los terapeutas conectan con las partes que custodian las autoimágenes de los adolescentes o que no confían en los adultos, son muchos los chicos y chicas que se vuelven expertos en IFS. Más información sobre el empleo de la IFS con los niños en el capítulo de Pamela Krause «IFS with Children and Adolescents», de *Internal Family Systems Therapy: New Dimensions* (2013), y en los libros de Arthur Mones (2014) y Lisa Spiegel (2017).

IFS CON GRUPOS

Hay un gran número de profesionales clínicos especializados en terapia grupal que han adaptado el modelo IFS, actualmente utilizado con gran variedad de formatos grupales y poblaciones de clientes. Uno de los métodos consiste en trabajar con un solo cliente mientras el resto del grupo observa. Tiene varias ventajas: el cliente percibe la energía del Self del grupo, con lo que el trabajo avanza y se contribuye a que las partes de ese cliente se sientan muy reconocidas; paralelamente, quienes observan al cliente suelen predisponerse a dirigirse a partes internas similares. Así, la vulnerabilidad de la labor de un cliente estimula a menudo un profundo trabajo interno de los testigos, seguido de un debate colectivo abierto. El psicodrama también es fácil de adaptar a la terapia grupal con IFS: un miembro asigna al resto los roles de varias partes e ilustra las interacciones de un grupo interno de partes, que incluye protectores y un exiliado.

PRESENTACIÓN DE LA IDEA DE LAS PARTES A LOS CLIENTES

Cuando los clientes acudan a una primera sesión de terapia IFS, sus directivos evaluarán al terapeuta —y nuestro tipo de terapia— para ver si es una inversión sin riesgos y si vale la pena. Tras escuchar qué ha traído al cliente a la terapia, la primera ayuda que le ofrecemos tiene que ver con el lenguaje. Hemos comprobado que la mayoría de los clientes ya acuden hablando de las partes (p. ej., «Hay una parte de mí que quiere ir al encuentro de compañeros del instituto, ¡pero hay otra que tiene miedo!»), así que pasar a hablar de las partes –y luego con las partes– cuesta poco. Una vez que normalizamos la mente plural, dejamos que los clientes se reconozcan más allá de sus sentimientos de dependencia, ineptitud, vergüenza y rabia. Y cuando descubren que esos sentimientos torturadores proceden de las partes –con frecuencia muy jóvenes y necesitadas de la ayuda que el cliente pueda prestarles–, su concepción de la vida empieza a mejorar.

ADOPCIÓN DEL LENGUAJE DE LAS PARTES

Los apartados siguientes muestran dos modos de presentar el concepto de las partes y pasar a hablar de las partes (y luego con ellas). El primero consiste en replantear el problema denominando *partes* a los sentimientos, pensamientos y sensaciones del cliente. El segundo, en indagar sobre el diálogo interno del cliente, así como sobre su comportamiento con el prójimo.

Replanteamiento del problema

He aquí un ejemplo de presentación del concepto de las partes, denominando *partes* a los sentimientos, pensamientos o sensaciones del cliente.

> STELLA: Trato de no vomitar y estos días lo logro más a menudo, pero mis padres me sacan fallos, no ven que progrese. En cuanto pienso «¡Qué bien lo estoy haciendo!», me los imagino reprobándome y toda mi satisfacción se esfuma.
> TERAPEUTA: ¿Y entonces qué ocurre?
> STELLA: Pienso «¿Para qué esforzarme? Pues vomito y ya está». Pero, claro, entonces pienso «¡No, tengo que parar!».

TERAPEUTA: Así que dos de tus partes están enfrentadas. Una está herida porque tus padres no ven que progreses y te dice que abandones, mientras que la otra te empuja a seguir intentándolo, pase lo que pase. ¿Es así?

[Partiendo de esta clara descripción de una polaridad, el terapeuta aprovecha la oportunidad para introducir dos ideas importantes: que Stella tiene partes y que éstas pueden enfrentarse].

STELLA: Sí.

[En este contexto, el concepto de las partes no tiene nada de especial para Stella].

TERAPEUTA: Si quieres, podemos ayudar a esas partes. Pero primero te haré una pregunta. Has visto una imagen de tus padres reprochándotelo. ¿Te lo han reprochado?

STELLA: Bueno, a veces. Mi médico les dijo que no se enfadaran más conmigo y sé que lo están intentando.

TERAPEUTA: ¿Y tú? ¿Tienes un crítico interno?

[Un crítico con planes ocultos puede interpretar los comentarios de los demás como críticas, magnificar las críticas propiamente dichas o decir al cliente que los demás le critican sin que haya pruebas. El terapeuta es consciente de que los críticos internos acostumbran a interpretar negativamente los comentarios de los demás, tanto si los comentarios pretendían ser negativos como si no].

STELLA: ¡Oh, sí! Me siento constantemente una fracasada por no poder parar.

TERAPEUTA: Así que, cuando vomitas, ¿tu crítico te llama fracasada?

STELLA: *(Entre lágrimas).* Sí, exacto.

TERAPEUTA: ¿Y eso entristece a otra parte?

STELLA: Esta parte triste se deja ver mucho últimamente.

[Observa que, en su última respuesta, Stella pasa de aceptar el lenguaje de las partes a utilizarlo].

Preguntar cómo el cliente se dirige a sí mismo y actúa con los demás

Éste es un ejemplo de adopción del lenguaje de las partes, al preguntar por lo que la clienta se dice a sí misma y cómo actúa con los demás. La señora Gorelick es la madre de Stella.

SRA. GORELICK: Me pone enferma lo sucio que Stella deja el baño. Como no pare pronto, no sé qué voy a hacer.

TERAPEUTA: ¿Qué te dices a ti misma al encontrar el baño en ese estado?

[El terapeuta pasa inmediatamente al diálogo interno de la clienta].

SRA. GORELICK: ¡Me digo que lo hace para restregármelo por la cara!

TERAPEUTA: Y cuando esa parte te dice que Stella te lo está restregando por la cara, ¿cómo actúas con Stella?

SRA. GORELICK: Le chillo y la amenazo con echarla. Y luego me siento culpable.

[Una polaridad].

TERAPEUTA: ¿Y qué te dice la parte culpable?

SRA. GORELICK: Que los problemas de Stella son culpa mía y no debería enfadarme. Que soy mala madre…, pero ¿qué otra cosa puedo hacer?

TERAPEUTA: ¿Qué te parece si lo resumo? Vamos allá. Entiendo que una parte se indigna con Stella, mientras que otra te critica a ti. ¿Es así?

SRA. GORELICK: Sí. Es de locos, ¿eh?

[En este punto, la madre de Stella se limita a identificar su conflicto interno (la polaridad) como una desconcertante pérdida de control].

TERAPEUTA: No. El problema de Stella da miedo, y tu reacción es normal. Ahora bien, aunque los desacuerdos internos son normales, éste te impide tener una mejor relación con Stella. ¿Estás de acuerdo? Si quieres, podemos hacer un dos por uno en las sesiones familiares: mejorar tu relación con Stella y también ayudar a esas partes tuyas.

[El terapeuta normaliza el conflicto interno y luego ejerce de «mercader de esperanza» para el sistema del cliente, al ofrecer ayuda interna y externa].

SRA. GORELICK: ¿Y a las partes de ella?

[Y, naturalmente, los protectores de la señora Gorelick están pendientes de si los culpan].

TERAPEUTA: Desde luego. También a las partes de Stella. Todo el mundo tiene partes.

Como ilustran estos ejemplos, el mero hecho de traducir lo que dice el cliente al lenguaje de las partes es un primer paso para ampliar la perspectiva del cliente. Esta perspectiva más amplia promete ser menos humillante y más empoderadora («Yo soy más que mis partes heridas o que se portan mal, ¡y los demás también!»). Por consiguiente, quienes acuden a la terapia presas de un directivo humillante o un bombero furioso casi siempre tienen hueco suficiente para la curiosidad con sólo pensar y hablar en términos de las partes. Además, el lenguaje de las partes orienta continuamente al terapeuta. Cuando el cliente es capaz de atribuir un sentimiento o pensamiento a una entidad («Una parte de mí siente»), en vez de hablar del sentimiento o pensamiento como si correspondiera a la totalidad del ser del cliente («Yo siento»), ambos somos conscientes de sus partes y evitamos pasar por encima de ellas.

LOS SISTEMAS INTERNOS DE QUIENES EMPRENDEN UNA TERAPIA

Casi todos los que vienen a terapia son presas de conflictos internos y sentimientos negativos como el miedo, la ira, la pena, la vergüenza o la culpa no adaptativa. Desde el prisma de la IFS, todas las partes del triángulo directivo-exiliado-bombero están heridas, asustadas y congeladas en el pasado.

TABLA 7.1. Las relaciones internas de quienes emprenden una terapia:
Las partes son protectoras o están polarizadas

- **Protectoras:** Denominamos *directivos* a las partes proactivas que tratan de privar a los exiliados de llegar a la consciencia. Estos protectores pueden ser severos, asfixiantes o amables. En cambio, los protectores reactivos, que reciben el nombre de bomberos, pretenden reprimir, anestesiar a los exiliados o desviar la atención de éstos cuando llegan a la consciencia. Los bomberos suelen recurrir a cualquier cosa que estimule o relaje de inmediato, incluyendo comida, drogas, alcohol, autolesiones, rabia y sexo.

- **Polarizadas:** Es frecuente que los directivos estén polarizados con los bomberos (p. ej., la parte cuidadora frente a la parte furiosa), pero también pueden estar polarizados entre ellos (p. ej., el cuidador frente al adicto al trabajo). En cambio, los bomberos tienden menos a la polaridad entre ellos que a sustituirse unos a otros («Al dejar de atracarme y vomitar, empecé a beber demasiado»).

Han hecho cuanto han podido para lidiar con los escollos de la vida. Sus relaciones se clasifican en dos categorías: (1) protectoras (p. ej., un directivo o bombero protege a un exiliado) o (2) polarizadas, donde dos partes protectoras están enfrentadas. Indagamos en sus relaciones, pero no para resolver sus desacuerdos ni interferir en sus alianzas. Lo que pretendemos es introducir un catalizador: el Self del cliente. La tabla 7.1 resume las características típicas de los sistemas internos de quienes emprenden una terapia.

LA VALORACIÓN EN LA IFS

En la IFS, una valoración gira por lo general en torno a dos preguntas. Lo que primero que queremos saber es si la parte sintomática (p. ej., depresión o ansiedad) es un protector o un exiliado. En segundo lugar, conviene saber el grado de acceso del cliente al Self.

La primera pregunta de valoración

Empecemos con la primera. Lo más fácil para indagar sobre una parte es preguntar. Por ejemplo, «¿Qué haces por Sasha?».

La parte que desempeña un trabajo

Si una parte suscribe la idea de que está *desempeñando* un trabajo, ya sabemos unas cuantas cosas de entrada. Su rol es protector y puede ser proactiva reprimiendo el dolor emocional (un directivo), o reactiva al dolor emocional (un bombero). El temor lleva con frecuencia a los directivos a inhibir a otras partes. Intentan inhibir los sentimientos que creen excesivos, como la vergüenza, el miedo, la tristeza, el dolor y la ira. Y en general están polarizados, al menos con otro protector, ya sea directivo o bombero, por lo que su comportamiento va a más. Además, no son capaces de sanar a los exiliados heridos. Casi ningún directivo cambiará drástica y permanentemente hasta que ayudemos al exiliado que protege a dejar atrás el pasado y soltar las cargas. Los protectores reactivos –los bomberos– están en el otro extremo del ciclo. Son reactivos, no proactivos; distraen de los sentimientos abrumadores que ya han aparecido. Por lo demás, sin embargo, también los mueve el miedo al dolor y suelen estar polarizados con al menos otra parte (frecuentemente un directivo). Ellos tampoco pueden sanar a otras partes. Y también es improbable que cambien hasta que el exiliado al que protegen se libere de sus cargas.

Saber que la mayoría de los protectores no depondrán su conducta hasta que sane la parte que protegen podría mejorar la psicoterapia en muchos aspectos, así como mejorar la tolerancia de nuestra cultura frente a las partes protectoras en general. La expectativa de que hay que ser capaces de emplear la fuerza de voluntad para dejar las adicciones, controlar la ira o superar el miedo, por ejemplo, no hace sino exacerbar las polarizaciones internas. También agrava las adicciones, llena las cárceles y provoca que consumamos masivamente fármacos. Este culto a la fuerza de voluntad procede de la carga por legado del individualismo, que impregna nuestra cultura y nos impregna a nosotros. Casi todos los protectores se alegrarán de abandonar su comportamiento cuando la parte que protegen se haya sanado y el sistema sea menos vulnerable. Hasta entonces, seguirán creyendo que quienquiera que les pida que paren desconoce los peligros que ello entrañaría y lucharán por desempeñar sus trabajos, muchas veces como si la vida del cliente dependiera de ello, puesto que la vida del cliente cuando era joven sí dependía de la intervención de ese protector. Quienes sí logran controlar las conductas de los bomberos a base de fuerza de voluntad dependen de que los directivos oculten a los bomberos y a los exiliados, por lo que el restablecimiento es muy tenso y frágil, como cuando un alcohólico deja la bebida. La tabla 7.2 sintetiza las características típicas de los protectores.

TABLA 7.2. Una parte con un trabajo es un protector

- Una parte con un trabajo es o bien un directivo o un bombero.
- Si es un directivo, su objetivo será inhibir los sentimientos que crea peligrosos, en especial la vergüenza, el miedo, la tristeza, la culpa, el dolor y la ira; si es un bombero, querrá desviar la atención de los sentimientos negativos.
- El miedo mueve a directivos y bomberos.
- Directivos y bomberos suelen estar polarizados con al menos otra parte protectora, lo que lleva a ambos bandos a acentuar su comportamiento.
- Ni directivos ni bomberos pueden sanar las heridas de los exiliados.
- Ningún protector cambiará drástica y permanentemente hasta que se ayude al exiliado que protege a dejar atrás el pasado y soltar las cargas

---

La parte que no desempeña un trabajo

La parte focalizada que dice no desempeñar un trabajo es probablemente un exiliado, una parte que se asustó o avergonzó y la expulsaron de la consciencia y del fluir del tiempo, por lo que se siente sola y abandonada. Estas partes anhelan que las rescaten y rediman. Si se las motiva lo suficiente, pueden abandonar el exilio y abrumar al cliente con sus sentimientos. La fuga de un exiliado suele desatar a bomberos extremos, como la disociación, la adicción, la autolesión y el suicidio. Por otra parte —y esto es fundamental en la terapia IFS—, los exiliados también pueden no abrumar al cliente si tienen la seguridad de que se les prestará atención manteniéndose separados. La capacidad de decisión de un exiliado con respecto al desbordamiento emocional es decisiva en la terapia IFS. Cuando un exiliado accede a no atosigar al cliente, y el Self del cliente se mantiene presente, los protectores cobran seguridad y colaboran, lo que allana el camino para nuestro objetivo último de reconocer al exiliado y aliviarlo de su carga.

Toda parte puede controlar su nivel de mezcla con el Self. De ahí que se pueda avanzar mucho con sistemas internos muy delicados sin necesidad de recurrir a las técnicas de estabilización y trabajar en las aptitudes reguladoras, un rasgo preponderante en la mayoría de las terapias del trauma. Según la IFS, enfocarse en el fomento de esas aptitudes en terapia del trauma plantea varios problemas. En primer lugar, si un cliente sufre un ataque de pánico o empieza a disociar en una sesión y le decimos que nos mire a los ojos, sienta los pies descansando en el suelo y respire profundo, estamos diciéndole a la parte que se ha presentado que necesitamos que se vaya, porque da demasiado miedo o es excesivamente peligrosa. Esto es lo último que queremos transmitir a las partes asustadas y desesperadas. Así que, en la IFS, cuando un cliente empieza a mostrar síntomas durante la sesión, reparamos en la parte y hablamos de ella con el Self del cliente, o le pedimos que hable con él directamente. En cuanto sabemos por qué el Self está expulsando a esa parte, negociamos con él para que le permita volver. Entonces, de repente, el cliente vuelve a estabilizarse. Si, por ejemplo, un cliente sufre un ataque de pánico, decimos algo como: «Veo que una parte asustada ha tomado el control. Es muy bienvenida. Comprendo que está atrapada en un lugar espantoso del pasado y vamos a sacarla de ahí. Sería de gran ayuda que accediera a separarse de ti sólo un poco, para permitirte estar con ella, en vez de sentirte desbordado por ella». Si la parte confía en nuestra franqueza, el cliente recuperará de pronto la estabilidad (es decir, el Self estará disponible) y podrá auxiliar a la parte asustada. Casi todos los exiliados son abrumadores por el miedo a que vuelvan a encerrarlos si retroceden. Una vez que comprenden que lo que pretendemos es lo contrario –prestarles atención y ayudarlos–, normalmente acceden a separarse y dejan de abrumar. La tabla 7.3 resume los rasgos típicos de los exiliados.

TABLA 7.3. Una parte sin un trabajo es un exiliado
• Hicieron daño a la parte y la expulsaron, y sigue sintiéndose insoportablemente sola e inútil.
• La parte quiere que la rescaten y la rediman.
• La parte es capaz de abrumar al cliente con sentimientos que desatan reacciones extremas de los protectores, como la disociación, la adicción, la autolesión y el suicidio.
• La parte también puede no abrumar al cliente si tiene la seguridad de que separarse es el mejor modo de que se colmen sus necesidades.
• El desbordamiento emocional es el principal temor de los protectores, por lo que la capacidad de un exiliado de decidir no abrumar es decisiva en el proceso de la terapia IFS. Cuando el exiliado accede a no abrumar, es más probable que los protectores colaboren, lo que allana el camino para reconocer al exiliado y aliviarlo de su carga.

La segunda pregunta de valoración

Cuando ya sabemos si una parte está o no desempeñando un trabajo (a saber, si es un protector o un exiliado), nos planteamos una segunda pregunta importante de valoración: ¿qué acceso tiene el cliente al Self? Para medirlo, nos fijamos en si puede hablar en nombre de sus partes en vez de hablar desde ellas, si pueden interesarle sus partes y si es capaz de experimentar –o imaginar que experimenta– curiosidad, generosidad o compasión con respecto a sus partes. Mientras el cliente sienta curiosidad por sus partes, podremos recurrir al método comunicativo llamado *comunicación interna*. En la comunicación interna, el Self del cliente se comunica internamente con las partes del cliente. No obstante, si el cliente se muestra agitado, lloroso, autocrítico, indignado, confundido, soñoliento, disociativo o extremo de algún modo, seguramente echaremos buena mano del acceso directo, donde el Self del terapeuta habla con las partes del cliente. En ese caso, probablemente la terapia se alargará.

¿QUIÉN GOBIERNA LA VIDA DE ESTE CLIENTE?

Al reflexionar sobre la vida de un cliente, nos preguntamos quién ocupa una posición dominante en su sistema. ¿Un exiliado? Por ejemplo, el cliente es incapaz de conservar un empleo, los *flashbacks* y ataques de pánico no le dejan tranquilo, está frecuentemente ingresado o tiene una relación violenta y no la corta. ¿Y si quien lleva las riendas es un directivo? Por ejemplo, el cliente puede trabajar y se maneja bastante bien, pero es crítico consigo mismo y con los demás; o es inflexible y receloso; o sufre depresión crónica y ansiedad intercurrente. Por otra parte, tal vez lleve las riendas un bombero. Por ejemplo, el cliente consume indebidamente fentanilo, hace excesivo ejercicio o se atraca y vomita. Para acabar, tal vez el cliente esté dominado por una polaridad entre dos protectores. Por ejemplo, una clienta que se debata entre ser una esposa y madre atenta en el hogar y tener aventuras extramaritales en el trabajo. Las partes capaces de dominar un sistema se resumen en la tabla 7.4.

INTERÉSATE POR EL ROL DE UNA PARTE EN EL SISTEMA

Nos parece de utilidad saber cuál es el rol de una parte determinada en el sistema del cliente, porque según el rol se requiere un enfoque distinto. Los directivos son proactivos e inhibidores. No quieren que los sentimientos de los exiliados lleguen a la consciencia. Quieren que el cliente siga siendo funcional, les preocupan las consecuencias y pueden criticar con dureza; ahora bien, si están cansados y han fracasado, lo reconocen. Ayudamos a los directivos cuando agradecemos su deseo de estabilidad, legitimamos su temor a los bomberos y les proponemos que el Self del cliente negocie con los bomberos y se ocupe de los exiliados.

Los bomberos, en cambio, son reactivos y a menudo (aunque no siempre) desinhibidores. Buscan distraer del dolor emocional, y lo harán por todos los medios posibles, mientras surta efecto rápido y sea efectivo. Los bomberos son cortoplacistas; dicen ser indiferentes a las consecuencias, incluso catastróficas, y son reacios a admitir el fracaso. Por consiguiente, impeler a un bombero a colaborar puede inicialmente desalentar. Para ser persuasivo con un bombero, no olvides que para ellos es importante mantener su capacidad de proteger y que los valoren. Por eso les decimos «Tú eres quien manda». También agradecemos sus sacrificios y legitimamos sus buenas intenciones con respecto al cliente. Evitamos reñir a esas partes, nos brindamos a contribuir a suavizar las tareas pesadas y las ayudamos a protegerse de otras partes (y personas) que las abochornan, condenan o pretenden aniquilarlas. Además de todo eso, les ofrecemos la perspectiva de desempeñar un rol más deseable.

A diferencia de los atareados protectores (tanto directivos como bomberos), que hablan de lo que pueden, deben, van o no van a hacer, los exiliados se limitan a existir en lugares dolorosos, solitarios y con frecuencia peligrosos. Unos se esconden, otros se afanan por que los vean y rescaten, y otros están tan profundamente presos en el cuerpo o en una mazmorra cuya existencia el cliente desconoce. Ayudamos a los exiliados reconociendo lo malo que les pasó y que les llevó a pensar que eran malos.

TABLA 7.4. ¿Qué parte(s) domina(n) el sistema del cliente?

1. ¿Un exiliado?
2. ¿Un directivo?
3. ¿Un bombero?
4. ¿Una polaridad entre dos protectores?

Cuando el Self reconoce a una parte (la comprende, legitima y quiere), pasa de la creencia «Soy mala» (inútil, indigna de amor, inepta, fea, etc.) a sentirse aceptada y comprender que «Me pasó algo malo», momento en el que generalmente está lista para soltar sus cargas.

TRADUCCIÓN DE LOS DIAGNÓSTICOS DEL *DSM* EN LA IFS

Como esperamos que haya dejado claro la exposición de más arriba, la valoración y el diagnóstico en la IFS tiene poco que ver con la valoración y el diagnóstico basados en cualquier iteración del *DSM*. En la IFS entendemos la conducta sintomática como producto de una mente plural y, tanto en las dolencias físicas como en las mentales, evaluamos las conexiones entre la mente, el cerebro y el cuerpo (Anderson *et al.*, 2017). Consideramos los diagnósticos del *DSM* descripciones de distintas partes activadas cuyas conductas perseguían garantizar la supervivencia afrontando el peligro del pasado, previniendo el peligro futuro y preservando el equilibrio interno. Afirmar que las partes protectoras tienen una intención positiva no es afirmar que sus acciones tienen consecuencias positivas, ni mucho menos. Ahora bien, independientemente de los efectos de su comportamiento, para ayudarlas debemos entender sus buenas intenciones. Podemos tomar cualquier diagnóstico del *DSM* y aportar una visión alternativa no patologizante de la afección, según qué partes sean las dominantes en cada cliente.

¿QUÉ PRETENDEMOS CAMBIAR EN LA TERAPIA IFS?

Algunos modelos terapéuticos se basan en el principio de la suma. Además de aportar al cliente nuevos puntos de vista y conocimientos, los terapeutas ayudan al cliente a incorporar nuevas aptitudes, experiencias y modos de relacionarse con los individuos del exterior. Aunque valoramos la importancia de practicar nuevas aptitudes y adoptar nuevas experiencias, creemos que adquirirlas es la consecuencia natural cuando el cliente se deshace de las limitaciones y progresa en la vida, lo cual es nuestra prioridad en la terapia IFS. Las creencias negativas autorreferentes («No valgo nada») inhiben enormemente, al igual que un gran número de los sentimientos fruto de experiencias traumáticas («Estoy aterrado», «Estoy furioso»). Las inhibiciones de esta naturaleza engendran toda clase de secuelas negativas relevantes. En la IFS buscamos liberar a los clientes de limitaciones, para que puedan ser quienes verdaderamente son en el presente, sin cargas del pasado.

En este sentido, la terapia IFS personal persigue tres objetivos mayores: (1) liberar a las partes de roles extremos, para que puedan adoptar roles preferibles y valiosos, (2) recobrar la confianza de las partes en el liderazgo del Self y (3) volver a armonizar el sistema de las partes, para que se conozcan entre ellas y colaboren de un modo productivo. Al alcanzar estos objetivos, las personas se sienten más unitarias, pero sus partes continúan existiendo. Lo que ha cambiado es que ahora sus partes viven en sincronía y ya no sobresalen. Tal vez el lector haya observado que estos mismos objetivos son aplicables a los sistemas humanos de todos los niveles, lo que denota la gran cantidad de paralelismos existentes entre los sistemas internos y externos. Nuestro lema, por consiguiente, es que *todas las partes son bienvenidas*. Si los clientes empiezan la terapia creyendo que no les caben todos los habitantes internos, dirigimos la terapia al otro extremo, con las partes armoniosamente incorporadas y el entorno interno del cliente convertido en un lugar espacioso, inclusivo y liderado por el Self.

La IFS también quiere cambiar la relación de los clientes con el tiempo. Las partes hacen varios usos de los recuerdos del pasado para manejar los sentimientos en el presente: desalientan para refrenar la esperanza, la decepción y el suicidio; niegan para tratar de evitar consecuencias, y emplean estrategias de todo tipo para impedir la aceptación y la pena, incluyendo deshacer las cosas («Vamos a retroceder a antes de que ocurriera y lo borramos»), especular («¿Y si me hubiese retrasado sólo 5 minutos?»), recordar con nostalgia («Era mejor cuando…»), minimizar («No fue tan terrible»), y comparar («Hay quien lo tiene peor/mejor»). Los protectores también recurren al futuro: fantasean para distraer de la realidad («¡Voy a ganar!») y huir («¡Imagínate si estuvieras ahí ahora mismo!»); predicen para ejercer control («Si te metes en esa relación, acabarás con alguien igualito que tu padre») o privar de algo («¡Ese avión se va a caer en pleno vuelo!») o manejar («Qué bien estaría ser rico, ¿eh?»). Si las estrategias adictivas físicas (comida, ejercicio, drogas, alcohol, pornografía) son estrategias propias de los bomberos para apaciguar y distraer del dolor emocional (Catanzaro, 2016; Sykes, 2017; Wonder, 2013), enmendar el pasado e imaginar o pronosticar un futuro determinado son estrategias propias de los directivos para controlar los sentimientos. A pesar de que sus esfuerzos producen un efecto deseado a corto plazo (de lo contrario, no seguirían haciéndolo), gestionar los sentimientos fantaseando y negando la realidad tiene, inevitablemente, costes a largo plazo.

Mientras los protectores se afanan desplazándose por el tiempo para manipular la memoria y las expectativas, los exiliados están atrapados en el tiempo. En cuanto el Self del cliente tiene forjada una relación de confianza con un exiliado, éste se lleva al Self de viaje al pasado y le enseña dónde y cómo quedó varado. Este viaje brinda al Self la oportunidad de legitimar el punto de vista del exiliado («Te hicieron daño») y darle consuelo («No te lo merecías»), hasta que la parte está lista para soltar las creencias y sentimientos −las cargas− que acumuló a raíz de esas experiencias. Por lo tanto, pensar literalmente contribuye a conceptualizar el tiempo en la terapia IFS. Reparamos en cómo los protectores enredan con el tiempo y acompañamos a los exiliados de vuelta al presente. Nuestro propósito último es que los clientes estén despiertos y disponibles en el presente, que recuerden y visiten el pasado si ellos lo desean y cuando lo deseen, y adentrarnos en el futuro imaginativamente, sin limitaciones innecesarias y con la seguridad de que sus inquietudes, cuando surjan, estarán basadas en la realidad. Las cargas de las partes que están atascadas en el pasado son como granos de arena en el mecanismo de un reloj. Hay que sacarlas para que el tiempo pueda avanzar.

BREVE RESUMEN DEL TRATAMIENTO CON IFS

Cuando un cliente explica su problema, le preguntamos por sus experiencias internas al respecto y reintegramos lo que oímos, añadiendo «Así que una parte de tuya… y otra parte…». Una vez que el cliente tiene unas cuantas partes identificadas, le preguntamos a cuál quiere ayudar primero y, si tiene pinta de ser un protector, consultamos si hay otras partes preocupadas; entonces ayudamos a las partes reactivas que pueda haber y pasamos a conocer a la parte focalizada. Si parece ser un exiliado, no obstante, andamos con más cuidado: primero nos ocupamos del problema del desbordamiento del exiliado y de cualquier miedo de los protectores.

A lo largo de todo este proceso, buscamos las polaridades internas del cliente, en las que pueden obrar un directivo y un bombero o un directivo y otro directivo, sin perder de vista la diferencia esencial en los roles de directivos y bomberos: los primeros suelen ser proactivos y controladores en sus afanes por impedir que los exiliados se activen; los bomberos entran en acción después de que se active un exiliado, ya sea de forma reactiva e impulsiva –distrayendo– o extinguiendo las llamas de la emoción del exiliado.

Cuando intervienen, las partes protectoras tienen varias inquietudes comunes. Se temen entre ellas («Se enfadaría demasiado», «Se mantendría demasiado pasiva») o temen a los exiliados («No podría con tanta tristeza», «Sabría que no es digno de amor»). Por si eso fuera poco, muchas veces les preocupa su propio devenir («Si ya no tengo este trabajo, ¿voy a desaparecer?»). Cuando conozcamos a esas partes, podemos preguntarles qué ocurriría si dejaran de hacer su trabajo. La respuesta nos dirá si su miedo inicial tiene que ver con un protector polarizado o con un exiliado frágil. Abordamos sus miedos proponiendo que el Self del cliente se ocupe del exiliado o ayude a ese protector polarizado a frenar, y asegurándoles que tendrán la libertad de escoger un nuevo rol.

En cuanto los protectores autorizan al Self del cliente a auxiliar a un exiliado (y no hay un plazo establecido para eso), el Self puede constituir una relación de confianza con el exiliado y preguntarle qué le hace falta. Casi todos los exiliados necesitan que el Self del cliente presencie experiencias del pasado que han dejado cargas. En ese caso, el Self acompaña al exiliado al pasado y, una vez que el exiliado se siente plenamente reconocido, el Self se ofrece a hacer lo que la parte necesitó en aquel momento que alguien hiciera (*rehacer*, una experiencia emocionalmente correctiva). Para acabar, cuando el exiliado está listo, el Self lo saca del pasado y lo invita a soltar sus cargas. Durante el reconocimiento y la descarga, el exiliado es quien toma todas las decisiones. Al liberarse el exiliado y acoger las cualidades que necesitará en lo sucesivo, el Self vuelve a los protectores, para comprobar si están preparados para asumir nuevos cometidos. La tabla 7.5 enumera los pasos fundamentales de la terapia IFS.

TABLA 7.5. Pasos fundamentales de la terapia IFS

LOCALIZA A LA PARTE FOCALIZADA: EMPIEZA POR LOS PROTECTORES

1. Pregunta al cliente: «¿Por qué acudes a terapia?»
2. Pregunta al cliente: «¿Podemos hablar de las partes?»
3. Localiza a la parte focalizada, preferiblemente un directivo, o concéntrate en una polaridad entre dos partes protectoras.
4. Si aparece antes un exiliado, pídele que deje primero que el Self del cliente negocie con los protectores. Luego reemprende la búsqueda de un protector, que será la parte focalizada.
5. Obtén permiso (del resto de las partes) para dirigirse a la parte focalizada.
6. Pregunta a la parte focalizada por su trabajo.
7. Pregunta a la parte focalizada por sus temores.
8. Propón presentar la parte focalizada al Self del cliente.
9. Pide permiso para ayudar al exiliado.
10. Si la parte focalizada accede, comprueba si hay otras partes en desacuerdo. En caso afirmativo, repite los mismos pasos con esas partes. De lo contrario, sigue con el exiliado.

PRESENCIAR Y DESCARGAR: LOS EXILIADOS COMO PARTES FOCALIZADAS

1. El exiliado conoce al Self del cliente.
2. El exiliado indica al Self qué necesita.
3. El Self presencia las experiencias que han dejado cargas en el exiliado.
4. El exiliado suelta sus cargas.
5. El exiliado acoge las cualidades que necesitará en lo sucesivo, en lugar de las cargas.
6. El Self vuelve a dirigirse a los protectores y les propone que adopten nuevos roles.

CONCLUSIÓN

Las personas suelen acudir a terapia porque tienen miedo de sus sentimientos y creen que no son dignos de amor. Para la IFS, estos síntomas no denotan una patología. Bajo nuestro punto de vista, el miedo, las creencias cargantes, el conflicto interno y los comportamientos extremos son producto de desequilibrios y limitaciones sistémicos cuya raíz reside a menudo en episodios de la infancia. Asimismo, cuando decimos *sistémicos* nos referimos a desequilibrios y limitaciones que pueden nacer a cualquier nivel de los múltiples sistemas jerarquizados; empezando por un sistema interno de partes psíquicas, perteneciente a un sistema familiar, que a su vez pertenece a una comunidad, la cual está enmarcada en una cultura y una estructura cívica. Debido a nuestra tremenda vulnerabilidad en la niñez, así como a la complejidad sistémica de nuestras vidas, la mayoría albergamos como mínimo cierto temor e inseguridad, lo que significa que tenemos partes necesitadas de liberarse.

En la IFS buscamos liberar a las partes y reequilibrar los sistemas resolviendo las limitaciones. En terapia individual, lo primero que hacemos es indagar en las conductas y motivaciones de las partes protectoras. En las sesiones iniciales, lo que más nos interesa son las relaciones en el seno del sistema interno del cliente: quién hace qué a quién en este momento y por qué. En cuanto los protectores se sientan lo suficientemente comprendidos y reconocidos por el Self, dejarán acceder al exiliado. A continuación, pasamos a la segunda fase del tratamiento, que generalmente avanza mucho más rápido. En esta fase, el Self presencia al exiliado, que suele estar atrapado en el pasado y tiene una historia importante que contar, y lo libera de sus cargas. Si en el sistema del cliente hay un gran número de exiliados, el proceso puede repetirse varias veces con distintos grupos de partes. Siempre que un exiliado cuenta su historia, suelta sus cargas y el cliente se reencuentra con sus aptitudes naturales para reequilibrarse —su Self—, se dilatan el espacio y el tiempo internos.

CAPÍTULO 8
Comunicación interna y acceso directo

Hay muchas puertas por las que adentrarnos en el sistema interno. Algunas son esotéricas, como los rituales chamánicos y las medicinas que alteran el sistema químico cerebral. Es el caso del MDMA (conocido coloquialmente como éxtasis), la psilocibina (sustancia alucinógena presente en ciertos hongos), la ketamina (un anestésico utilizado en la actualidad para tratar la depresión). También los hay que repercuten en el sistema eléctrico cerebral (un tipo de neurofeedback). Entre las otras puertas de acceso están las artes (p. ej., el dibujo, la pintura y el movimiento) o algunas clases de terapia (p. ej., la caja de arena, el psicodrama, la terapia de movimiento, la psicoterapia). Si el cliente es adulto, el modelo IFS se basa principalmente en orientar la atención del cliente mediante las técnicas que denominamos comunicación interna y acceso directo, pormenorizadas en este este capítulo y ya ampliamente utilizadas por muchos terapeutas. Aunque nos basemos en la comunicación interna y el acceso directo, si al terapeuta le interesa ofrecer un abanico de opciones hay clientes que responden bien a los métodos que exteriorizan a las partes. La caja de arena, el dibujo y el movimiento, por ejemplo, se emplean mucho con los niños. Se trata de métodos fáciles de integrar con la IFS. Escojas el método que escojas, te recomendamos que vayas con cuidado y tengas presentes los obstáculos que detallamos en este capítulo, cuya importancia va más allá de la metodología.

Al principio de la terapia, la consciencia del cliente acostumbra a estar «en el aire», con las partes mezclándose y separándose en su pugna por influir y controlar. Las partes a las que no se ha reconocido, con las que no se ha hablado o que no se han legitimado (algunas veces nunca en la vida) tal vez no parezcan (y a lo mejor no se sienten) singularmente diferenciadas unas de otras. De ahí que la experiencia interior del cliente pueda antojarse alborotada, desconcertante y carente de sentido. No obstante, la mayoría de los clientes pueden seguir una sensación, sentimiento o pensamiento hasta esa esfera interna, donde tienen la posibilidad de entablar comunicación notablemente rápido con las partes individualizadas. Hecho este cambio y una vez que el cliente escoge una parte focalizada, la cuestión es cómo proceder. ¿Quién va a hablar a quién?

¿QUIÉN HABLA A QUIÉN?

Si el Self del cliente está disponible se encarga de la comunicación, que denominamos *comunicación interna*. Sin embargo, cuando el Self del cliente no está disponible, el Self del terapeuta se dirige directamente a las partes del cliente, sin que el Self del cliente ejerza de intermediario: por eso se llama *acceso directo* (ver la tabla 8.1). El terapeuta también puede proponer a las partes que hablen entre sí por medio del acceso directo, o pueden dirigirse al Self del cliente. La técnica de la silla vacía es una opción para practicar el acceso directo, pero en la IFS casi nunca es preciso guiar la actuación del cliente; basta con pedir hablar directamente con una parte, tal como explicamos en este capítulo. Tanto si recurrimos a la comunicación interna como al acceso directo, nuestra intención es evitar las conversaciones entre parte y parte del terapeuta y el cliente; queremos dirigir con el Self, no con las partes. Por último, dado que nuestra primera misión es saber de la comunidad interna de esta persona, pero no queremos colarnos en el hogar psíquico del cliente, al trabajar con la comunicación interna o el acceso directo nos aseguramos de pedir permiso a cada paso.

* * *

LA COMUNICACIÓN INTERNA

Yo (R. C. S.) me tropecé con el método de comunicación con las partes que bauticé como *in-sight* (comunicación interna) cuando los clientes dijeron que veían a sus partes y que las observaban interactuar. Posteriormente, supe que Jung había descubierto algo similar y diseñado un enfoque parecido (Hannah, 1981), una técnica a la que dio en llamar «imaginación activa».

TABLA 8.1. Opciones de comunicación: qué hacemos y qué no queremos

Comunicación directa (El Self del cliente está disponible)	Acceso directo (El Self del cliente no está disponible)	Evitar (El Self del cliente no está disponible)
El Self del cliente a las partes del cliente	El Self del terapeuta a las partes del cliente	Las partes del cliente a las partes del cliente (a menos que lo proponga el Self del cliente o el Self del terapeuta)
El Self del terapeuta al Self del cliente		Las partes del terapeuta a las partes del cliente
(El Self del terapeuta está disponible)	(El Self del terapeuta está disponible)	(El Self del terapeuta no está disponible)

A quienes generan fácilmente imágenes mentales, gran parte de la comunicación interna se les presenta en forma de imágenes. Ahora bien, *imágenes* no es el mejor término cuando hablamos de comunicación interna, puesto que en la IFS el cliente no se esfuerza por imaginar nada, ni se le pide que lo haga. Los hay que enseguida ven a sus partes con gran claridad, otros sólo las vislumbran vagamente y hay una minoría (como yo, R. C. S.) que carecen de visión interior y no ven nada. Quienes carecen de visión interior se comunican generalmente con sus partes de modo kinestésico o aural, lo que puede desorientar a quienes están acostumbrados a ir por el mundo sirviéndose de los ojos. En cualquier caso, parece que concentrarnos en el interior nos permite penetrar y ver (o sentir o percibir) un mundo que ya existe. El término *comunicación interna*, por consiguiente, pretende designar la «comprensión profunda» que nace de la indagación interna, tanto si la experiencia es de naturaleza visual como si no.

Los clientes privados de ver el interior al principio de la terapia suelen estar dominados por uno de los varios tipos de protectores, incluyendo a las partes muy racionales, analíticas y esforzadas −preocupadas por el rendimiento−, las que no confían en el terapeuta y las que no confían en la estrategia de la IFS. Cuando los clientes no pueden ver a sus partes, nos dejamos llevar. Si creemos en el modelo y nos interesamos por las vivencias del cliente, sus directivos acabarán por relajarse y tal vez aflore la visión interna. En cualquier caso, las imágenes no son un requisito para usar la comunicación interna. Los clientes que nunca ven a sus partes pueden igualmente notarlas e interactuar con ellas. La comunicación interna sólo precisa de la voluntad de sintonizar internamente.

CON LA COMUNICACIÓN INTERNA, EL CLIENTE SE CONVIERTE EN EL TERAPEUTA

Con la contribución inicial del terapeuta, muchos clientes pueden identificar a un gran número de partes y ayudarlas a diferenciarse rápido del Self, tras lo cual el Self del cliente será capaz de comunicarse con las partes del cliente. En efecto, el Self del cliente toma el rol del terapeuta y el terapeuta ejerce de guía complementario y testigo. Una vez que los clientes saben emplear la comunicación interna, pueden practicarla entre una y otra sesión para fomentar su confianza y no depender tanto del terapeuta. En clientes capaces de acceder lo suficiente al Self, la comunicación interna suele ser eficaz. Cuando un cliente no es capaz de acceder al Self, recurrimos al acceso directo, como explicamos a continuación.

* * *

EL ACCESO DIRECTO

En el acceso directo, el terapeuta se comunica con partes del cliente sin la intermediación del Self del cliente. El Self del terapeuta puede hablar directamente con las partes del cliente, favorecer el diálogo entre las partes del cliente o dirigirse al Self del cliente (p. ej., «¿Puedo hablar directamente con la parte que se adormece durante las sesiones? De acuerdo. Quiero hablar con la parte que se adormece en la terapia. ¿Está ahí?»). Si el cliente tiene antecedentes de trauma extremo, el acceso directo puede ser la mejor opción y servir por bastante tiempo de puerta principal al mundo interno.

El acceso directo tiene varias ventajas. Cuando los clientes están muy heridos o asustados, es posible que sus protectores apenas confíen en nadie, por lo que podrían tener que aprobar al terapeuta hablándole directamente. Un superviviente de incesto crónico, por ejemplo, puede rechazar de pleno el concepto de los recursos internos infrautilizados (el Self). Si los protectores no permiten encarnar al Self del cliente, de nada servirá tratar de poner al mando al Self del cliente. En este caso, el acceso directo no sólo es más eficaz que la comunicación interna: también es más seguro al brindar a los protectores recelosos la oportunidad de forjar una relación con el Self del terapeuta, que puede ayudarles a resolver sus polarizaciones como lo haría el Self del cliente. Esta ayuda les despierta la curiosidad por el Self del cliente y los prepara para pasar a la comunicación interna cuando confíen más.

Por consiguiente, cuando los protectores bloquean al Self del cliente, ejercemos de Self del sistema del cliente. Con el acceso directo, dedicamos buena parte de cada sesión a hablar con una parte u otra. Asimismo, podemos contribuir a que dos partes hablen entre ellas. Pese a que dirigirse directamente a las partes parece una estrategia similar a la descrita en la literatura sobre el trastorno de identidad disociativo, difiere en un aspecto importante. Una vez que las partes del cliente empiezan a confiar en el terapeuta, éste les propone ceder espacio en el interior, para que emerja el Self del cliente. Cuando por fin acceden, el terapeuta traspasa el liderazgo al Self del cliente, empezando con las necesidades que surgen entre sesiones. En cambio, los terapeutas de DID no saben del Self, por lo que básicamente aplican el acceso directo con los clientes durante todo el tratamiento.

El acceso directo puede ser complicado, porque las partes muy reactivas denunciarán cualquier deficiencia del sistema del terapeuta. Por eso, al trabajar con clientes enormemente polarizados, sólo recurrimos al acceso directo si podemos liderar con el Self independientemente de una gran variedad de provocaciones. En caso de no lograr mantener el liderazgo del Self en medio de los ataques de una parte extrema, lo mejor es admitirlo y disculparse. Cualquier tentativa de cubrir a nuestros protectores mermará la confianza del cliente. Dicho esto, la experiencia nos dicta que el acceso directo es una gran oportunidad de conocer a algunas partes poderosas, y que esa interacción puede ser tan gratificante para el terapeuta como para la parte.

Por último, el acceso directo permite a las partes encarnarse y expresarse plenamente, y nosotros podemos ver a las partes en acción. Cuando una parte se encarna, cambian el tono, la postura y los movimientos del cliente: muestran gráficamente sus personalidades internas e impresionan hasta a los terapeutas escépticos con una ilustración en vivo de la multiplicidad psíquica. El acceso directo también ayuda a las partes a saber de sus sentimientos y pensamientos y a expresarlos con palabras. Quizá a los estudiantes de IFS les interese familiarizarse con el concepto de las partes dedicándose por un tiempo exclusivamente a practicar el acceso directo con algunos de sus clientes menos polarizados.

EL ACCESO DIRECTO COMBINADO CON LA COMUNICACIÓN INTERNA

Para muchos clientes, el acceso directo es un buen complemento de la comunicación interna (ver la tabla 8.2). Antes de pasar a la comunicación interna, recurrimos a menudo al acceso directo para comentar con las partes directivas del cliente lo que queremos hacer y cuán seguro será. Eso brinda a los directivos la ocasión de examinarnos. En cuanto tenemos su permiso para seguir, pasamos a la comunicación interna. No obstante, podemos volver igual al acceso directo siempre que hacerlo pueda dar mejores resultados.

TABLA 8.2. Cuándo y por qué recurrir al acceso directo

RECURRE AL ACCESO DIRECTO PARA...

- Hablar con las partes directivas sobre el plan terapéutico.
- Brindar a los protectores una ocasión de relacionarse con el terapeuta.
- Hablar con partes muy activadas o con partes a las que tema el sistema.
- Dirigirse a una parte que se niega a hablar con el cliente.
- Favorecer el proceso de diferenciación.

VENTAJAS DEL ACCESO DIRECTO

- Las partes pueden encarnarse para expresarse plenamente.
- Las partes pueden saber de sus sentimientos y pensamientos expresándolos con palabras.
- Los protectores pueden aclarar sus intenciones y objetivos.
- Los protectores conectan con el Self del terapeuta, y también se sienten más conectados con el Self del cliente, que los escucha.
- Al contemplar la entrevista llevada a cabo con acceso directo, las otras partes acaban viendo de otra manera al entrevistado (la parte), le temen u odian menos y están más dispuestas a incluirlo.
- Todo ello puede contribuir a que muchas de las partes accedan a diferenciarse.

INCONVENIENTES DEL ACCESO DIRECTO

- Ineficacia, lentitud.
- Riesgo de dirigirse a una parte sin permiso de los protectores.
- Posibilidad de que estimule la transferencia, lo que puede dificultar la tarea del terapeuta.
- Ausencia de fomento del apego de las partes al Self del cliente.

Si, por ejemplo, una parte (o un grupo entero de partes) está muy activado y el Self del cliente no logra hacerse valer, podemos pedir dirigirnos a la parte focalizada directamente. Por otro lado, si en cualquier momento nos parece que la terapia progresaría más si una parte recelosa tuviera contacto personal con el Self del terapeuta, podemos solicitar hablar directamente con esa parte. En general, la terapia fluye más cuando los protectores inquietos tienen la oportunidad de expresarse, aclarar lo que pretenden y sentirse comprendidos.

LOS INCONVENIENTES DEL ACCESO DIRECTO

El acceso directo tiene tres inconvenientes. El primero es la ineficacia. En términos generales, es más lento que la comunicación interna, sobre todo si estamos ayudando a un grupo entero de partes. En segundo lugar, existe el riesgo de infringir las reglas del sistema al dirigirnos sin permiso a una parte. El acceso directo con sistemas muy polarizados y plagados de conflictos es una operación delicada. Podemos vernos tentados de hablar con un exiliado (o un protector exiliado) antes de que el sistema pueda tolerar su aparición. Al abordar a una parte directamente, cuesta más saber con certeza si tenemos pleno permiso del resto del sistema (asimismo, en cuanto hablamos con una parte «caliente», es probable que el resto del sistema le tenga menos miedo). Finalmente, con el acceso directo las partes forjan un apego con el terapeuta y no con el Self del cliente; no pasa nada mientras sea temporal y el Self del cliente se incorpore lo antes posible.

EL ACCESO DIRECTO Y EL EXILIADO ABRUMADO

Los exiliados tienen la capacidad de decidir si van a abrumar o no al cliente emocionalmente. Se trata de uno de los hallazgos más importantes de la IFS. Si a un cliente le sobrepasan los sentimientos o recuerdos aterradores, o de pronto se transforma en un niño sollozante, muerto de miedo y desesperado en medio de una sesión, es probable que un exiliado se esté adentrando en la conciencia y abrumando emocionalmente al cliente. Si el terapeuta cree que esta clase de episodios son signo de una patología, el temor podría conducirle a ahuyentar a la parte con habilidades de estabilización o alguna técnica que puede tener un tono directivo. En ese caso, se estaría enviando a la parte el mensaje de que no es bien recibida y debe marcharse.

Para nosotros, la aparición de terror o desesperación denota la necesidad de auxilio de una parte, no una patología más profunda.

Esta perspectiva es fundamental para la IFS. Ante pánico, *flashbacks*, disociación, llanto inconsolable y otras conductas atribuladas, pedimos permiso para dirigirnos directamente a la parte. Entonces le hablamos (mediante el acceso directo) de un modo tranquilizador, amable y respetuoso. Le preguntamos por su situación y la animamos a separarse, aunque sólo sea un poco, y dejar que el Self del cliente eche una mano. Los exiliados casi siempre colaboran y el cliente enseguida se estabiliza. No nos cansaremos de insistir en la importancia del liderazgo del Self del terapeuta. La amenaza del desbordamiento emocional de un exiliado activa a los protectores y oculta al Self del cliente; por consiguiente, las negociaciones destinadas a diferenciar y así moderar el estado emocional del cliente casi siempre se llevan a cabo mediante el acceso directo, con el Self del terapeuta dirigiéndose a las partes del cliente.

Como ya hemos dicho, los investigadores Singer y Klimecki (2014) explicaron que el acto de *sentir con* puede entrañar una profunda sensación de compenetración y conexión (lo que nosotros denominamos *empatía madura*) o causar desbordamiento emocional, con el consiguiente aislamiento social (que ellos denominan *contagio emocional* y *angustia empática*). En cambio, el *sentir hacia* (la compasión) se asocia a sentimientos y pensamientos positivos orientados al prójimo, así como a la conducta prosocial. Por lo tanto, el *sentir hacia* (la compasión) genera estabilidad interna, mientras que el *sentir con* (la secuencia que va desde la angustia empática hasta la empatía madura) puede desestabilizar internamente, según (en términos de la IFS) el grado de diferenciación interna de las partes con respecto al Self. Singer (comentario personal, noviembre de 2017) también descubrió que la respuesta compasiva del *sentir hacia* se manifiesta en una red neural (circuito de recompensa) distinta a la de la respuesta empática del *sentir con* (circuito del dolor). Según nuestra experiencia, el *sentir con* de una parte puede fundamentar gratamente el *sentir hacia* del Self sin saturar emocionalmente. Creemos que hay más probabilidades de que sea así cuando la parte tiene buena relación con el Self.

En cambio, cuando los terapeutas tememos y evitamos a nuestros propios exiliados y los dejamos llevar cargas a cuestas, éstos se activan empáticamente en respuesta a los exiliados de los clientes, lo que a su vez lleva a nuestros protectores a intentar controlar a los clientes (y a nosotros). Nuestro objetivo, por consiguiente, es estar presentes, con la consciencia plena, con nuestros propios exiliados, y sanarlos. Cuando nuestras partes se sienten atendidas, podemos empatizar y liderar con el Self. Cuando lideramos con el Self, nos sentimos conectados y cuidamos con esmero de los demás. Y aún más: contamos con la claridad precisa para ver y oír sus sentimientos sin que nuestro propio dolor proyectado los distorsione; estamos tranquilos y deseosos de saber cómo ayudar; y disponemos de la seguridad, la creatividad y la valentía para actuar eficazmente por ellos (ver la tabla 8.3).

TABLA 8.3. La empatía y la compasión en el lenguaje de la IFS

- **De parte cargada a parte cargada:** (*Ser* el otro) contagio emocional, angustia empática, desbordamiento emocional
- **De parte no cargada a parte no cargada:** (Compenetración emocional y *sentir con* el otro) empatía
- **Del Self a la parte:** (*Sentir hacia* el otro con interés y consideración) compasión
- **Del Self al Self:** Sintonía y conexión compasivas, sinceras y empáticas

CONEXIÓN ESTABLE

El propósito último de la IFS es una conexión estable en varios aspectos. El primero es la conexión entre el Self y las partes (del Self a la parte), que se caracteriza por la compasión y favorece el equilibrio y la armonía interiores; el segundo es entre el Self de una persona y el Self de otra (del Self al Self), que se caracteriza por la compasión y la bondad; y el tercero es entre las partes que se han zafado de sus cargas (de parte descargada a parte descargada). Las relaciones entre partes descargadas se caracterizan por la compenetración emocional y contrastan enormemente con el contagio, el desbordamiento, la angustia y la reactividad de los protectores, rasgos endémicos en las relaciones de las partes cargadas. Nuestra tarea consiste en ofrecer a las partes exiliadas y angustiadas la atención que anhelan a cambio de no abrumar al Self, una oferta que raramente rechazan. Pedir a los exiliados que no desborden al Self es un modo de remediar el gran problema de las emociones desreguladas en la psicoterapia.

ARRANCAR CON EL ACCESO DIRECTO

El acceso directo no es difícil. Al igual que la comunicación interna, este simple método arranca con el cliente enfocándose en el interior. Cuando el cliente identifica una sensación, sentimiento o pensamiento, le encaminamos a concentrarse en ello como parte y preguntarle a esa parte si accedería a comunicarse directamente con el terapeuta. Si a la parte le parece bien, la siguiente conversación transcurriría más o menos así:

Terapeuta: Deja que la parte seas tú. Y tú también puede mirar.

Marcela: Se me hace raro, pero voy a intentarlo.

Terapeuta: Bien. Yo preguntaré. Y si ella no quiere hablar, no pasa nada, ya haremos otra cosa. ¿Lista?

Marcela: Sí.

Terapeuta: Quiero hablar con la parte de Marcela que desconfía. ¿Está ahí?

Marcela: *(Después de una pausa, asiente).*

Terapeuta: *(Prosigue).* ¿Qué le dice a Marcela?

[Para diferenciar a la parte de Marcela, el terapeuta inquiere sobre cómo se relaciona la parte con Marcela].

Parte de Marcela: Le digo que no se fíe de nadie.

Observamos que, tras hacer una pregunta sobre la relación, la parte habla de sí misma como una entidad separada de Marcela. La tabla 8.4 enumera distintos modos de formular estas preguntas iniciales.

Tras la respuesta de la parte, el terapeuta prosigue con los mismos tipos de preguntas empleadas en la comunicación interna. Estas preguntas abarcan un amplio espectro, desde las verdaderas intenciones y su nuevo rol deseado hasta los modos en los que querría que el Self echara una mano.

TABLA 8.4. Algunas preguntas iniciales del acceso directo dirigidas a la parte focalizada

- ¿Qué le dices (o haces) a Marcela?
- ¿Por qué le dices (o haces) eso a Marcela?
- ¿Qué le haces pensar (o hacer) a Marcela?
- ¿Qué haces por Marcela?
- ¿A quién ves al mirar a Marcela?
- ¿Qué crees que Marcela piensa de ti?
- ¿Qué temes que ocurriría si dejaras de hacerle esto a Marcela?
- ¿Qué edad crees que tiene Marcela?
- ¿Qué edad tienes?

Finalmente, tras obtener toda la información que parezca relevante, el terapeuta pregunta si la parte desea añadir algo y le agradece el haberse dado a conocer. Entonces le pedimos al cliente que comente la experiencia. Aunque la mayoría de los clientes se muestran interesados, a algunos se les hace raro contemplar al terapeuta conversar con una de sus partes (a menudo una parte que se niega a hablar con ellos). Si el cliente cree que eso es un signo de enfermedad mental, volvemos a abordar el tema de la multiplicidad psíquica, destacando que es normal tener partes, y que las partes accedan a hablar con el terapeuta antes de hacerlo con el cliente. Sigamos con la parte desconfiada de Marcela.

TERAPEUTA: ¿Qué es lo más importante que saca Marcela al no confiar en nadie?

PARTE DE MARCELA: Estar a salvo.

TERAPEUTA: Es razonable. Sé que Marcela ha corrido mucho peligro. ¿Qué le dices a ella sobre los demás?

PARTE DE MARCELA: Le digo que la gente es mala y le hará daño. Y que me crea, porque ella es igual. Ella también es mala.

TERAPEUTA: ¿Y Marcela te cree?

PARTE DE MARCELA: Casi siempre.

TERAPEUTA: ¿Qué temes que pueda pasar si dejaras de decirle eso a Marcela?

PARTE DE MARCELA: Es joven y estúpida. No sería buena idea.

TERAPEUTA: ¿Cuántos años tienes?

PARTE DE MARCELA: Más que ella.

El terapeuta tal vez quiera seguir preguntando a esa parte y saber más de ella, pero si ha detectado una oportunidad también podría proponer a la parte que conociera al Self de Marcela. Si la parte se niega, el terapeuta puede volver a formular preguntas que sustancien el rol, las motivaciones, los propósitos y los miedos de la parte, así como sus razones para no querer conocer al Self. Cuando la conversación con la parte parece haber llegado a su fin, el terapeuta pide hablar con Marcela.

TERAPEUTA: Gracias por explicarme todo eso. Como te he dicho, dada la biografía de Marcela, me parece del todo razonable que desconfíes de la gente, y serás tú quien decidas cuándo quieres conocer a la Marcela que no es una parte. También entiendo por qué te cuesta confiar en mí, y quiero que sigamos comentándolo. Creo que mi trabajo consiste en esforzarme por ganarme tu confianza, y entiendo que eso pueda llevar un tiempo. ¿Te parece bien si ahora vuelvo a hablar con Marcela?

PARTE DE MARCELA: De acuerdo.

TERAPEUTA: ¿Estás ahí, Marcela? ¿Has oído todo esto?

MARCELA: Sí.

TERAPEUTA: ¿Qué piensas ahora de esta parte?

MARCELA: La verdad es que agradezco que trate de mantenerme a salvo. Quiero ayudarla.

Como vemos al final de este bloque de acceso directo, tras escuchar al terapeuta dialogar con este vehemente protector, Marcela lo comprende y valora más. Eso significa que ha habido algo de diferenciación, a pesar de que el Self del cliente no participara directamente. Con este nivel de separación, sumado a la gratitud de la clienta, su relación cobrará brío.

CONVERSACIONES DE DOS SILLAS

Muchos clientes se manejan bastante bien sentados en una silla durante toda la sesión y relacionándose con sus partes sin exteriorizarlas. A algunos, sin embargo, exteriorizar a las partes puede serles de gran utilidad. En ese caso, podemos propiciar un diálogo entre una parte y el Self del cliente con la técnica de las «dos sillas» de la terapia Gestalt, designando una silla para la parte y, en frente de esta, otra silla para el Self. El cliente encarna a cada uno por turnos, desplazándose entre las dos sillas, y la parte y el Self conversan hasta que su relación progresa.

Para generar diálogo entre dos partes o más, podemos aplicar el mismo procedimiento. Tras acceder a las partes y asignarles sillas, el cliente va de una silla a otra y habla en nombre de cada una de las partes. El cliente también puede cambiar ligeramente de postura sin moverse de una misma silla, o hacerse a un lado sentado en un sofá, para indicar el cambio de parte interlocutora. Entretanto, nuestro cometido es interactuar con esas partes tal como un terapeuta familiar liderado por el Self interactuaría con familiares externos. Entablamos relación con ellos e incluimos al Self del cliente lo antes posible. Se conduzcan como se conduzcan, los diálogos con sillas no son la única opción para la comunicación exteriorizada. Sabemos que los terapeutas de IFS aplican muchas otras técnicas de exteriorización, con adultos y con niños, incluyendo la caja de arena, marionetas, barajas de cartas con ilustraciones de motivos de la IFS, dibujos y mapeos de las partes, así como varios tipos de psicodrama.

CONCLUSIÓN

En este capítulo hemos descrito e ilustrado las dos estrategias de la IFS para comunicarse con las partes: la comunicación interna y el acceso directo. En la comunicación interna, el Self del cliente dialoga con las partes del cliente internamente, mientras que en el acceso directo, el Self del terapeuta se dirige a las partes del cliente directamente bajo la mirada del cliente. Ambas son valiosas y eficaces. Ahora bien, cuando las partes de un cliente apenas confían en el Self, o cuando éste no está disponible, recurrimos principalmente al acceso directo, que nos ayuda a ayudar a los clientes a manejar emociones intensas, sin emplear prácticas de estabilización que podrían transmitir a partes vulnerables un mensaje erróneo. Asimismo, el acceso directo contribuye a que las partes confíen en que la diferenciación y la autorización del retorno del Self del cliente no entrañarán riesgos y aportarán muchos beneficios.

CAPÍTULO 9

Encontrar, focalizar y describir a los protectores

En la formación en IFS recorremos seis etapas con las partes protectoras, denominadas las 6 F (Anderson *et al.*, 2017): *find* (encontrar), *focus* (enfocar), *flesh out* (sustanciar, describir) *feel toward* (sentir hacia), *befriend* (trabar amistad) y *explore fears* (explorar los miedos). En este capítulo abordamos cómo ayudar al cliente a encontrar una parte focalizada, enfocarse en ella y describirla. El último punto no lo concebimos de forma estricta, puesto que las partes pueden aparecer de modo kinestésico o aural, y cuando se manifiestan visualmente pueden tanto tener una forma geométrica o de nube como humana. Más allá de cómo percibamos las partes, cuando viajamos al interior (prestamos atención internamente), enseguida pasamos a un estado liminal donde somos conscientes del entorno, pero nos sentimos como si estuviéramos en otro mundo. Cuando el cliente se adentra en ese estado, también lo hace el terapeuta liderado por el Self, y eso le permite vislumbrar mucho de lo que contiene el sistema interno del cliente. Ahora bien, nuestra tarea es preguntar, no afirmar, así que orientamos al cliente en la exploración de su sistema y toda esa información se revela de modo natural.

* * *

CUANDO LAS PARTES SE RESISTEN AL LENGUAJE DE LAS PARTES

Muchos clientes se habitúan con facilidad al lenguaje de las partes, pero los hay con partes que oponen resistencia. Puede que teman que los tachen de locos, porque nuestra cultura lleva largo tiempo patologizando la multiplicidad; quizás no quieran enfocarse en lo que sucede en su interior o revelarlo; o a lo mejor les preocupa que el terapeuta los obligue a adoptar un punto de vista determinado. Además, algunos clientes simplemente están dominados por una parte que no piensa ceder terreno en ningún aspecto hasta que se sienta escuchada y se convenza de que el terapeuta comprende su perspectiva: «¡No hables de mis partes! El problema es que Stella me ensucia el baño». Las partes que se encuentran en esta tesitura estarán encantadas de desatar una guerra territorial por el lenguaje. Nuestro consejo es sencillo: no te dejes arrastrar. En lo que respecta al lenguaje, lo más fácil es emplear el que use el cliente —ya sea un *sentimiento*, un *pensamiento*, un *impulso*, un *dolor*, etc.—, hasta que se sienta más cómodo contigo y con la focalización interior.

TRES ERRORES COMUNES DE PRINCIPIANTE CON EL LENGUAJE

Quien no tiene experiencia con la IFS se expone a cometer tres errores al introducir el concepto de las partes (ver la tabla 9.1). El primer error se da al hablar de las partes con excesivo entusiasmo y demasiadas palabras, lo que vuelve cautelosos a los directivos del cliente. Desalentados ante esta cautela, los directivos de los terapeutas pueden empujar a los terapeutas a abandonar o vender el modelo más enérgicamente. El segundo error es mostrarse tan vacilante y falto de coherencia con el lenguaje del modelo que los directivos del cliente detecten peligro y opongan resistencia. El tercer error consiste en creer que a los clientes el lenguaje de las partes les parecerá tonto o raro y transmitir esa inquietud, lo que también vuelve cautelosos a los directivos del terapeuta. Cuanto más confiada –e incluso juguetona– sea la actitud del terapeuta con respecto al modelo y el lenguaje, más probabilidades habrá de que el cliente participe de buen grado. La cuestión, claro está, es que los terapeutas requieren tiempo y experiencia para sentirse seguros. Ésa es una de las razones de que gran parte de la formación en IFS sea práctica. También por eso recomendamos la experiencia de ser cliente con un terapeuta especializado en IFS.

EL VIAJE AL INTERIOR: GANARSE LOS CORAZONES PREGUNTANDO

Cuando los clientes acceden a probar el modelo, utilicemos o no el término *partes*, tenemos varias opciones. Seguramente la que representa menos amenazas sea simplemente preguntar. Al valorar los problemas del cliente e identificar a las partes, podemos indagar sobre la relación de cada parte con el Self del cliente, con otras partes y con quienes rodean al cliente. Lo que buscamos es hacernos una idea de los ecosistemas interno y externo del cliente. Si nunca has trabajado con la IFS, te aconsejamos que te tomes el tiempo necesario en esta etapa.

TABLA 9.1. Errores de principiante con el lenguaje

- Hablar de las partes con excesivo entusiasmo y demasiadas palabras, para luego, ante la resistencia, abandonar o vender el modelo más enérgicamente.
- Mostrarse tan vacilante y falto de coherencia con el lenguaje de las partes que los directivos del cliente detecten peligro y opongan resistencia.
- Creer que a los clientes el lenguaje de las partes les parecerá tonto o raro y transmitir esta inquietud.

Identificar a las partes del cliente y ser consciente de las relaciones dominantes del cliente le ayudará a adentrarse en su sistema sin riesgos. Cuando los directivos del cliente muestren una desconfianza o miedo intensos, hasta los terapeutas de IFS experimentados, confiados en su intuición con respecto al ritmo y capaces de detectar patrones relacionales comunes, querrán hablar un poco *con* las partes antes de ayudar al cliente a dirigirse *a* ellas. Sin embargo, una vez el cliente se ha acostumbrado al lenguaje de las partes y se muestra receptivo a una mayor exploración, lo siguiente es encontrar una parte focalizada.

* * *

ENCONTRAR UNA PARTE FOCALIZADA

Al comenzar la terapia obtenemos gran cantidad de información sobre el sistema del cliente. Podemos plasmarlo todo en una pizarra y mirarlo junto con el cliente, tomar notas por escrito o confiar en la memoria. Hagamos el seguimiento que hagamos de esa información preliminar, va bien ir recapitulando lo que oímos: «Dices que hay tres partes. Una que quiere trasladarse a Oregón, una que quiere matricularse en la universidad y una que sólo quiere quedarse aquí y encontrar trabajo ya para ahorrar dinero. ¿Es así?». Si el cliente da el visto bueno a nuestro resumen, pasamos a escoger una parte focalizada, mediante otra pregunta: «¿Quién necesita antes tu atención?».

ENFOCARSE EN LA PARTE FOCALIZADA
Y DESCRIBIRLA

Para dar con una parte focalizada, le pedimos al cliente que se enfoque en su interior, que observe y luego describa a la parte. Algunos clientes la encuentran, enfocan y describen casi a la vez, sin que hacerlo tenga nada de especial. En cambio, para otros, como aquéllos cuya experiencia subjetiva siempre se ha visto deslegitimada por figuras de autoridad, reparar en las partes y describirlas es algo novedoso y emocionante. Al empezar la terapia, muchos de quienes se han visto persistentemente disociados sólo perciben de manera vaga, pero igualmente se benefician mucho de las preguntas que los llevan a observar más de cerca. La curiosidad y la amabilidad son de gran ayuda a la hora de invitar a las partes a arriesgarse a darse a conocer. Asimismo, el terapeuta puede empezar a hacerse una idea de la experiencia interna del cliente, que puede ser caótica e incesante, muy modulada y pausada o clara y fácil de recorrer.

ENCONTRAR A LA PARTE FOCALIZADA EN UNA SENSACIÓN, SENTIMIENTO O PENSAMIENTO

Si un cliente no sabe de inmediato qué parte requiere atención primero (o, en una terapia en curso, si no hay ninguna parte de la semana anterior a la espera de que regrese el cliente), podemos decirle que se concentre en una sensación, sentimiento o pensamiento, que son portales al mundo interno. A continuación, presentamos cuatro ejemplos de localización de una parte focalizada: desde ver, oír y sentir a la parte hasta ser capaz sólo de sentir la presencia de una parte.

Leigh y el machacador del cráneo

Leigh necesita que la encaminen a prestar atención a su interior, distinguir a la parte que le machaca el cráneo y atender a lo que le dice.

TERAPEUTA: ¿Por dónde te gustaría empezar?
LEIGH: No sé.
TERAPEUTA: Concéntrate un momento en tu interior. ¿Qué percibes?

[El terapeuta encamina a Leigh a centrarse en su interior, algo que casi todos quienes sufren hacen sin darse cuenta].

LEIGH: Lo de siempre. Que no valgo para nada.

[Antes de prestar atención al interior, Leigh ya conoce en general el mensaje que su sistema interno recibe del comportamiento del machacador. Sin embargo, no le ha escuchado de verdad, y mucho menos ha entablado una conversación con él].

TERAPEUTA: ¿Cómo se manifiesta la parte que dice que no vales para nada?

[El terapeuta pasa inmediatamente de lo general a lo relacional y específico. Y lo hace con el lenguaje de las partes, al definir la vivencia de Leigh como la comunicación de una parte].

LEIGH: Supongo que lo oigo y me duele la cabeza.

TERAPEUTA: ¿Quieres empezar con eso?

[El terapeuta pide permiso para atender a este fenómeno].

LEIGH: Mmm. Quiero estar segura de hacerlo bien.

[Y enseguida aparece una parte ansiosa por cumplir las expectativas externas].

TERAPEUTA: No hay un modo correcto, así que es imposible que lo hagas mal. Tal vez percibas a una parte y sepas que está ahí. O puede que veas a la parte, que la oigas o la sientas físicamente. Nuestra tarea consiste en prestar atención a tu experiencia y detectar quién está ahí.

[El terapeuta da a conocer la detección, un paso fundamental hacia la diferenciación].

LEIGH: ¡Oh, ahora sí que veo al tipo! Tiene un mazo y anda machacándome todo el cráneo, como si fuera una campana. Dice «¡Toma! ¡Toma! Te lo tienes merecido. ¿Por qué no me escuchas?».

El directivo machacador de Leigh es gráfico y vivaz. Ahora no sólo le ve: también le oye y siente los efectos del machaque en el interior de la cabeza. En concreto, no le dice «No vales para nada», que era tal como las partes interpretaban el mensaje; lo que dice es «¿Por qué no me escuchas?».

Noah no ve a nadie

En cambio, Noah no ve a sus partes al arrancar la terapia. Sólo el tiempo dirá si eso va a cambiar. Como hemos dicho antes, un pequeño porcentaje de las personas, yo (R. C. S.) incluido, oye o siente a las partes en lugar de verlas. Tal vez Noah carezca de visión interna. Por otro lado, su parte focalizada podría estar demasiado asustada o mezclada para que la vieran, o un directivo podría estar bloqueándola. Si es así, el proceso interno de Noah se volverá visual más adelante. En cualquier caso, la terapia puede seguir.

NOAH: Quiero centrarme en la ansiedad.

TERAPEUTA: ¿Dónde la notas?

[El terapeuta pasa de inmediato a la experiencia corporal que tiene la clienta de la emoción que detecta. Las partes repercuten en el cuerpo y se manifiestan en el cuerpo].

NOAH: En el pecho.

TERAPEUTA: ¿Te parece bien que nos centremos en eso?

[El terapeuta pide permiso para detectar a la parte sin llamarla todavía parte].

NOAH: Sí.

TERAPEUTA: ¿Cómo notas la ansiedad?

NOAH: Es una sensación en el estómago que se me expande por todo el cuerpo.

TERAPEUTA: ¿Ves algo cuando se centra en ella?

[El ojo interno aporta una conexión ágil con las partes, así que el terapeuta comprueba si Noah tiene visión interna].

NOAH: No.

TERAPEUTA: ¿Qué piensas de la ansiedad?

[El terapeuta aborda directamente esta pregunta habitual de detección de las partes].

NOAH: Ay, Dios, ¡me tiene harto!

TERAPEUTA: ¿Accederían las partes que están hartas de ella a que tú la ayudaras?

[El terapeuta adopta ahora el lenguaje de las partes, sin haber catalogado aún como parte a la ansiedad].

NOAH: Hombre, claro, si supiera cómo. Te aseguro que lo he intentado.

TERAPEUTA: Si acceden, te enseñaré algo diferente.

[El terapeuta apela a la voluntad de los protectores de Noah, sabedor de que están escuchando].

NOAH: Lleva conmigo toda la vida. Con la ansiedad no hay nada que hacer.

[Noah habla en nombre de una parte resignada que ha perdido la esperanza].

TERAPEUTA: Hace mucho que te sientes así. Y has probado con otras cosas que no han servido. Es normal que tengas partes que no me crean. Ahora bien, ¿accederían a permitirte probar algo nuevo?

[El terapeuta legitima y pide permiso para continuar].

NOAH: No.

TERAPEUTA: ¿Puedes preguntar el porqué?

[Sin entrar en discusión, el terapeuta se interesa por los temores de los protectores].

NOAH: Oigo decir que la esperanza no sirve de mucho.

[Y un protector revela su temor].

TERAPEUTA: ¿Qué ocurre cuando tienes esperanza?

NOAH: Que me deprimo.

TERAPEUTA: ¿Qué te deprime?

NOAH: La decepción.

TERAPEUTA: Así que, si tienes esperanza y luego te decepcionas, te deprimes. ¿Es así?

[El terapeuta resume lo que acaban de hacer: remontarse a las raíces que el supuesto problema –la ansiedad– tiene en una parte deprimida].

NOAH: Sí.

TERAPEUTA: ¿Sería buena idea ayudar a la parte que se deprime al decepcionarse?

NOAH: Supongo.

TERAPEUTA: Pregunta en tu interior si sería buena idea.

[«Supongo» es ambiguo. En vez de quedarse ahí, el terapeuta se ciñe al proceso de escucha de los protectores hasta que den una respuesta afirmativa].

NOAH: Noto mucha reticencia. Dicen que vale, pero se reservan el derecho a interrumpirnos en cualquier momento. No quieren que la parte deprimida lleve el control.

TERAPEUTA: Ni yo. Vamos a preguntarle a esa parte si, a cambio de tu atención, estaría dispuesta a no tomar el control.

[El terapeuta legitima las inquietudes de este protector y propone negociar la diferenciación con el exiliado para avanzar].

NOAH: Oigo que sí.

TERAPEUTA: Entonces, ¿le parece bien a la parte deprimida que continuemos?

[El terapeuta vuelve a pedir permiso para seguir].

NOAH: Sí.

TERAPEUTA: Antes de hacerlo, tengo una pregunta. ¿Me permites?

NOAH: Sí.

TERAPEUTA: ¿La parte que se decepciona y luego deprime es la parte ansiosa?

NOAH: Sí.

Como vemos, Noah tiene ansiedad desde pequeño y nada de lo que ha hecho hasta ahora ha contribuido a reducirla. No ve a la parte ansiosa (decepcionada, deprimida), la siente. Hay otras partes a quienes frustra esta ansiedad, pero no están dispuestas a permitir que Noah deposite esperanzas en algo nuevo, porque el fracaso y la decepción, que ya se han dado anteriormente, activan la depresión. Conscientes de todo eso, Noah y su terapeuta pueden negociar con la parte ansiosa, para que el Self de Noah esté presente y sus protectores se sientan a salvo al ponernos manos a la obra.

Elijah baila con su exiliado

Como tercer ejemplo, éste es un cliente que percibe sus partes y se mueve con ellas, viéndolas sólo vagamente, como sombras. Elijah es un bailarín de 25 años. Es homosexual y sus padres son cristianos fundamentalistas que viven en una comunidad homófoba. Acudió a terapia porque quería convencerlos, en sus palabras, de «alejarse» de sus prejuicios y ser sus padres. Los describe como buenas personas, muy religiosas y activas en su congregación, y está convencido de que quieren volver a conectar con él, su único hijo. Paralelamente, algunas de sus partes los temen.

ELIJAH: Mis padres pueden ser crueles.

TERAPEUTA: ¿Y quién necesita de tu ayuda?

[El terapeuta lleva inmediatamente a Elijah a lo que denominamos un giro de 180°, para que se centre en sus partes internas (un punto de vista que motiva a las partes a separarse del Self), en vez de alentar a sus partes a centrarse en sus padres (perspectiva desde la que probablemente permanecerán mezcladas)].

ELIJAH: No quiero que el miedo tome el control. Yo sé que ellos son más que eso.

[Elijah menciona a una parte].

TERAPEUTA: Entonces, ¿quieres ayudar a esa parte asustada?

ELIJAH: Sí.

TERAPEUTA: ¿Dónde la notas?

[El terapeuta invita a Elijah a ubicar a la parte físicamente].

ELIJAH: En el estómago.

TERAPEUTA: ¿La ves?

[El terapeuta comprueba cómo el cliente percibe sus partes].

ELIJAH: Como una sombra. Más que verla, la siento.

TERAPEUTA: ¿Qué sentimientos te inspira?

[El terapeuta comprueba la energía del Self].

ELIJAH: Compasión.

TERAPEUTA: ¿Y cómo te responde?

ELIJAH: Con pesimismo.

TERAPEUTA: ¿Qué necesita de ti?

[Como Elijah accede sin dificultad a su Self, el terapeuta invita a la parte a expresar sus necesidades].

ELIJAH: Creo que vamos a irnos a vivir juntos.

TERAPEUTA: ¿Quieres trasladarte a esta estancia con ella?

ELIJAH: *(Cerrando los ojos)*. No. Nos mudaremos juntos al interior.

[Ahora está al frente el Self de Elijah].

TERAPEUTA: *(Al cabo de unos instantes)*. ¿Qué tal va?

[El terapeuta pasa revista. Nosotros decidimos si hacerlo observando al cliente para detectar cuándo puede necesitar ayuda. Los clientes inmersos en un proceso profundo pueden sentir que se los ha interrumpido. En ese caso, conviene que se sientan libres para expresarlo. Si el cliente pide que no se le interrumpa, vale la pena preguntar más tarde y averiguar lo que mejor funciona para el sistema de este cliente. Al mismo tiempo, las partes disociativas pueden tomar las riendas sin apenas señales externas, así que es acertado pecar de exceso de celo con clientes nuevos o que hayan señalado que les preocupa la disociación].

ELIJAH: A esta parte le gusta estar conmigo.

TERAPEUTA: ¿Va a confiar en ti?

ELIJAH: En mí sí…, pero en mis padres no.

TERAPEUTA: ¿Funcionará?

[El terapeuta vuelve a dejarse llevar por el Self de Elijah].

ELIJAH: Creo que, antes de actuar, tengo que pasar más tiempo con esta parte. Aún no está preparada. No les hablaré hasta que ella esté preparada.

Observamos que Elijah acude a terapia con un objetivo concreto y mucha energía del Self, pero ese objetivo asusta a una parte que siente que sus padres le hicieron daño. El cliente se compadece de la parte y encuentra el modo de estar con ella, lo que conlleva el traslado de su Self y esa parte, juntos, al interior.

Una pared obstruye la visión de Toshi

Y, por último, un cuarto ejemplo de comunicación interna con una mujer de 45 años que siente y luego oye a una parte a la que no ve hasta que un protector receloso se muestra más colaborador.

TOSHI: Hay alguien, pero no veo nada.

[Esta afirmación es un indicio de que, por lo general, Toshi tiene visión interna].

TERAPEUTA: ¿Cómo te das cuenta?

TOSHI: Sólo sé que está ahí. Pero es como si se hubieran encendido las luces.

TERAPEUTA: ¿Qué opinas de ese alguien?

[El terapeuta recurre a nuestra pregunta básica de detección de las partes y de detección de la energía del Self].

TOSHI: Me gustaría conocerle.

TERAPEUTA: ¿Cómo responde él?

TOSHI: Está en blanco.

TERAPEUTA: ¿Qué tal si llenamos ese vacío?

[Todas las partes son bienvenidas y todas las experiencias, incluso el vacío, son relevantes como mensajes de las partes].

TOSHI: Oigo una vocecilla decir «¡Pared!».

[Como a menudo ocurre, las partes premian la atención y paciencia con una comunicación más directa].

TERAPEUTA: ¿Hay una pared?

TOSHI: Sí. Cuando le he pedido a la pared que se apartara, me ha preguntado «¿Tú quién eres?».

TERAPEUTA: ¿Qué opinas de la pared?

[Tras descubrir a dos partes, la pared (que al principio Toshi percibía como un vacío) y la parte que ha dicho «¡Pared!», el terapeuta aborda la pregunta detectora de partes, para ver si otras partes reaccionan ante la pared y comprobar el nivel de energía del Self de Toshi].

TOSHI: Hombre, tendrá una razón para ser prudente..., ahora se está ablandando algo. Le digo que estoy aquí para ayudar.

[El Self de Toshi se hace evidente de inmediato en su respuesta].
TERAPEUTA: *(Al cabo de un rato de silencio).* ¿Cómo responde?
[Aunque Toshi tiene mucha energía del Self, su silencio prolongado en ese momento es ambiguo. El terapeuta, que desconoce si ahora la pared está hablando a Toshi o si ha pasado otra cosa, decide comprobarlo].
TOSHI: Se ha vuelto transparente. Detrás hay una persona de la altura de un niño.
TERAPEUTA: ¿Qué debe ocurrir?
[Como el Self de Toshi está presente y hay movimiento en el interior, el terapeuta no se interpone].
TOSHI: La pared no quiere que esa niña me agobie.
TERAPEUTA: Me parece bien. Pero también podemos pedir a la niña que no te agobie. Si dice que sí, ¿permitiría la pared que tú ayudaras a la niña?
[Ahora el terapeuta aprovecha para legitimar y acometer las inquietudes de la pared, que es un protector].
TOSHI: Sí.

Es obvio que Toshi puede detectar una parte sin verla. Entonces descubre que una pared la separa de esa parte invisible. Toshi cuenta con suficiente energía del Self para tranquilizar a la pared, y ésta a cambio le explica que teme el agobio emocional, preocupación número uno de los protectores. Cuando el terapeuta legitima esa preocupación y explica cómo evitar el agobio, la pared acepta colaborar.

Como muestran estos cuatro ejemplos, hay muchos modos de percibir a las partes y conversar con ellas. Para algunas personas, en la comunicación interna hay imágenes, sonidos y sensaciones; para otras, sólo uno de estos modos. Los clientes que no ven a sus partes necesitan con frecuencia saber que la experiencia subjetiva es muy idiosincrática y varía en gran medida.

* * *

CONCLUSIÓN

Encontrar, enfocar y describir son los tres primeros pasos de la indagación con IFS. Según lo disociativo que haya sido el cliente en la vida y la energía del Self a la que tenga acceso, estos pasos pueden fusionarse y transcurrir en un instante o estar muy diferenciados y llevar su tiempo. Tras presentar los conceptos y el lenguaje de la IFS, pedimos permiso a los directivos («¿Podemos comprobar qué ocurre en el interior?»). En cuanto nos dan luz verde, penetramos el mundo interno del cliente y localizamos a una parte focalizada al reparar en el cuerpo, los sentimientos y los pensamientos del cliente. Si la parte focalizada es un directivo, no hay problema en pasar a preguntas detalladas que permitan a los clientes investigar y articular su experiencia interna.

Ahora bien, si el paciente está en medio de la fuga de un exiliado y le cuesta manejarse, este tipo de indagación es problemática. Instamos a los terapeutas a mantenerse presentes y liderados por el Self cuando lleven a un cliente al interior por primera vez. Si el cliente es capaz de concentrarse sin desviarse enseguida y cambiar de tema, preguntar no entraña riesgos. Siempre que seguir adelante no sea peligroso, puede pasar que el cliente perciba el mundo interno visualmente, y que esas imágenes, al haberse detectado, adquieran mayor nitidez. Otros clientes sólo vislumbran vagamente su interior. Y otros tantos captan las partes de modo auditivo o kinestésico. Al igual que la IFS acoge a todas las partes, todas las formas de percibir son válidas y potencialmente significativas por igual.

CAPÍTULO 10

Sentir hacia, trabar amistad y explorar los miedos de los protectores

En el último capítulo hemos expuesto los tres pasos exploratorios que seguimos para identificar a una parte focalizada, representados por la regla nemotécnica *encontrar, enfocar* y *describir*. Estos tres pasos permiten a los clientes no familiarizados con su paisaje interno aprender a reparar en sus partes, mientras que quienes están más acostumbrados al mundo interno se vuelven expertos en localizar a sus partes. Después de esos tres, damos tres pasos más –*sentir hacia, trabar amistad* y *explorar los miedos*– que revelan las motivaciones de la parte y forjan su relación con el Self del cliente.

SENTIR HACIA

Siempre que queremos hablar con una parte focalizada, y también siempre que sospechamos que otra parte ha tomado el relevo al Self del cliente mientras entrevistamos a una parte focalizada, preguntamos: «¿Qué siente hacia la parte [focalizada]?» (ver la tabla 10.1). La respuesta del cliente a esta pregunta revela a una parte (p. ej., «¡La odio!», «Me da miedo» o «Me da pena») o al Self (p. ej., «Siento curiosidad», «Me siento mal por ella» o «Quiero conocerla»).

TABLA 10.1. ¿Qué opinas de esta parte (focalizada)?
La respuesta del cliente nos dice: • Si la parte focalizada está mezclada.   • Si una parte reactiva está mezclada.   • En qué grado está presente el Self del cliente.

Así es como la pregunta de *sentir hacia* saca a la superficie a las partes que reaccionan con intensidad (ya sea negativa o positivamente) a la parte focalizada. Si la respuesta del cliente destapa una parte reactiva, la ayudamos a apaciguarse y a hacer sitio para que pueda manifestarse más Self del cliente. A veces hay que pedir a varias partes seguidas que retrocedan. Si damos con una parte reacia a retroceder, esta se convierte en el nuevo objetivo de nuestras indagaciones, hasta que accede a retroceder.

La pregunta de *sentir hacia* pretende presentar las partes del cliente al Self del cliente. Cuando el sistema del cliente es muy reactivo y los protectores se niegan a colaborar, abandonamos temporalmente este paso y acometemos el acceso directo, para que el Self del terapeuta pueda trabar amistad con la parte focalizada y preguntar por sus miedos. Una vez que pasamos al acceso directo, la pregunta que cuenta no es qué inspira al cliente la parte focalizada, sino qué le inspira al terapeuta, lo cual (si estamos liderados por el Self) debería ser algo entre curiosidad y compasión.

La técnica de la habitación

Cuando las partes del cliente están menos polarizadas y más diferenciadas del Self, las partes del cliente colaboran más y es menos probable que haya que recurrir al acceso directo. Podemos dedicarnos únicamente a conocer a la parte focalizada. No obstante, hay veces en las que tiene demasiado miedo o es demasiado tímida para que la detectemos, o asusta a otras partes. En este caso, resulta práctica la técnica de la habitación mencionada anteriormente. Para empezar, le decimos al cliente que deje a la parte asustada o temible en una habitación. Para el sistema interno, la habitación es una separación literal, así que la técnica nos ayuda de dos formas. Primero, la parte focalizada tiene protección y se siente más a salvo; y segundo, otras partes con miedo o aversión a la parte focalizada se sienten más a salvo y tienen más probabilidades de permitir que el Self del cliente hable con esa parte.

Un par de advertencias sobre la técnica de la habitación. Para evitar que el exiliado vaya directamente a una habitación donde sucedió algo malo, sugerimos empezar con la instrucción «Deje la parte en una habitación o un espacio que transmita seguridad y comodidad». Si la parte focalizada se resiste a la idea de la habitación, tal vez le agrade saber que el objetivo es ayudar al cliente a prestar atención y escuchar; por consiguiente, cualquier espacio protegido que transmita seguridad —como un prado, un valle en el bosque o una nave espacial— nos irá igual de bien que una habitación. La idea es lograr separación física. Al ilustrar ese objetivo, las partes se sienten libres para mostrar sus sentimientos cuando gozan de esa clase de protección; las partes enfadadas a menudo la armarán en la habitación, hechas una furia, pero no saldrán.

Curiosamente, si el cliente accede a dejar a la parte en una habitación y la parte se manifiesta ahí (a veces más como una presencia percibida que visual), la técnica suele ser eficaz para aplacar la reactividad de otras partes, que se muestran más dispuestas a calmarse. Si la conversación marcha bien, podemos entonces preguntar si el Self puede entrar en la habitación para comprobar el estado mental y las prioridades de la parte. El siguiente caso práctico ilustra la técnica de la habitación. Dakota, una mujer de 32 años, ha hallado en su interior a una vieja bruja que amenaza a las otras partes con hechizos y castigos.

TERAPEUTA: Deja a la bruja sola en una habitación y tú quédate fuera.

DAKOTA: Vale, ya está ahí.

TERAPEUTA: ¿Qué sientes ahora por ella?

DAKOTA: Miedo, porque es mala.

TERAPEUTA: Te voy a explicar una ley importante del universo interno: si no tienes miedo, las partes malas o que asustan no pueden hacerte nada. Como la Dakota que no es una parte no va a tener miedo de esa parte mala, puedes decirle a la parte asustada que se tranquilice unos minutos y confíe en ti.

DAKOTA: ¿A quién se refiere con ese «ti»?

TERAPEUTA: Me refiero a la Dakota que no es una parte.

DAKOTA: *(Después de una pausa)*. De acuerdo, la parte asustada está dispuesta a probar.

TERAPEUTA: ¿Qué opinas ahora de la bruja?

DAKOTA: Ahora estoy enfadada con ella. Quiero que se vaya.

TERAPEUTA: Entendido. Dile también a la parte enfadada que confíe en ti por un momento. Puede irse a una sala de espera. ¿Eso funcionaría? Bien. Y ahora, ¿qué sientes por la bruja?

DAKOTA: Se la ve anciana y cansada. Me da pena. ¿De dónde ha salido?

TERAPEUTA: Pregúntaselo.

Para ver a la bruja con mayor precisión, Dakota tenía que ayudar a dos partes a diferenciarse: la que la temía y la que estaba enfadada con ella. A veces hay que ayudar hasta a seis o siete partes reactivas antes de que el Self esté disponible para auxiliar a la parte focalizada. Localizamos a las partes reactivas que necesitan ayuda para separarse preguntando al cliente «*¿Qué siente por esa parte?*». Si el Self del cliente está disponible, la respuesta reflejará cualidades del Self tanto en el contenido como en el tono de la voz. No hace falta que las partes reactivas se separen por completo, pero sí lo suficiente para que el cliente se sienta receptivo y curioso. En cuanto el cliente dice sentirse receptivo a la parte focalizada, pedimos al Self del cliente que entre en la habitación y descubra los miedos de la parte.

Los directivos parecidos al Self

Hay un tipo de directivo atento y solícito. Esta clase de directivos pueden parecerse mucho al Self del cliente. Al confundirse fácilmente con el Self del cliente, los llamamos *directivos parecidos al Self,* aunque a los clientes pueden ocurrírseles otros nombres (p. ej., *la parte similar).* Es importante recordar que lo que pretende una parte parecida al Self es, al igual que cualquier otro directivo, controlar a otras partes. Los clientes con visión interna verán a la parte parecida al Self, lo que nos dice que se trata de una parte y no del Self. La razón es que, cuando el Self está encarnado, nos vemos los brazos, las manos, la nariz, el regazo y las piernas, pero no vemos una entidad aparte.

En caso de que el cliente sí observe una imagen de sí mismo interactuando con sus otras partes, se trata de la parte parecida al Self. Le encaminamos a preguntar a esa parte si puede desplazarse un poco para que su Self también pueda estar presente. Como las partes parecidas al Self prefieren llevar el timón, muchas veces de entrada niegan ser una parte, y cuesta que accedan a separarse. Si no progresamos, especialmente cuando creemos que el cliente tiene un buen acceso al Self y todo debería ir bien, es que hay una parte parecida al Self mezclada. Asimismo, una parte parecida al Self puede estar al mando cuando, aunque el cliente parezca receptivo, seguimos notando que actúa conforme a un plan estricto.

TRABAR AMISTAD

Tras cerciorarnos de que el cliente tenga energía del Self suficiente, pasamos a trabar amistad con la parte focalizada. Si ésta se muestra colaboradora y dispuesta, tal vez demos este paso prácticamente sin darnos cuenta. Ahora bien, si la parte recela y está preocupada, puede llevarnos un tiempo. Como siempre, estudiamos lo que preocupa a la parte. Puede que la parte deba pasar más tiempo con el

Self del cliente para sentirse a salvo, que necesite la certeza de que el terapeuta no la está juzgando o de que otra parte esté interfiriendo. A los terapeutas de IFS principiantes pueden pasárseles indicios de interferencia. Entre otros indicios, el cliente —o el terapeuta— puede tener sueño, cambiar de tema, perder la imagen, expresar impaciencia con el progreso de la terapia o manifestar opiniones drásticas.

Este comportamiento del cliente podría ser indicativo de que un protector evita a un exiliado, pero también podría darse en respuesta a una parte mezclada del terapeuta. Puede que sean nuestras partes las que causan el problema, así que primero comprobamos nuestro interior. Si descubrimos que una de nuestras partes ha creado un problema, se lo decimos al cliente. Si éste era consciente de nuestra parte, se siente legitimado. Sin embargo, incluso aunque no haya reparado en nuestra parte activada, es probable que se sienta aliviado al ver que estamos dispuestos a responsabilizarnos de nuestras partes y que se alegre de que seamos sinceros. A los clientes les tranquiliza que seamos transparentes y nos responsabilicemos de nuestras partes. Por otro lado, si nuestras propias partes no se entrometen, le decimos al cliente que encuentre la parte implicada en el comportamiento problemático. Entonces proponemos a esa parte que hable abiertamente de lo que le preocupa y necesita. Para los protectores que han sobrevivido aparentando ser otra cosa y no cuentan con que les pidan su opinión y mucho menos con que ésta se respete, esta propuesta es una novedad.

Trabar amistad con los directivos

Trabar amistad conlleva escuchar, legitimar y respetar a la parte focalizada. Como en el resto de los pasos, los protectores marcan el ritmo y llegar a buen puerto depende tanto del nivel de energía del terapeuta como de la del Self del cliente. Siguiendo con el ejemplo de Dakota, el siguiente diálogo muestra cómo hacemos esas preguntas.

TERAPEUTA: ¿Qué dice la bruja?

DAKOTA: Que quería asustarme para que fuera buena chica y mi padre no se enfadara más conmigo.

TERAPEUTA: ¿Te cuadra eso?

DAKOTA: Madre mía. ¡Qué triste es! Con los años que llevaba siendo tan mala conmigo. Ella creía que era lo correcto.

TERAPEUTA: ¿Y qué le respondes?

DAKOTA: La estoy abrazando. Qué asco de trabajo.

TERAPEUTA: ¿Cómo responde ella?

DAKOTA: Se está secando los ojos.

TERAPEUTA: ¿Sabe que ya eres mayor?

DAKOTA: Le estoy diciendo que ya no soy esa niña. Que tengo 32 años. Que no le permitiré nunca más a nadie hablarme de esa manera.

TERAPEUTA: ¿Qué tiene que ocurrir?

DAKOTA: Se está quitando el disfraz de bruja. Como ya no quiere que nadie se lo tome en serio, lo donará a la beneficencia, para Halloween.

TERAPEUTA: ¿Qué le gustaría a ella hacer ahora?

DAKOTA: Quiere ayudarme si algún día tengo que enfrentarme a acosadores.

Puede que no logremos trabar amistad con los directivos tan rápido como en este ejemplo, pero siempre es un paso eficaz. Y como los directivos reconocerán estar cansados, siempre cuesta menos trabar amistad con ellos que con los bomberos. En cuento el Self de Dakota se muestra amable, la bruja confiesa que preferiría proteger del acoso en lugar de acosar.

EXPLORAR LOS MIEDOS

Una vez que el Self del cliente ha trabado amistad con la parte focalizada, el cliente (por medio de la comunicación interna) puede empezar a preguntar (ver la tabla 10.2). Sugerimos hacer una serie de preguntas sobre los miedos de los protectores con el propósito de descubrir las limitaciones por las que esa parte permanece en un rol extremo.

TABLA 10.2. Preguntas no dirigidas para valorar si el Self del cliente está presente y puede tomar el mando

- ¿Qué respondes a eso?

- ¿Qué debe ocurrir ahora?

Asimismo, sugerimos inquirir sobre el rol que la parte preferiría ejercer. Estas preguntas se pueden emplear con todos los protectores, incluidos los impulsivos e indulgentes bomberos y los directivos críticos, moralizantes, esforzados y perfeccionistas:

- ¿Por qué dices y haces esto [comportamiento extremo]?
- ¿Qué es lo que verdaderamente deseas para [nombre del cliente]?
- ¿Qué temes que suceda si dejas de hacer o decir esto?
- Si [nombre del cliente] fuera capaz de evitar que ocurriera [la consecuencia temida expuesta por la parte] para que pudieras abandonar este cometido y dedicarte a lo que quisieras, ¿qué harías?
- ¿Te gustaría que te ayudáramos a adoptar ese nuevo rol?

El siguiente diálogo refleja cómo hacemos esas preguntas.

TERAPEUTA: Esa parte es muy crítica contigo.
SOL: Cree que me equivoco demasiado.
TERAPEUTA: ¿Y estás de acuerdo?
SOL: Mmm. Tanta preocupación me parece algo exagerada.
TERAPEUTA: Pregúntale qué teme que suceda si deja de criticarte.

[Esta pregunta aclaradora es clave. Cuando al fin somos capaces de preguntar a una parte protectora por sus miedos, descubrimos a un exiliado o un protector polarizado. Si se revela un exiliado, seguimos la flecha descendente como se muestra más abajo (¿Y entonces qué pasaría?... ¿y luego qué?), hasta que el cliente nombra al exiliado (Que nadie me querría), y es el momento en que podemos ofrecer ayuda al exiliado].

SOL: Que no le caería bien a la gente.

[El miedo de esta parte apunta al exiliado que se sintió rechazado].

TERAPEUTA: ¿A quién no le caerías bien?

SOL: Dice que a mi padre y a mi hermano mayor.

TERAPEUTA: ¿Eso te cuadra?

SOL: Más o menos. En mi familia, mi hermano mayor era el perfecto.

TERAPEUTA: Pregúntale al crítico si tendría que seguir haciendo esto si tú pudieras sanar a la parte que se sentía inferior a tu hermano.

SOL: Dice que no.

TERAPEUTA: Y si ya no tuviera que criticarte, ¿qué preferiría esa parte hacer?

SOL: Mmm. Le gusta dibujar.

TERAPEUTA: ¿Le parece bien a esa parte que tú ahora ayudes a la que se sentía inferior a tu hermano?

[Antes de continuar, el terapeuta obtiene el permiso de la parte].

Obsérvese que, al inquirir sobre los miedos de un protector, el terapeuta busca obtener el permiso del Self del cliente para ayudar al exiliado al que protege, al que se ha identificado mientras charlaban. En este caso, el terapeuta proporciona a Sol preguntas para el crítico. Cuanto más decidido esté el protector, más ayuda podrá prestar el terapeuta temporalmente, aportando preguntas al cliente. En general, no obstante, sólo debemos dirigir durante el espacio de tiempo más breve posible. En vez de decirle a un cliente qué hacer o decir, según avanzamos podemos comprobar si el Self del cliente está listo para tomar el mando, formulando preguntas como «¿Qué responde usted a eso?» o «¿Qué debe ocurrir ahora?». Una vez diferenciado, el Self del cliente sabe cómo manejarse con todo el sistema, y el cliente nos dice qué está haciendo el Self, en lugar de preguntarnos qué hacer.

Preguntas y afirmaciones hipotéticas

En el ejemplo en que se interpela al protector de Sol con respecto a sus miedos, observa que el terapeuta se ciñe a tres estrategias: (1) observar y tranquilizar (ver la tabla 10.3), (2) hacer preguntas esclarecedoras y (3) hacer preguntas hipotéticas (ver la tabla 10.4). Todas las preguntas tienen por objeto ayudar a las partes a diferenciarse, pero las preguntas hipotéticas prescinden de desacuerdos y discusiones. Por consiguiente, la pregunta hipotética es nuestra fórmula mágica. Con una pregunta hipotética («Si la parte sanara, ¿qué le gustaría hacer?»), podemos presentar nuevas posibilidades optimistas y a la vez legitimar los miedos y el pesimismo justificado de una parte: «Por supuesto, no querríamos que Sol volviera a sentirse "inferior a", pero si él se sintiera a salvo, ¿tendrías que hacer este trabajo?». La pregunta hipotética elude la cuestión controvertida de si puede sanarse al exiliado —algo que el crítico sin duda considera imposible— y pasa directamente al final feliz. No le pedimos a la parte que suscriba este final feliz, ni siquiera que diga que es posible; nos limitamos a preguntar si estaría bien un final feliz.

TABLA 10.3. Afirmaciones para tranquilizar a los protectores

- No pretendemos quitarte nada.
- Tú mandas.
- Si no te gusta el resultado, puedes volver directamente a hacer lo que tan bien se te da.
- Eres una parte valorada de [nombre del cliente], siempre serás parte de [nombre del cliente] y, si sale bien, serás libre de hacer lo que prefieras hacer.

TABLA 10.4. Preguntas y afirmaciones hipotéticas

- Si [nombre del cliente] pudiese ayudar a la parte vulnerable [el exiliado] a descargarse, ¿seguirías teniendo que desempeñar este trabajo?
- Si tuviéramos un modo nuevo y más eficaz de prevenir ese desenlace negativo, ¿te interesaría?
- Si no te costara nada, ¿estarías dispuesto a permitirnos enseñarte que este desenlace mejor es posible?
- Si no te gusta el resultado, puedes volver directamente a hacer lo que tan bien se te da.
- Si funciona, serás libre de hacer lo que preferirías hacer.
- Si [nombre del cliente] fuera capaz de evitar que ocurriera [la consecuencia temida expuesta por la parte] para que pudieras abandonar este cometido y dedicarte a lo que quisieras, ¿qué harías?

En cualquier caso, sabemos por experiencia que las partes sólo responden *no* a esta pregunta si se nos ha pasado algún peligro oculto que debamos saber. La parte casi siempre coincide en que el final feliz es un buen desenlace, pero añade que no es posible. Entonces afirmamos que sí es posible y que podemos demostrarlo si la parte nos da la oportunidad de hacerlo. Nuestra tarea es hacer que este nuevo experimento (la presencia del Self del cliente con el exiliado) parezca costar tan poco que los protectores accedan a probarlo, aunque duden mucho de que vaya a funcionar.

Asimismo, al recurrir a las preguntas hipotéticas nunca hay que discutir. Si un protector discrepa en que algo bueno pueda suceder —lo cual es probable—, nos limitamos a legitimar su pesimismo: «Entiendo tus razones para verlo así, teniendo en cuenta tu experiencia». Al afirmar nuestra perspectiva optimista, ejercemos de «mercader de esperanza», pero no pedimos a las partes del cliente que compartan nuestro optimismo. Hacemos una oferta, no una demostración de fuerza. Nuestra oferta consiste en mostrar a la parte que este proceso funciona sin riesgos. Preguntamos: «Si no te costara nada averiguarlo, ¿estarías dispuesto a permitirnos enseñarte cómo lograr este mejor desenlace?». Invitamos: «Puedes mirar y, si te da demasiado miedo, nos puedes interrumpir, pararemos y nos ocuparemos de lo que te inquieta». Y afirmamos: «Si lo que digo resulta no ser verdad, puedes volver directamente a tu cometido. Nadie te va a quitar nada. Tú mandas». A los protectores que temen ceder el control puede costarles aceptar esta oferta, y los que temen la ruina de la decepción tal vez precisen pasar un tiempo con el Self del terapeuta, mediante el acceso directo antes de acceder a encontrarse con el Self del cliente o revelar a un exiliado. No obstante, un final feliz hipotético sin costes es, con el tiempo, muy persuasivo, y casi todos los protectores acaban por aceptar la oferta.

Los miedos de los directivos

Muchas veces los pacientes acuden a terapia alentados por un directivo interno o presionados por un directivo externo, como un progenitor, cónyuge, jefe, servicio hospitalario o juzgado. Si en ese momento el cliente está mezclado con un exiliado o un bombero, es probable que lo hayan enviado o derivado con motivo de una crisis. En cambio, si acude por iniciativa propia en busca de ayuda, seguramente lo ha decidido un directivo. Ahora bien, no hay que equivocarse creyendo que la iniciativa de un directivo significa que las partes protectoras internas están de acuerdo en ir a terapia. Sin duda, otros directivos o bomberos están ahí con sus propias inquietudes, y si no los invitamos a intervenir pueden entorpecer el progreso.

Los directivos se manejan por los miedos, muchos de los cuales no son válidos ahora, pero lo fueron en algún momento de la vida del cliente. Cuando comprendemos sus miedos, tenemos más probabilidades de hacernos con su colaboración. En cuanto abordamos sus miedos y se convencen de que colaborar en este nuevo proyecto no entraña riesgos, los directivos darán al Self acceso a los exiliados y ayudarán en vez de resistirse. La siguiente lista contiene los miedos habituales de los directivos, también resumidos en la tabla 10.5. Aunque no todos los directivos los suscriban, la mayoría suscribirá más de uno de ellos.

Los bomberos son peligrosos

Antes de tan siquiera intentar contactar con un exiliado, preguntamos por el riesgo de agresividad, suicidio, atracones y similares. Los bomberos que orbitan alrededor de los exiliados pueden ser peligrosos. Si el cliente se acerca a un exiliado, los bomberos pueden desplegarse. Algunos directivos están alertas a ello, otros tratan de negar la mera existencia de los bomberos. Si un directivo niega que haya peligro, pero los antecedentes del cliente dicen lo contrario, lo comprobamos directamente con los bomberos cuya existencia conocemos. El equilibrio de los sistemas internos puede ser muy frágil, así que necesitamos el permiso de los bomberos para acometer a los exiliados.

Los exiliados abruman

Los miedos de los protectores motivan gran parte del comportamiento que acarrea problemas a los clientes y los lleva a terapia. El miedo número uno de directivos y bomberos es que al cliente lo abrumen los sentimientos y creencias negativos de los exiliados. El miedo al desbordamiento emocional lleva a los directivos a inhibir y a los bomberos a distraer, con frecuencia mediante la desinhibición. Muchos métodos terapéuticos incluyen la adquisición de habilidades para regular las emociones, como hemos dicho anteriormente, para ayudar a los clientes a regular los sentimientos y prevenir la impulsividad. En la IFS, sin embargo, evitamos la reactividad extrema pidiendo al exiliado que no abrume al cliente con sus sentimientos. La posibilidad de que un exiliado decida no abrumar puede ahorrar al cliente mucho tiempo y energía. Naturalmente, pedirlo no garantiza que el exiliado vaya a colaborar. Si confía en el Self del cliente (y en el del terapeuta), sin embargo, normalmente aceptará. Cuando un exiliado no confía en el Self del cliente, no contemos con que colaborará sin antes haber reparado su relación con el Self.

A veces un exiliado está indignado porque el Self no ha estado disponible y la parte ha tenido que buscarse a otras personas, la mayoría de las cuales tampoco le ayudaron o fueron directamente dañinas. No obstante, si el Self legitima esta indignación y se disculpa, la parte no tardará en sentirse mejor y aceptar ayuda. Al producirse el acercamiento entre el Self y el exiliado, los directivos preocupados pueden ponerse nerviosos e intervenir. Casi siempre les pedimos que retrocedan, pero si insisten, escuchamos y nos ocupamos de lo que los inquieta antes de volver al exiliado. En la IFS, la «resistencia» es un directivo que pisa el freno. Al fin y al cabo, estamos metiéndonos en el delicado ecosistema interno de alguien traumatizado que tiene buenas razones para no confiar. Cuando respetamos y atendemos a los directivos, y cuando creen que sabemos cómo avanzar sin peligro, ayudan en vez de resistirse.

Será más de lo que (el terapeuta) puede soportar

A muchos clientes los han herido o abandonado familias, compañeros o terapeutas anteriores cuando sus exiliados salieron a la luz, y sus protectores temen que nosotros los tratemos igual. Piensan que revelar a un exiliado destruirá la relación terapéutica. Si el terapeuta no está cómodo con sus propios exiliados, este miedo es realista. Cuando nuestros directivos toman las riendas –o están decididos a hacerlo– después de que un cliente haya puesto al descubierto a un exiliado, estamos exponiendo a los clientes a un riesgo. En lugar de ser las personas de fiar, cálidas y empáticas que éramos cuando el cliente se arriesgó siendo vulnerable, podemos transformarnos enseguida (sin intención consciente) en alguien frío, impaciente o distraído, lo que confirma la sensación de falta de valía del cliente y le dispara el sistema protector. Todo esto pone de manifiesto la importancia de que los terapeutas mantengan una relación estrecha con sus partes y no pierdan el liderazgo del Self. Los terapeutas incapaces de ocuparse de sus propios exiliados no deberían trabajar con los exiliados de los clientes. En cuanto se abren los pórticos y el cliente tiene acceso a sus exiliados, nuestra responsabilidad es enorme. Los clientes no pueden permitirse que nuestros protectores los rechacen, abandonen o castiguen. No hay que abrir esa puerta hasta que podamos comprometernos a estar disponibles, pase lo que pase.

En este sentido, el terapeuta poco transparente, el terapeuta temeroso y el terapeuta furioso son un problema particular para los directivos del cliente. La falta de transparencia en el papel del terapeuta aumenta la presión de los directivos, sobre todo si tienen mucha importancia experiencias negativas del pasado. Muchos directivos necesitan sentir que al terapeuta le importa el cliente y no se limita a hacer un trabajo, pero a muchos terapeutas les han enseñado a ser opacos, por miedo a que manifestar directamente consideración fomente fantasías poco realistas o representaciones inapropiadas en la relación terapéutica. Esta combinación desafortunada puede dar lugar a una desconfianza separadora, creciente por parte de los directivos, y prolongar la terapia. Por consiguiente, si el cliente te importa, te aconsejamos que busques modos de dejárselo claro, incluyendo decírselo.

Lo segundo que preocupa al directivo receloso es el terapeuta temeroso. Muchos directivos, en especial quienes han pasado por traumas, no confían en categorías enteras de seres humanos: adultos, hombres, mujeres, cualquiera que parezca o actúe distinto, etc. Sucede tanto con terapeutas como con clientes. Y resulta que la terapia es cuestión de relaciones. No podemos tener miedo a los clientes y mantener con ellos una relación. Si nuestros directivos saltan a las barricadas ante la manipulación, la destrucción o la beligerancia de los protectores del cliente, es que no estamos disponibles. En particular, cuando el cliente se muestra agresivo, esa clase especial de directivo, la *parte del terapeuta* (llamada así por ser razonable, racional, contar con buena preparación, ser útil y confundirse fácilmente con el Self) puede verse tentado a intentar desviar la sesión a aguas más tranquilas. Además, cuando un cliente parece agresivamente «necesitado», nos corresponde entender que sus demandas de expresiones directas de cuidados y consideración proceden de partes jóvenes, cuyas fantasías de atenciones del terapeuta reflejan unas necesidades válidas insatisfechas. Estas partes no necesitan que las controlen, las repriman ni las traten con condescendencia; necesitan que las comprendan y que mantengan una relación con ellas. Por otro lado, las partes de nosotros, los terapeutas, no necesitan que se las empodere; ellas también precisan relacionarse, pero con nuestro Self, no con las partes del cliente. Las interacciones entre partes del cliente y partes del terapeuta raramente llegan a buen puerto.

La tercera preocupación, el terapeuta furioso, es igual de peligrosa. El terapeuta cuyos bomberos se activan en respuesta a clientes pueden hacer valer su rango y causar toda clase de estragos. Un terapeuta liderado por un bombero puede ser autoritario, frío, desdeñoso, disciplinario, intrusivo o seductor, o negar el peligro. Un cliente víctima del bombero de un terapeuta se traumatizará y sufrirá un retroceso. Tener buena relación con nuestros bomberos es un imperativo moral para quienes adoptamos el rol de terapeuta. El modelo de la IFS nos recuerda que todo el mundo tiene un Self, junto con otras partes menos hostiles, y nuestro cometido es, primero, no causar daño, y segundo, favorecer al Self del cliente atendiendo a sus necesidades.

Esto es arriesgado

Llevar a los exiliados a un entorno peligroso es desacertado y falto de ética. Cuando un cliente corra peligro, sus directivos se resistirán a la terapia IFS por miedo a que hacerlo ponga al descubierto demasiada vulnerabilidad. Si un cliente vive con un cónyuge o un familiar maltratador, nos centramos en acceder al Self del cliente –o por lo menos a sus directivos maduros– para cambiar ese entorno. Además, según el cliente se haga más fuerte y menos dependiente, sus allegados, aunque no sean peligrosos ni maltratadores, pueden responder drásticamente. Por eso valoramos el contexto externo del cliente antes del trabajo interno con las partes vulnerables (y durante éste) y favorecemos el cambio necesario. Si es posible, se puede invitar a familiares a asistir a la sesión y ayudar a sus partes, tal como mostramos en el capítulo 14 sobre terapia familiar.

Podría ocurrir algo malo

Algunos directivos se pasan años relativizando o minimizando el menor indicio de ofensa por parte de un cuidador. A estas partes las denominamos *protectores paternales*. Con el fin de consolar a los exiliados que se sienten indignos de amor y condenados al fracaso, estos directivos están ojo avizor para conjurar la idea de que el maltratador nunca quiso al cliente. Los directivos también pueden pisar el freno cuando una parte furiosa quiere enfrentar, revelar o reprochar a alguien a quien un exiliado está apegado, o alguien de quien el cliente aún depende. El modelo IFS puede ayudar a los directivos con todas esas preocupaciones.

Para empezar, en cuanto los exiliados confíen en el Self del cliente, abandonarán su dependencia de quienes les hacen daño. Nuestro propósito es que el Self del cliente sea la principal figura de apego de todas las partes. En segundo lugar, el cliente necesita saber que su curación no depende de si, cuándo ni cómo se enfrenta a un maltratador. Esa decisión le corresponde enteramente a él. A demasiados clientes se los instiga a enfrentarse a un agresor prematuramente, mucho antes de que sus sistemas internos estén listos para manejar la reacción de la persona. Como resultado, corren el riesgo de volver a ser maltratados mediante la negación o el contraataque.

Pese a que enfrentarse a un maltratador no es necesario para sanar, el cliente puede querer hacerlo. En ese caso, aconsejamos dedicar tanto tiempo a la preparación interna como necesite el cliente, para que su Self siga al frente y sus partes se sientan a salvo, transcurra como transcurra la interacción. Este enfoque es empoderador para casi todos los clientes, pero algunos albergarán partes (normalmente muy jóvenes) que asocien el cuidar de uno mismo con el abandono. Estas partes jóvenes habrán pasado por una profunda desatención y estarán ansiando que las rescaten. Pueden seguir empeñadas en recibir amor de los demás y puede que durante mucho tiempo no quieran ni encontrarse con el Self. Nosotros legitimamos sus necesidades y vivencias, y exploramos los miedos de los protectores de su alrededor persuadiéndolos para que perciban al Self, garantizándoles que es preciso cuidar de uno mismo, pero no sustituye el tener relaciones afectivas seguras.

Me eliminarán

Muchas partes protectoras creen que no son más que los roles que desempeñan para el sistema interno. Llevan tanto tiempo en sus roles extremos y han estado tan preocupados con su trabajo que desconocen sus otros talentos y deseos. Además, otras partes del sistema pueden estar deseando eliminarlos si su comportamiento ha sido opresor o destructivo. En consecuencia, a menudo temen dejar de existir cuando el exiliado ya no requiera su protección. Nuestra tarea (es decir, la tarea del Self del cliente y del terapeuta) es convencer a los protectores de que apreciamos su sacrificio y los valoramos, independientemente de su rol. Les preguntamos qué les gustaría más hacer en el futuro. Si no lo saben, les aseguramos que descansar es buena idea y que siempre podrán adoptar un nuevo y valorado rol. Llama la atención cuán a menudo el rol preferido del protector resulta ser el contrario del que desempeñaba en el pasado. Por ejemplo, el crítico quiere convertirse en animador, el que quería que nos escondiéramos ahora quiere ayudarnos a salir al mundo, etcétera.

Los exiliados son sus cargas

La mayoría de protectores creen que el exiliado no es otra cosa que su carga. Si un exiliado es joven, algo que ocurre a menudo, sus opiniones encajarán con su edad, incluido el pensamiento maniqueo («O soy bueno o soy malo») y autorreferencial («Si pasara, yo sería el responsable») característico de los niños. Tratar de corregir esas creencias cognitivamente funciona raramente con exiliados jóvenes, pero cuando el Self se acerca y despliega amor, se abren a otros puntos de vista.

El cliente carece de Self

Los directivos pueden pasarse largo tiempo insistiendo en que el cliente carece de Self. Por mucho que nos tiente discutírselo, lo más efectivo es recurrir al acceso directo con partes como éstas e interesarse por lo que ellas creen que está en juego. ¿Qué es lo peor que podría pasar si el Self apareciera? Muchas veces temen no volver a ser necesarios. Otras, sin embargo, los directivos están interpretando la sensación generalizada e insistente de vacío interior como una prueba de que el cliente carece de Self. Podemos ayudar señalando que el adulto que se siente vacío está colmado de la experiencia de ausencia del niño, y que la desatención paterna parece generar una sensación especialmente intensa y peligrosa de vacuidad, letargo o frío permanente en las partes infantiles. Esta carga, que revela una verdad relacional y una historia del pasado, es un retrato emotivo de apego inseguro, pero no significa que el exiliado esté vacío, sino todo lo contrario.

El terapeuta desaparecerá si aparece el Self del cliente

Los directivos jóvenes parentalizados han sufrido muchísimo abandono relacional. Los hay que ansían amor y apoyo del exterior, mientras que otros se decantan por la precaución y propugnan la autosuficiencia. Las partes que anhelan más conexión a menudo ven en nuestra propuesta de forjar una relación directa con el Self un preludio de la conclusión de la terapia (el terapeuta dirá que ha funcionado y pondrá fin a la terapia), la aceptación de un aislamiento permanente y la erradicación de la esperanza. En cuanto a las partes contrarias a la idea de una mayor conexión, ellas ven en nuestra propuesta *(tener una relación con el Self)* el marco de un abandono aún mayor. Ellas también dudan de nuestras intenciones al sugerir el encuentro con el Self. Frente a estos miedos comprensibles a ambos lados de la barrera, la paciencia es especialmente persuasiva.

Me juzgarán por el daño que he causado

Los bomberos no son los únicos que hacen daño. Los directivos crueles, rígidos y crónicamente (a menudo globalmente) críticos se cobran un precio elevado en la vida del cliente. En ocasiones, el Self del cliente necesita supervisar una especie de proceso interno de verdad y reconciliación entre las partes heridas −que necesitan que se les reconozca lo que han vivido− y las partes que han tenido un comportamiento dañino, que precisan la oportunidad de pedir perdón y renunciar a sus severos roles. También puede que se requieran reparaciones con personas del exterior. Para este cometido, no hay nada más importante que el Self, cuyo coraje, claridad y franqueza son esenciales, tanto para la disculpa del agresor como para la respuesta de la parte herida.

El cambio desestabilizará el sistema y causará duelo

Para los protectores, el duelo es una tristeza interminable y una puerta a la depresión. Por eso a menudo ponen mucho cuidado en bloquear, anestesiar y evitar el duelo. Cuando el sistema protector depone esta postura y el Self está ahí presenciando al exiliado, hay muchas probabilidades de que el duelo sea parte del proceso de sanación. Cuando las partes por fin tienen acceso al Self, pasan por un duelo, porque la estabilidad y la seguridad les permiten por fin sentir sus pérdidas. Por eso, al avanzar en la terapia, hay que tranquilizar a los directivos diciéndoles que el duelo es la manera que tiene la naturaleza de sanar y que todos estamos programados para que el duelo sea productivo (Scott, 2016).

CONCLUSIÓN

Una vez que *encontramos* y *encarnamos* a una parte focalizada, preferentemente un directivo, nos aseguramos de que el Self del cliente esté disponible *(sentir hacia)* y luego favorecemos el vínculo entre la parte focalizada y el Self del cliente *(trabar amistad)*, para poder aprender de sus motivos *(miedos)*. En cuanto el cliente tiene relación con la parte focalizada y sabemos qué motiva su comportamiento, hacemos dos ofertas esenciales: (1) podemos abordar el problema de la parte, lo que es indispensable para proteger a un exiliado y (2) podemos prestar ayuda creíble a ese exiliado en forma de Self. Cuando un protector ha conocido al Self del cliente, aunque sea reacio a confiar en él sin más buena fe, se da cuenta de que le están ofreciendo algo distinto, algo que puede ayudar a remediar el verdadero problema (la vulnerabilidad exiliada), en vez de intentar impedir que la parte cumpla con su tarea. Cuando los protectores se convencen de que comprendemos la validez de sus inquietudes y el trasfondo de su rabia, suelen acceder a arriesgarse a probar algo nuevo.

TABLA 10.5. Miedos comunes en los directivos

1. **Los bomberos son peligrosos.** Los directivos necesitan la certeza de que los peligrosos bomberos no se desplegarán cuando el Self del cliente se acerque al exiliado.

2. **Los exiliados abruman.** Cuando el Self está emocionalmente saturado porque un exiliado se ha mezclado, es como si un nubarrón tapara el sol. El Self sólo está oculto, no herido. Sin embargo, cuando el Self está oculto, las otras partes no tienen cómo acceder al liderazgo del Self y sólo saben de la angustia del exiliado. Por eso hay que convencer a los directivos de que el exiliado es capaz de controlar hasta qué punto se mezcla, y el Self aparecerá.

3. **Será más de lo que (el terapeuta) puede soportar.** Los directivos necesitan tener claro que el terapeuta no es frágil y será capaz de manejar la vulnerabilidad del exiliado sin recular, sentirse asqueado ni abandonar al cliente, ser irrespetuoso o disciplinario.

4. **El terapeuta desaparecerá si aparece el Self del cliente.** Los directivos necesitan la certeza de que acceder a los recursos internos del Self no constituye el marco del abandono relacional ni de un futuro donde el cliente deba renunciar al apoyo externo en pro de la autosuficiencia.

5. **Esto es arriesgado.** Los directivos requieren la certeza de que el Self protegerá al exiliado y mantendrá el sistema a salvo si quienes rodean al cliente albergan partes peligrosas.

6. **Podría ocurrir algo malo.** Los directivos deben confiar en la capacidad del Self para manejar consecuencias graves, como el rechazo de la familia o la amenaza del uso de la violencia si un exiliado revela secretos o abandona apegos inútiles.

7. **Me eliminarán.** Los directivos precisan la seguridad de que no los excluirán ni los eliminarán cuando ya no sean necesarios en roles extremos.

8. **Los exiliados son sus cargas.** Los directivos deben entender que el exiliado no es su carga, y que se transformará una vez se libere de las limitaciones de las cargas.

9. **La diferenciación revelará que [nombre del cliente] está vacío y carece de Self.** Los directivos precisan una nueva perspectiva de la sensación de vacío del cliente, que ellos se toman literalmente. Al considerarla como la comunicación de una parte exiliada, la sensación de vacío es en realidad un retrato emotivo de apego inseguro. El cliente que se siente vacío está colmado de la experiencia de ausencia del niño.

10. **Me juzgarán por el daño que he causado.** Directivos y bomberos precisan la compasión del Self del cliente y la tranquilidad de que éste intercederá por ellos si hay partes (o personas) furiosas o moralizantes.

11. **El cambio desestabilizará el sistema y causará duelo.** Muchas veces, los directivos necesitan encontrar soluciones a las amenazas externas, así como estudiar los pros y contras de que el exiliado se sienta mejor y de que el cliente acceda a todo un abanico de sentimientos.

CAPÍTULO 11

Cambiar las polarizaciones
de los protectores

Hasta ahora hemos descrito cómo empleamos la comunicación interna para ayudar a las partes individuales. Ayudamos a los exiliados a estar en relación con el Self para sentirse mejor, y ayudamos a los protectores a comprobar este efecto sanador y adoptar nuevos roles. Ahora bien, nuestra labor más importante incluye cambiar las relaciones entre las partes. La experiencia nos ha enseñado que todos los clientes albergan partes polarizadas que mantienen las posiciones extremas de unos y otros. En un proceso continuo, las partes de sistemas menos polarizados suelen colaborar más y no necesitar tanto la atención individual, mientras que los sistemas muy polarizados con partes enfrentadas requieren bastante más atención.

LAS CARGAS ENGENDRAN POLARIZACIONES

Cuando un hecho desequilibra un sistema, sus miembros tratarán de recuperar el equilibrio a menudo enfrentándose entre sí. Los padres se vuelven enemigos, los hermanos rivales y las partes cuyo objetivo común global es repeler el dolor emocional escogen con frecuencia estrategias opuestas. Es cuando las partes temen achantarse, porque entonces ganaría la otra. Paul Watzlawick y sus colegas (1974) recurrieron a una metáfora náutica para explicar estas polarizaciones:

> Dos marineros [están] colgados, uno a cada lado de un velero, para estabilizarlo: cuanto más se inclina uno por la borda, más tiene que compensar el otro la inestabilidad creada por el primero al tratar de equilibrar la embarcación. Sin embargo, el velero ya se mantendría bastante firme por sí solo, si no fuera por los esfuerzos acrobáticos de los marineros por estabilizarlo. (p. 36)

Al trasladar esta metáfora al sistema interno, puede decirse que ambos marineros han abandonado el papel que prefieren por uno que es tan rígido, limitado y extremo que amenaza con volcar el velero. Como los marineros están en lados opuestos, cada uno debe mantener su postura drástica para compensar el comportamiento del otro, y sólo puede moverse según cómo lo haga el otro. Lo irónico de su postura es que ambos quieren navegar tranquilos y sin peligro, pero llegar a un acuerdo parece imposible al no confiar el uno en el otro. Necesitan a un tercero que los ayude a mantener el rumbo: un capitán (el Self) cuya autoridad reconozcan ambos. Una vez liberados de las limitaciones de su conflicto, ambos marineros podrán moverse a su antojo por la embarcación y desempeñar un rol valioso, confiando en que el capitán impondrá una trayectoria segura y beneficiosa para ambos.

Las polaridades de Quinn

Vamos a ampliar esta analogía con Quinn, la joven de mi desafortunado estudio sobre la bulimia. A pesar de haberse ido de casa de sus padres y estar saliendo con alguien, tenía muchas partes polarizadas. Una voz, por ejemplo, no dejaba de conminarla a trabajar, en su empleo y en casa. Si Quinn se sentaba a no hacer nada, esa parte esforzada la llamaba perezosa y le recordaba muchas cosas que había por hacer. Le dije a Quinn que preguntara a esa parte qué temía que pasara si dejaba de llevarla al borde de la extenuación. La parte respondió que Quinn se deprimiría y no saldría de la cama. Y, efectivamente, Quinn decía sentirse deprimida cuando paraba, lo que a su vez la llevaba a quedarse en su casa días y más días, y a abandonar el trabajo y los amigos por completo. «Es como si la depresión me atrapara al bajar el ritmo», aseguraba.

Tras detectar la relación entre el exceso de trabajo y la depresión, Quinn entrevistó a su parte deprimida, que se quejó de la tiranía de la parte esforzada. Como resultado –contó la parte deprimida–, tenía que aprovechar cualquier grieta para detener abruptamente a Quinn y retenerla. En cuanto la soltara, la parte esforzada reclamaría a Quinn y anularía todo pensamiento y sentimiento de tristeza con un trajín desmedido. Así que cada parte temía la influencia de la otra, y ambas estaban estancadas en posturas extremas. Ninguna iba a poder ceder hasta estar segura de que la otra haría lo propio.

La otra terapeuta de Quinn, al carecer del conocimiento sistémico que exponemos en estas páginas, le dio un consejo de sentido común, que sin quererlo se ponía del lado de la parte deprimida: «En vez de andar con la lengua fuera, prueba a bajar el ritmo». Su parte esforzada reaccionó trabajando más duro. Cuando la familia, amistades y terapeutas no comprenden la naturaleza polarizada del conflicto interno, es frecuente que cometan el error de ponerse del lado de la parte que les parece más dotada de sentido. Al igual que quienes negocian en una familia, o los países que negocian internacionalmente, muchas partes ni pueden ni van a cambiar unilateralmente, y tampoco confiarán en alguien que se posicione en su contra. Comprender el contexto relacional de las partes extremas sienta las bases para una intervención eficaz.

Rápido agravamiento de las polarizaciones

En una polarización, hasta las pequeñas diferencias pueden agravarse en un instante. Cuanto más excluía Quinn a su parte deprimida, más presionaba ésta con la sensación de depresión y desesperanza; cuanto más se deprimía esa parte, más se afanaba la parte esforzada por exiliarla, y así sucesivamente. Este circuito de retroalimentación omnipresente es fundamental en el pensamiento sistémico. Podemos ayudar a las partes a despolarizarse presentándolas entre ellas y dejando que escuchen los supuestos falsos que tienen unas de otras, destacando que ninguna de ellas pretende causar daño y que ambas persiguen resolver el mismo problema subyacente. En este caso, la parte deprimida era una niña de 6 años que protegía a otra de 5, sola y asustada. La parte deprimida intentaba que Quinn prestara atención a la de 5 años, coaccionándola, mientras que la parte esforzada trataba de mantener a Quinn a salvo de los miedos y la desolación de esa niña de 5 años, así como de la depresión. Cuando Quinn presentó a ambas partes, suavizaron sus posturas. Ahora bien, antes de abandonar sus respectivos cometidos, ambas necesitaban la certeza de que el Self de Quinn cuidaba de la niña de 5 años. Una vez que esta pudiera obtener la atención, influencia y recursos que la joven Quinn necesitaba, la parte triste y la esforzada podrían tranquilizarse. En la terapia IFS, el equilibrio y la armonía son objetivos intrínsecamente vinculados, siendo el equilibrio el que genera las condiciones necesarias para la armonía. Por suerte, el Self es un hábil capitán. En cuanto la parte deprimida (un protector exiliado) y la niña de 5 años (un exiliado) se separaron lo suficiente para obtener la atención de Quinn, se subieron a su regazo para descansar allí acurrucadas. Su resurrección relacional conllevó un nuevo nivel de satisfacción y energía a la vida de Quinn. Al verlo, la parte esforzada dejó de presionar y empezó a marcar objetivos razonables y contribuir al diseño de estrategias para alcanzarlos.

Para el terapeuta de IFS, los mundos interno y externo del cliente forman un gran sistema cuyo funcionamiento se rige por los mismos principios y responde a las mismas técnicas terapéuticas. Por ejemplo, la familia interna de Quinn reflejaba los valores y la estructura de su familia externa. Al independizarse de ella sus padres, el Self de Quinn ayudó al sistema de la joven a mejorar sus límites internos y se ocupó de las partes que temían perder a sus padres. Un cambio en un nivel no provoca necesariamente un cambio en paralelo a otros niveles, pero sí una sacudida en los niveles sistémicos, y crea la oportunidad de que se den cambios productivos. Ahora bien, si de entrada la situación externa del cliente no es segura, aconsejamos ir con cuidado. Un cambio que recorra los niveles sistémicos puede conllevar peligros para ese cliente, así que estate atento y trata los problemas de seguridad externos durante toda la terapia. Mientras el cliente esté a salvo, podemos transitar por cualquier nivel sistémico de su elección sabiendo que podemos cambiar de niveles cuando sea necesario.

Cargas resultantes de traumas

Las dinámicas y sesgos familiares no son los únicos que generan cargas. Cuando a alguien lo rechazan, desatienden, abandonan, conmocionan, asustan o maltratan (física, sexual o emocionalmente), sus partes heridas no tardan en recluirse y sus sistemas internos se polarizan. Hemos visto a muchos clientes traumatizados instruir a terapeutas de IFS sobre los tipos de cargas, desequilibrios y polarizaciones característicos del trauma. Cuando un sistema humano —ya sea individual, familiar, comunitario o familiar— se enfrenta a una amenaza o un trauma arrollador, se organiza para proteger su liderazgo o a sus miembros más vulnerables. Por ejemplo, si un país amenaza a otro, el amenazado trasladará a sus líderes a un lugar seguro. Paralelamente, se enviará a la población civil a refugios y el ejército tomará el control. Si el líder mantiene la calma y transmite sensación de resistencia y tranquilidad mientras se resuelve la crisis, la confianza de la ciudadanía en el líder probablemente crecerá. En cambio, el líder incapaz de prever pérdidas devastadoras perderá credibilidad y el ejército probablemente permanecerá en el poder.

Las familias internas funcionan igual. Imaginemos una familia interna con miembros de varias edades y grados de vulnerabilidad. Ante el peligro, la familia traslada a un lugar seguro al Self y a las partes más vulnerables del sistema, y las partes protectoras entran en acción. Los clientes traumatizados nos han enseñado que, antes o durante el trauma, la familia interna separa al Self de las sensaciones corporales en distintos grados (según lo grave que juzguen el peligro) —a veces expulsándolo por completo del cuerpo— y algunos de los miembros más antiguos toman las riendas, para proteger al sistema con respuestas de lucha o huida: atacan o escapan, mientras las partes más vulnerables se quedan congeladas. Estos protectores de primera línea buscan minimizar las sensaciones de terror y dolor en el sistema y el Self.

A pesar de estos esfuerzos, los hechos traumáticos afectan profundamente a los miembros de la familia interna más jóvenes y vulnerables. Sienten intensamente el daño, el abandono y la traición. Cuando el estímulo es lo bastante penetrante, las partes vulnerables se quedan congeladas en el tiempo y experimentan una especie de interminable «Día de la Marmota», donde se repite el trauma, junto con todas sus sensaciones y sentimientos. En cambio, si el Self puede permanecer encarnado y prestar asistencia inmediata, crece la confianza del sistema en el liderazgo del Self, lo que engendra fuerza interior e impide que las tendencias se polaricen. Todo ello contribuye a que las partes heridas no se exilien, sino que permanezcan en el flujo del tiempo.

Pese a que en tiempos de crisis el liderazgo del Self es ideal, el Self no siempre puede llevar la batuta durante el trauma. Si la víctima es un bebé o un niño, es mucho lo que depende de las reacciones de quienes le rodean. Por ejemplo, cuando se vuelve a poner a un niño a salvo, se lo consuela, quiere y ayuda a comprender y aceptar lo que ha pasado, su Self también seguirá disponible y responderá a las partes heridas del interior con amor, consuelo y aceptación. En el mejor de los casos, la experiencia del pequeño se legitima y las partes heridas sueltan su carga espontáneamente.

Ahora bien, si el Self se muestra impotente para proteger el sistema y no puede ayudar a las partes traumatizadas después del episodio, la familia interna le perderá confianza y sobreprotegerá al Self y a las partes heridas. En este caso, los protectores acabarán dominando el sistema interno, al igual que los niños parentalizados dominan las familias disfuncionales, con lo que al cliente le queda poco o ningún acceso a su Self.

No obstante, es un error garrafal concluir que esa persona carece de Self. La máxima de la IFS según la cual cada persona tiene un Self invulnerable nos invita a preservar nuestra curiosidad y presencia frente a cualquier tipo de derrumbe en los clientes. Hasta cuando el Self está separado del cuerpo, podemos confiar en la existencia de los recursos del Self. Si al lector le cuesta entender el concepto, puede ser de ayuda pensar en las reacciones de la antigüedad frente a un eclipse solar: cuando la luna tapaba el sol, la gente temía que el sol se hubiera ido para siempre. Del mismo modo, con el Self eclipsado tras un trauma, tememos que el sol se haya marchado. Nos invade una sensación de indigencia psíquica y desconexión de la vida, como si nuestro espíritu estuviera ausente o hubiéramos muerto y nos moviéramos por la vida por inercia. La terapia IFS pretende poner fin al eclipse.

LOS PROTECTORES SE POLARIZAN

Los directivos reprimen los sentimientos exiliados y los bomberos distraen de ellos. Estas dos clases de protectores tienen a menudo posturas polarizadas sobre cómo mantener al cliente a salvo y hacer la vida tolerable. Cuando detectamos una polaridad, hablamos con las partes implicadas para averiguar cómo se activan mutuamente. Y preguntamos qué temen que pueda pasar si dejan de discutir, para que podamos abordar el problema subyacente, que se reduce a una carga por legado o al sufrimiento emocional de un exiliado. Las partes polarizadas pueden ser obstinadas. La tabla 11.1 enumera algunos de los motivos por los que las partes polarizadas no dan su brazo a torcer y expone cómo ayudar a que cedan.

Lo que sigue es un ejemplo de negociación con protectores polarizados. Charlotte tiene 30 años y trabaja muchas horas en una gran empresa de alta tecnología. Ha acudido a terapia porque se siente deprimida.

TABLA 11.1. Por qué los protectores se polarizan y cómo ayudarlos a ceder

POR QUÉ LOS PROTECTORES SE POLARIZAN

- Los protectores polarizados tienen el mismo problema –la vulnerabilidad del exiliado–, pero discrepan sobre cómo manejarlo mejor.
- Un directivo que se radicaliza en una postura genera la radicalización de otro directivo o bombero en otra postura.

CÓMO AYUDAMOS A LOS PROTECTORES A CEDER

1. Si incluimos a ambos bandos y no favorecemos a ninguno, es más probable que los protectores polarizados se presten a colaborar.
2. Les pedimos a esas partes que se reúnan, que valoren lo que tienen en común e intenten confiar en que el Self cuidará del exiliado al que protegen.
3. Si aceptan, les presentamos a la tercera parte –el Self del cliente–, que puede resolver su problema.
4. Tras conocer al Self, es frecuente que los protectores muy polarizados necesiten ceder a la vez, porque no piensan arriesgarse a ceder unilateralmente (Krause *et al.*, 2016).
5. A veces, es más conveniente para el Self forjar una relación de confianza con cada parte antes de reunirlas a todas.

TERAPEUTA: ¿Dónde notas la depresión?

CHARLOTTE: Tengo la cabeza saturada.

TERAPEUTA: ¿Qué te hace sentir esa cabeza saturada?

CHARLOTTE: Cansancio.

TERAPEUTA: ¿Te parece bien que te pregunte por ello?

CHARLOTTE: Te diré lo que pasa. No tengo vida porque trabajo demasiado.

TERAPEUTA: ¿No tienes vida?

CHARLOTTE: Bueno, en realidad el problema no es el trabajo. ¡Es que me quedo mirando Netflix hasta las 2 de la mañana!

TERAPEUTA: Se diría que tienes opiniones divididas sobre cuál es el problema.

CHARLOTTE: A decir verdad, trabajo de 7 de la mañana a 10 de la noche.

TERAPEUTA: Ya veo a qué te refieres con lo de la cabeza saturada. *[El terapeuta reconoce una polarización]*.

CHARLOTTE: Admito que tendría que marcharme antes, pero a veces sencillamente no puedo. Si durmiera más, no pasaría nada por trabajar de vez en cuando hasta tarde.

TERAPEUTA: Así que a una parte tuya no le importa trabajar tanto, pero quiere que duermas más y no veas la televisión. ¿Es así? *[El terapeuta nombra a las partes de la polarización]*.

CHARLOTTE: Ya no aguanto más trabajar de esta manera. Estoy agotada. No lo soporto.

TERAPEUTA: Ésa es la parte a la que no le gusta trabajar muchas horas.

CHARLOTTE: Tendría que darme de baja de la televisión por cable. Así no me quedaría otra que acostarme al volver a casa.

TERAPEUTA: Ésa es la otra parte. ¿Distingues a esas dos partes, Charlotte?

[En vez de dejar que las partes sigan discutiendo, el terapeuta se dirige a Charlotte, a ver si dispone de espacio suficiente para observarlas].

CHARLOTTE: Supongo.

TERAPEUTA: ¿Qué opinas de ellas?

CHARLOTTE: ¡Esta lucha en mi cabeza me tiene intrigada!

[Parece que contamos con suficiente Self para proseguir].

TERAPEUTA: Pregúntale a la que ve la televisión por la noche qué pasaría si dejara de hacerlo.

CHARLOTTE: Que nunca desconectaría.

TERAPEUTA: Entendido. Ahora pregunta a la que quiere que sigas trabajando tanto qué pasaría si dejara de presionarte.

CHARLOTTE: Que no avanzaría nunca.

TERAPEUTA: ¿Y entonces qué?

CHARLOTTE: Que sería una fracasada.

TERAPEUTA: ¿Y entonces qué?

[El terapeuta sigue la secuencia de creencias que lleva a la parte perseverante a actuar así, lo que acabará revelando al exiliado].

CHARLOTTE: ¡Que sería una inútil!

TERAPEUTA: Entonces, ¿esta parte te protege de una parte que se siente inútil?

[El terapeuta no intenta tranquilizar a la clienta sobre el sentimiento de inutilidad, que es una carga. Para atajar las cargas, el Self del cliente debe tener relación con el exiliado, lo que llegará más adelante].

CHARLOTTE: A veces sí, supongo.

TERAPEUTA: Si pudiéramos ayudar a la parte que se siente inútil, ¿tendrías tú que trabajar tanto?

[Ahora el terapeuta sigue el rastro desde el exiliado hasta los comportamientos extremos de los protectores del cliente].

CHARLOTTE: Probablemente no.

TERAPEUTA: Y si no trabajaras tanto, ¿por la noche verías la tele hasta tarde?

CHARLOTTE: Estoy segura de que no.

TERAPEUTA: ¿Y accederían esas dos partes a ayudarte a ayudar a la que se siente inútil?

[El terapeuta pide permiso para ayudar al exiliado].

CHARLOTTE: ¿Y cómo voy a hacerlo?

TERAPEUTA: Si nadie se opone, te lo enseñaré.

CHARLOTTE: Oigo que vale.

TERAPEUTA: ¿Y en qué parte del cuerpo o de tu entorno notas el sentimiento de inutilidad?

CHARLOTTE: Es una manchita muy alejada, en medio del cuerpo.

TERAPEUTA: ¿Qué opinas de ella?

CHARLOTTE: Quiero que se quede ahí: alejada.

TERAPEUTA: ¿Quién ha dicho eso?

CHARLOTTE: Creo que la parte perseverante.

TERAPEUTA: ¿Es así?

CHARLOTTE: Sí.

TERAPEUTA: ¿La parte perseverante te ve a ti?

[En vez de tratar de convencer a la parte perseverante de las ventajas de permitir que el Self ayude al exiliado, el terapeuta se dedica a presentar a la parte perseverante al Self].

CHARLOTTE: No.

TERAPEUTA: ¿Y a esa parte le gustaría verte a ti?

CHARLOTTE: De acuerdo.

TERAPEUTA: ¿Cómo responde ella?

CHARLOTTE: Le sorprende.

TERAPEUTA: ¿Y estaría dispuesta a confiar en ti?

CHARLOTTE: Tal vez.

TERAPEUTA: Sólo necesitamos que confíe en ti lo suficiente como para probar algo nuevo.

[El terapeuta acepta la cautela de la parte perseverante e insiste].

CHARLOTTE: Entendido.

TERAPEUTA: Pues vuelve a fijarte en esa manchita. ¿Qué te hace sentir ahora?

CHARLOTTE: Afecto, supongo. Quiero ayudar.

TERAPEUTA: Díselo.

CHARLOTTE: Está creciendo.

TERAPEUTA: ¿Eso es bueno?

CHARLOTTE: Sí, ahora es como una alubia. ¡O quizá un embrión!

TERAPEUTA: ¿Qué necesita de ti?

[El terapeuta dirige a la parte a la relación con el Self].

CHARLOTTE: Protección.

TERAPEUTA: ¿Y qué debe ocurrir?

[El terapeuta propicia que el Self del cliente tome las riendas].

CHARLOTTE: Lo estoy metiendo en una esfera de luz dorada. Le gusta.

TERAPEUTA: ¿Lo retomamos la semana que viene?

CHARLOTTE: Sí.

Charlotte alberga una parte que trabaja demasiadas horas y una que reacciona desconectando frente al televisor a altas horas de la noche. Como los excesos de la parte perseverante inician este ciclo, el terapeuta pregunta por los miedos de esa parte. La clienta responde nombrando la carga del exiliado: la creencia de que es una inútil y el sentimiento de inutilidad. En cuanto se nombra la carga del exiliado, el terapeuta se ofrece a ayudar. Obsérvese que el terapeuta no ha hablado con la parte perseverante de los inconvenientes de excederse ni ha reprendido a la parte que ve la televisión. La razón es que el terapeuta daba por sentado que ambas partes considerarían todo daño colateral como un mal necesario preferible a que Charlotte se vea sobrepasada por los sentimientos exiliados. Así que el terapeuta propone resolver el problema de los sentimientos exiliados.

Una vez que la clienta accede a ayudar al exiliado, ya está todo listo para presenciar y aliviar la carga, aunque para la semana siguiente, los protectores de Charlotte tal vez hayan recapacitado sobre la idea de permitir que todo avance tan rápido. En ese caso, pondrán trabas y la terapia se ralentizará un tiempo. Como vemos en este ejemplo, la motivación de los protectores polarizados es invariablemente algo interno (temor a los sentimientos) que para los demás puede ser bastante indescifrable. Cuando el cliente aborda esa motivación subyacente, sin embargo, los protectores prestan atención y acaban (aunque no siempre tan rápido) por colaborar.

Los triángulos internos engendran círculos viciosos

Como hemos mostrado, los protectores toman posturas polarizadas sobre cómo enfrentarse mejor al crudo dolor de los exiliados. Sus comportamientos pautados dan lugar a círculos viciosos que con el tiempo van a más, y arrastran a las tres categorías de partes implicadas a radicalizarse cada vez más. Por ejemplo, pongamos que Suzanna tiene un exiliado que cree que ella no es digna de amor (una creencia humillante). Uno de sus bomberos reacciona llevando a Suzanna a los bares a hartarse de beber. Y en respuesta a ese comportamiento, un directivo no deja de regañar a Suzanna por su debilidad e indulgencia, de abochornarla por lo que les hace a su cuerpo y a su familia, y de apremiarla a tener fuerza de voluntad para dejarlo. Su familia y su terapeuta también tratan de abochornarla para que lo deje. Por desgracia, tanta humillación interna y externa no hace sino que el exiliado se desespere aún más, con lo cual el bombero se ve alentado a sacarla a beber, y así sucesivamente (para saber más sobre este ciclo en caso de toxicomanía y alcoholismo, ver el capítulo de Cece Sykes, «An IFS Lens on Addiction: Compassion for Extreme Parts», del libro *Innovations and Elaborations in Internal Family Systems Therapy* [2016]). Nuestra cultura hace gran hincapié en la fuerza de voluntad, así que la mayoría de los problemas de adicción están atrapados en alguna versión de este círculo vicioso.

RELACIONES PROTECTOR-EXILIADO FRENTE A POLARIDADES PROTECTOR-PROTECTOR

Los comportamientos extremos de los protectores denotan la desesperación, el dolor, el terror y la vergüenza extremos de los exiliados. Esto es, el extremismo del protector es proporcional a la vulnerabilidad del exiliado. El modo en el que los sentimientos del exiliado inducen a feroces tácticas divergentes por parte de los protectores muestra la tendencia natural de todo sistema a intentar mantener el equilibrio. Dado que toda táctica extrema puede desequilibrar, los protectores tratan de contrarrestarse mutuamente. Por ejemplo, una parte adicta al trabajo (un directivo) y una parte alcohólica (un bombero) preservan el equilibrio, aunque a costa del extremismo. Los directivos también pueden estar polarizados entre ellos. Por ejemplo, la prioridad de un directivo de los primeros años de la infancia puede consistir en ser un niño bueno y obediente, mientras que la de un directivo adulto puede ser la de progresar económicamente, lo que exige ser más asertivo y menos obediente. Los resultados, cada vez más desgraciados, de los comportamientos extremadamente polarizados son básicamente un efecto secundario de una lucha por el control. Las tácticas *in crescendo* de los protectores polarizados son como dos clases de medicina que actúan al instante, pero que se estorban la una a la otra, por lo que se requieren dosis cada vez mayores, con el consiguiente riesgo para el paciente.

Cuando los protectores se critican con dureza unos a otros, o a los exiliados que protegen, puede costar distinguir entre la polaridad entre protectores y una relación protector-exiliado. Sin embargo, estas relaciones demandan estrategias terapéuticas distintas, así que vale la pena saberlas distinguir. Cuando atajamos una polaridad entre protectores, tenemos ante nosotros a un trío de partes (de las cuales una, el exiliado, suele estar oculta) y recorremos un proceso de dos pasos. El primero consiste en decir a los dos protectores enfrentados que se retiren. Cuando acceden (lo que puede llevar su tiempo), les pedimos que permitan al Self del cliente acceder al exiliado. En cambio, al trabajar sólo con un protector y un exiliado, nos enfrentamos a una díada y a un proceso de un paso en el que indicamos al protector que se tranquilice, para que el exiliado pueda avanzar y conocer al Self. Si creemos erróneamente que el exiliado es un protector polarizado y le decimos que se tranquilice (como haríamos con un protector), pensando que por debajo él hallaremos a un exiliado, nos arriesgamos a dar al verdadero exiliado el mensaje de que no le queremos ahí. Este error puede desencadenar un aumento desconcertante de los síntomas y bajar el ritmo de la terapia. Por estas razones es importante diferenciar entre las polaridades de los protectores y las relaciones protector-exiliado. Podemos hacerlo fácilmente con una sencilla pregunta reveladora: «¿A quién proteges?». Si la parte responde «A nadie», es un exiliado.

DESACTIVAR UNA POLARIZACIÓN: LA TÉCNICA DE LA MESA DE CONFERENCIAS

Para desactivar las polarizaciones, fomentamos la comunicación directa entre las partes polarizadas (ver la tabla 11.2). Aunque las partes polarizadas sepan de la existencia de la otra y compitan por influir en el cliente, puede que nunca hayan interactuado directamente, y es poco frecuente que entiendan que protegen a la misma parte.

TABLA 11.2. Ayudar a las partes obstinadamente polarizadas

- Podemos ayudar al Self del cliente a orquestar una diferenciación simultánea.
- Podemos sugerir que cada parte tenga la oportunidad de hacer más trabajo individual.
- Podemos hacer que las partes polarizadas se reúnan una y otra vez, hasta que hayan escuchado lo suficiente para mostrarse menos extremas en presencia de la otra.
- No cejamos; mantenemos interesadas a esas partes.
- Transmitimos la expectativa de que encontrarán una salida si se escuchan mutuamente.

Mientras están aisladas una de otra, sus prejuicios se ven confirmados por comportamientos mutuamente extremos. Sin embargo, cuando finalmente se reúnen, muchas veces resuelven conflictos enraizados y no tardan en fraguar una nueva relación.

Queremos, por consiguiente, ayudar a las partes a oírse y verse de un modo realista. Por medio de una técnica denominada la *mesa de conferencias*, diseñada hace unos 20 años por Michi Rose, mi (R. C. S.) primera colaboradora en la elaboración de la IFS, invitamos a todas las partes implicadas en el problema analizado a sentarse a una mesa con el Self del cliente, que ejercerá de mediador y se asegurará de que no se pierda el respeto durante la conversación. Una vez que todos los implicados acuden (o se acercan) a la mesa, encaminamos al Self del cliente para que introduzca el diálogo entre las partes con una afirmación del estilo «Sé que ambas queréis el bien de todos los de dentro, pero no estáis de acuerdo en cómo lograrlo. Puedo ayudaros, pero primero quiero que os escuchéis la una a la otra. O Vuestras peleas son contraproducentes, porque, a pesar de tener los mismos objetivos, diferís en los métodos. No creo que seáis conscientes de ello. Os prometo que podemos resolver el problema subyacente –todo ese dolor y vulnerabilidad– de un modo satisfac-

torio para ambas. Así que empecemos por escucharos a cada una».
El Self también puede introducir la reunión con información sobre
la verdadera naturaleza de cada parte, ejerciendo de mercader de
esperanza de este pequeño subsistema y explicando cuán mejor les
irían las cosas si se comprendieran la una a la otra. Después de esto,
en muchos casos las partes polarizadas pueden hablar con una mí-
nima intervención del Self.

No obstante, si una o ambas partes se muestran reacias y no están
dispuestas a abordar las dificultades de buen grado, el Self debe insistir en que por lo menos sean respetuosas y se escuchen la una a la
otra. A veces, estas medidas no dan resultado de inmediato y no se
resuelve nada en una sola sesión. Podemos proponer que se dé a cada
una de las partes la oportunidad de hacer más trabajo individual, o
que las partes se reúnan una y otra vez, hasta que hayan escuchado
lo suficiente para mostrarse menos extremas en presencia de la otra.
Independientemente de la técnica que parezca más adecuada para
las partes enfrentadas, la idea es no cejar, mantener interesadas a las
partes y transmitir la expectativa de que el escucharse una a otra
acabe siendo de ayuda. Durante esta conversación, el terapeuta ejerce de copiloto, lanza preguntas como las siguientes y busca asegurarse de que el Self del cliente siga estando diferenciado.

- ¿Quién ha estado más al mando?
- ¿Quién ha estado ayudando a quién?
- ¿Quién tiene un conflicto con quién?
- ¿Quién está más molesto?
- ¿Qué cree todo el mundo que debe ocurrir hoy?

Si el grupo responde que una parte mantiene una postura extrema
y que necesita un nuevo rol, el Self puede entrevistar a esa parte y
pedir ayuda a los miembros del grupo para conservar el cambio
negociado. Si el problema es un desacuerdo entre dos partes, el Self
puede decirles a esas partes que hablen cara a cara bajo la mirada del
resto del grupo. Cuando una parte necesita ayuda, el Self estudia de

qué clase de ayuda se trata y pide voluntarios. Si el cliente se enfrenta a un problema, el Self invita al grupo a trazar un plan para atajar el problema. Si el cliente se enfrenta a una decisión importante, el Self convoca al grupo e indica a las partes que se planteen los pros y contras de las opciones preferidas por varias partes. Tras escuchar, el Self toma la decisión final y pregunta a las partes que no han «ganado» por lo que puedan necesitar.

Después de estas conversaciones, no es raro que se produzcan cambios espectaculares en relaciones internas conflictivas. Por ejemplo, yo (R.C.S.) he visto a un directivo que menospreciaba a una parte joven invertir por completo su comportamiento y decidir convertirse en modelo y mentor de ese niño. Para supervisar las reacciones de las partes y descubrir cualquier polaridad naciente mientras el grupo trabaja, el Self también puede preguntar lo siguiente:

- ¿A quién le molesta este debate?
- ¿Quién podría ser propenso a interferir en la decisión?
- ¿Quién quiere llevar adelante esta decisión?
- ¿Cómo preferiríais relacionaros entre vosotros en lo sucesivo?

Tal como muestra lo expuesto, la terapia IFS con las polaridades puede cubrir desde la terapia individual hasta la diádica, la triádica o la interna grupal (es decir, familiar). Una vez resueltas las polaridades, nuestro objetivo global es reordenar las relaciones internas en general para que las partes se tengan confianza y se ayuden unas a otras. Cuando ayudamos y apoyamos de este modo a una familia interna, frecuentemente el grupo toma las riendas y se maneja solo, a veces incluso sin que el Self esté al corriente. Me he encontrado con casos en los que el Self convocaba una reunión y se encontraba con que las partes implicadas ya habían zanjado la cuestión y habían pasado a otra cosa. Según mi experiencia, casi todos los cambios se dan en el seno del grupo, independientemente del Self. Esta clase de proceso grupal interior es muy beneficioso para los clientes, puesto que concentra todos sus recursos para intervenir en los problemas en cuanto éstos aparecen. Dicho de otro modo, el cliente puede fomentar la existencia de un grupo interior eficaz que comparta recursos, debata las decisiones y confíe en su liderazgo, al igual que sucede con los sistemas externos que gozan de buena salud.

CONCLUSIÓN

Constantemente se desatan conflictos entre los protectores. Cuanto más traumatizado está un sistema interno, más probable es que hayan surgido polaridades. Las polarizaciones entre protectores son omnipresentes y señalan la existencia de exiliados. Nuestra tarea no es decidir quién tiene razón en una determinada polaridad, sino averiguar qué pasaría si dejaran de desempeñar sus trabajos, una pregunta que destapa al exiliado. En cuanto encontramos al exiliado, el Self del cliente puede ofrecerse a resolver ese problema (esto es, satisfacer las necesidades del exiliado). Y en cuanto el exiliado sana, es de esperar que las polarizaciones se disuelvan como un azucarillo en el café.

CAPÍTULO 12

Descargar a los exiliados

PRESENCIAR LA VIVENCIA DEL EXILIADO

En cuanto el exiliado se sienta lo suficientemente conectado al Self del cliente, a menudo empezará a mostrar al cliente vivencias que por algún motivo fueron traumáticas. Si eso no se da espontáneamente, invitamos a la parte a hacerlo preguntando «¿Qué desea esa parte saber, sentir o percibir sobre lo que ocurrió cuando experimentó esos sentimientos y adquirió esas creencias?». Los recuerdos que emergen, que pueden abarcar desde un episodio aislado de humillación, traición o terror hasta el maltrato, la explotación y la desatención crónicos, pueden sorprender al cliente. Es posible que otras personas hayan considerado que el episodio fue irrelevante, que no fue tan terrible o que indica que el niño era demasiado sensible, y quizá los protectores hayan minimizado el recuerdo o lo hayan expulsado por completo de la mente. Sea lo que sea lo que el exiliado muestre al Self del cliente, habrá causado inquietud y dolor al niño. Al presenciar la vivencia compasivamente, sin juzgar, el Self invalida cualquier creencia cargante («No soy digno de amor») que el niño adquiriera a raíz de la vivencia.

Si bien la compasión (validación, atención y deseo de ayudar) es el principal componente sanador del proceso de presenciación, algunas partes necesitan también una dosis considerable de empatía.

La empatía permite al cliente sentir lo que la parte sintió emocional y físicamente. La necesidad de empatía (o de sentir que alguien le siente) de un exiliado puede representar un reto para los directivos. Los directivos ansiosos que interrumpen cuando el exiliado empieza a compartir sus sentimientos con el Self pueden necesitar más garantías de que el exiliado no atosigará.

Si un exiliado está atascado en un momento traumático del pasado, proponemos reescribir el pasado, lo que denominamos *rehacerlo*, como ya hemos mencionado. Consiste en que el Self del cliente (y también el terapeuta, si la parte lo desea) viaje al pasado y haga por el exiliado lo que éste necesitaba en aquel momento que alguien hiciera: por ejemplo, parar los pies a un adulto, decir a los demás lo que se piensa o cualquier otra cosa que la parte pueda requerir. A veces, un exiliado pedirá que le suceda algo violento a un agresor («¡Mátalo!»), y eso pondrá nerviosas a otras partes. No obstante, hemos aprendido que seguir los deseos del exiliado lleva a buen puerto. Tras este tipo de reescritura emocionalmente correctiva de momentos traumáticos, la vivencia que el cliente tiene del pasado parece cambiar. Pese a no olvidar lo que pasó, sus necesidades se han legitimado, y el valor emocional de su recuerdo es otro. En consecuencia, el exiliado puede dejar atrás el ayer y el cliente deja de ver y pensar compulsivamente el pasado, o de evitarlo. Una vez completada la reescritura y listo el exiliado para abandonar ese momento y lugar, abordamos el siguiente pasado, llamado *recuperación*, donde el Self lleva al exiliado al presente o, si el exiliado lo prefiere, a un lugar imaginario.

OBSTÁCULOS

Si bien el proceso de presenciar, reescribir y recuperar a los exiliados suele transcurrir sin sobresaltos, puede que de entrada los protectores se opongan a la idea de volver al pasado para recuperar a un exiliado... y que tengan una respuesta aún más contundente ante la propuesta de alterar hechos del pasado. Tal vez sea porque en nuestra cultura hay división sobre cómo abordar el pasado. La táctica de *deshacerlo* bajo distintas apariencias (p. ej., «Ojalá hubiese...», «Tendría que haber...», «¿Por qué no hice...?», «¿Por qué no hiciste...?, «No puede ser...», «No me creo que...», «No puedo aceptar que...») es tan habitual que costaría encontrar a alguien que no la practicara, normalmente sin ser consciente de que está evitando el duelo. Por otro lado, hemos oído a muchos clientes declarar, en un tono abatido o de agotamiento y derrota, «¡No podemos cambiar el pasado!».

Desde el prisma de la IFS, en la idea de un pasado inmutable el hecho histórico se mezcla con el recuerdo. Los hechos están grabados sobre piedra, mientras que la memoria conlleva las interpretaciones y los puntos de vista de las partes. Las partes encalladas en el tiempo están atrapadas en un bucle infinito que potencia las creencias cargantes («Soy débil», «No soy digno de amor»). Al no poder cambiarlo, los protectores van de la aceptación acompañada de agotamiento a la evitación delirante. La postura de la IFS revela una mejor alternativa. Las partes no son sus cargas, así que no son criaturas del pasado. No hace falta rehuir ni negar la vivencia de una parte para liberarse de su sufrimiento. Lo que podemos hacer es ayudarla a sentirse mejor y dejar atrás el pasado.

EL SINO DE LOS NEGADORES

Aunque ofrezcamos una mejor salida, los negadores internos pueden ser pertinaces. Mientras haya exiliados, la negación será un arma destacada del arsenal de los protectores. Y, al igual que la disociación, la negación es traicionera. Aprisiona el sistema interno en la fantasía, genera aún más pánico entre las partes que quieren que se escuchen sus historias y erosiona incansablemente el tejido social externo de la persona. Aunque los negadores sean aspirantes a magos que pretenden conjurar el pánico, fracasan inevitablemente. Y también invariablemente entran en polaridad con otros protectores que tienen más claro el precio de la negación. A algunas de estas otras partes las preocupa que el prestar ayuda para cambiar el pasado sea una forma soterrada de negar lo que en realidad sucedió. En este sentido, podemos subrayar que el Self presencia *lo que en realidad sucedió* antes de prestarse a ayudar al exiliado a reivindicar *lo que debería haber sucedido*. De hecho, el proceso de la IFS es lo contrario de la negación. El Self acepta la realidad de un exiliado presenciando su historia –un proceso de conexión y entrega de amor– y luego brinda al exiliado la oportunidad de reescribir su vivencia y reivindicar lo que en aquel momento era de justicia. Así es como la reescritura cambia lo que realmente vivió el cliente en el pasado.

TRAS LA RECUPERACIÓN, LA DESCARGA

En cuanto un exiliado viene al presente, el Self inquiere si todavía lleva cargas. En la IFS empleamos la palabra *llevar* con toda la intención. Aunque las cargas pueden integrarse tanto que al cliente le parezca que las tiene en el ADN, son parasitarias. Si el exiliado aún lleva cargas, preguntamos en qué parte del cuerpo las lleva (las partes tienen sus propios cuerpos). Le asombrará en qué medida las partes pueden decirle exactamente cuál es la carga y dónde está situada. Por ejemplo, la parte puede decir «Noto una bola de fuego en el vientre», «Tengo la piel embarrada» o «Es una mochila llena de piedras». Entonces el Self pregunta a la parte si está lista para soltar sus cargas.

Si ninguna parte se opone a soltar las cargas, podemos pasar a expulsarlas del sistema del cliente. Ten presente que cuanto rodea el proceso de descarga es negociable. Por ejemplo, si una parte no está lista para echar a una carga del sistema, puede depositar la carga en una caja con tapa y guardarla, con la posibilidad de sacarla en cualquier momento. La experiencia nos ha enseñado que a menudo las partes quieren guardar las cargas de este modo si la presenciación abarca más de una sesión. Cuando hayan sacado las cargas del cuerpo y las hayan guardado, igual aún necesitan más presenciación antes de estar preparadas para soltarlas. Las partes también pueden preferir deshacerse de las cargas parcialmente y echarlas del cuerpo o dejar de guardarlas por partes, según vaya presenciándose el contenido de la carga.

A la hora de soltar las cargas, nuestro principal objetivo es ayudar a la parte a sacar a esas cargas del cuerpo para que se sienta más ligera y conectada con el Self. La parte acabará decidiendo dónde y cuándo quiere liberar sus cargas. Y si una parte retoma una carga, siempre hay una razón de peso que debe estudiarse, como exponemos más abajo. Unas veces un exiliado anunciará que ha soltado las cargas espontáneamente (Geib, 2017) y otras un exiliado sabrá con exactitud cómo quiere soltar sus cargas. Por lo general, sin embargo, la idea de soltar las cargas es nueva para los exiliados y agradecen un poco de ayuda, por lo que proponemos soltar las cargas en forma de uno de los elementos: luz, tierra, aire, agua o fuego.

Independientemente de cómo ocurra, la descarga concluye el proceso que arrancó con la negociación. Como si se levantara una maldición, el exiliado libre de cargas se siente transformado y sanado. Para nosotros, si esta transformación es posible es porque la parte se ha sentido legitimada cuando la presenciaban (básicamente, ya no siente vergüenza), se ha liberado de las limitaciones y se ha sentido querida por un cuidador sabio y bondadoso. Como una ceremonia de graduación, soltar las cargas es un cambio de por sí y a la vez simboliza el crecimiento que se ha producido al trabar amistad el Self con los protectores y presenciar al exiliado.

SOLTAR UNA CARGA POR LEGADO Y SOLTAR UNA CARGA PERSONAL

Cuando las partes protectoras caen en la cuenta de que las cargas son heredadas y no proceden de la experiencia personal del cliente, lo más común es que quieran soltarlas enseguida. Como comentamos en otras páginas, la reticencia a soltar una carga por legado suele denotar lealtad hacia otros miembros de la familia, en ocasiones hacia quien o quienes peor se portaron. Al emerger esta lealtad, la exploramos y abordamos como haríamos con cualquier punto de partida. La principal diferencia entre una carga por legado y una carga personal es que las partes que arrastran cargas por legado no vivieron el trauma al que alude la carga. Por consiguiente, no hay exiliados que presenciar ni recuperar, aunque las partes que han arrastrado la carga por legado pueden desear este tipo de ayuda.

Invitar a las cualidades y talentos

Las cargas ocupan mucho espacio en el cuerpo, además de bloquear los talentos y desterrar valiosas cualidades. De ahí que, después de descargar, encaminamos a las partes a invitar las cualidades y talentos que deseen o necesiten a regresar al cuerpo. Sin darles pistas sobre cuáles podrían ser, las partes a menudo hablan de cualidades que las hacen sentir completas, firmes y vivas, así como cualidades que las hacen menos vulnerables a volver a tomar cargas en el futuro, como el amor, el valor, la jovialidad y la compasión.

Integrar y adaptar

Una vez que ha sanado un exiliado, le decimos al cliente que invite a todos los protectores a visitar ahora al exiliado. Lo habitual es que los protectores se sientan aliviados y felices. Ahora bien, como ellos también pueden haberse quedado congelados en el pasado y llevar cargas, puede preocuparles que, ahora que ya no necesitan desempeñar su rol, los excluyan. En ese caso, volvemos a asegurarles que ellos también son valiosos y queridos, y les proponemos que planeen ejercer nuevos roles en el sistema. Para abandonar por completo sus cometidos y transformarse del todo, algunos protectores pueden requerir sus propias sesiones. Esta importante integración completa el proceso de descarga, resumido en la tabla 12.1.

TABLA 12.1. El proceso de descarga

1. **Presenciar:** El Self del cliente presencia lo que el exiliado quiera que el Self sepa de su vivencia. El cliente puede querer o no compartirlo con el terapeuta. Ambas opciones son válidas.
2. **Rehacer:** Si el exiliado quiere ayuda con el pasado, el Self del cliente entra en escena con el exiliado y hace o dice lo que el exiliado necesitaba que alguien hubiera hecho en aquel momento para reescribir la vivencia.
3. **Recuperar:** El Self saca al exiliado del pasado y lo trae al presente o a algún lugar seguro.
4. **Descargar:** El exiliado decide cómo soltar las cargas (sensaciones; estados emocionales crónicos extremos; creencias tóxicas) y luego procede a soltarlas.
5. **Invitar:** El exiliado invita a que entren nuevas cualidades que desea para el futuro.
6. **Integrar:** El Self del cliente invita a los protectores a reparar en que el exiliado ha soltado las cargas y se siente sanado. A continuación, les pregunta si están listos para hallar nuevos cometidos y si necesitan ayuda para ello, se la presta.

SEGUIMIENTO DE LA DESCARGA

El período que sigue a una descarga es crucial. Este gran cambio pone nerviosas a muchas partes, incluyendo al exiliado recuperado. El sistema requiere tiempo para adaptarse. De ahí la extrema importancia de pasar revista a la parte recuperada y tranquilizar a los protectores a diario (casi como una meditación). Hemos descubierto, mediante ensayo y error, que el exiliado normalmente confía en el Self y se siente firmemente conectado a él al cabo de entre tres semanas y un mes. Es habitual que los protectores nerviosos lleven a los clientes a olvidar esta tarea, así que en la siguiente sesión preguntamos al cliente si se acuerda de pasar revista y ver cómo le va al exiliado y si la carga sigue sin estar ahí.

FALLOS EN LAS DESCARGAS

Las cargas pueden volver después de la descarga. Por lo general, es por uno de estos motivos:

1. La parte no se sintió del todo presenciada.
2. La parte se sintió abandonada por el Self en los días posteriores a la descarga (normalmente, porque el cliente no pasó revista).
3. Los protectores se sintieron amenazados por la descarga y trajeron de vuelta la carga.
4. Es posible que otras partes lleven la misma carga y también necesiten que se las presencie.
5. Poco después de la descarga sucedió algo estremecedor, por lo que la parte volvió a lo que le era conocido, retomando la carga. U otras partes atribuyeron ese hecho estremecedor a la descarga, así que trajeron de vuelta la carga.
6. Una carga por legado, asimilada de uno o más antepasados, perdura. Sigue trabajando con la parte hasta que la carga procedente de otros haya sido del todo presenciada por el Self y liberada.

Si una carga regresa, analizamos lo que ha pasado. Los protectores temen muchas veces que el regreso de la carga signifique que el cliente está realmente herido. Una vez que nos hemos ocupado de todas las inquietudes (lo que puede llevarnos más de una sesión), volvemos a descargar al exiliado, y de nuevo vamos pasando revista para asegurarnos de que no haya cambios.

CORRESPONDENCIAS DE LA DESCARGA EN NEUROCIENCIA

Nuestro colega Frank Anderson (2013) ha sido el primero en emplear la IFS en psicofarmacología. En el manual sobre la IFS que escribimos con él, Frank especuló con la posibilidad de que los pasos de presenciación y descarga de la IFS se correspondieran con un proceso que los neurocientíficos denominan *reconsolidación de la memoria*, una forma de neuroplasticidad descrita por Ecker, Ticic, Hulley y Neimeyer (2012), que «cambia la memoria emocional existente a nivel sináptico» (Anderson *et al.*, 2017, p. 127). A diferencia de la reconsolidación de la memoria, una terapia como la cognitivo-conductual (TCC) emplea estrategias de cambio contrarrestantes, que buscan desarrollar nuevos circuitos neuronales que contrarresten los anteriores circuitos neuronales. Como se expone en el manual, la reconsolidación de la memoria consta de cuatro fases. La primera consiste en *acceder* al recuerdo traumático. En la IFS equivaldría a encontrar, focalizar y describir a la parte focalizada. La segunda fase es la *reactivación* o desestabilización de la red del recuerdo emocional y su desbloqueo sináptico. En la IFS sería la diferenciación, donde las partes dan cabida al Self del cliente. La tercera fase es la del *desajuste*, «una desconfirmación total del significado del recuerdo diana» (Anderson *et al.*, 2017, p. 127). En la IFS, esta fase se da en el proceso de presenciación y recuperación de las partes exiliadas. Por último, en la fase de *borrado*, los clientes adoptan una nueva perspectiva que modifica su interpretación de la experiencia traumática. Es lo que ocurre en la IFS cuando los exiliados sueltan las cargas porque el Self tiene un punto de vista legitimador y no traumático del significado de la vivencia de la parte: «No eres malo; te pasó algo malo».

SONIA Y LA NIÑA RESPONSABLE

Sonia era una soltera lesbiana de 33 años. Era hija única de una mujer que había sufrido graves abusos sexuales y que, durante la infancia de Sonia, había tenido a menudo tendencias suicidas. Sonia y su madre habían ido deambulando por el oeste de los Estados Unidos; a veces su madre había trabajado de camarera y otras había estado desempleada, lo que las sumía en la más absoluta pobreza. El padre

de Sonia, un veterano de guerra con antecedentes de trauma y he-
roinómano, había desaparecido cuando ella tenía 3 años, para ir
regresando de vez en cuando hasta que ella tuvo 8 años, momento
en que «se lavó las manos con respecto a nosotras» y se esfumó para
siempre. Para Sonia, la escuela era la vía de escape de todo aquello.
Era muy inteligente y forjó buenas relaciones con los profesores.
Además, tenía una tía materna muy querida (su tocaya) que pasaba
temporadas con ellas y era atenta y divertida, aunque bebía mucho.

Cuando su tía murió de cirrosis hepática, Sonia, que por entonces
tenía 15 años, no tardó en adquirir el hábito de beber en exceso.
Cuando tuvo lugar la sesión de más abajo, Sonia llevaba 4 años sobria,
habiendo sustituido el alcohol por lo que ella llamaba un «uso des-
ordenado del ejercicio y el sexo». De esos 4 años de sobriedad, había
estado 2 haciendo terapia IFS y aún no había soltado ninguna carga.

TERAPEUTA: ¿Recuerdas cómo acabamos la semana pasada? Ha-
blábamos de la parte organizadora, la niña de 8 años que te decía que
no te aferraras al pasado. Cuando le preguntaste por qué, respondió
«Me supera. No quiero».

SONIA: No he pensado en ello.

TERAPEUTA: ¿Te parece bien pensar en ello ahora?

SONIA: Sí.

TERAPEUTA: ¿Está ella contigo?

SONIA: *(Sonríe)* Ella *es* yo. Dice que las cosas ya están bien tal como
son ahora. Le gusta que yo haga mucho ejercicio y no ande por ahí
al acecho de sexo.

TERAPEUTA: Entendido. Yo tampoco quisiera que hiciéramos nada
que te superara, o sea, que me alegro de que la niña de 8 años haya
hablado sin reservas. ¿Y si pudiéramos garantizar que volver al pasado no sería excesivo? Así todos los de dentro podrían tranquilizarse y nadie tendría que ser tan radical.

*[Esta propuesta es clave en la IFS: Podemos ayudar al exiliado a
no abrumarte].*

SONIA: Ella no cree que sea posible.

TERAPEUTA: Lo sé, y asegurarse de que no te supere no será responsabilidad de ella.

SONIA: Ella cree que estás loco.

TERAPEUTA: ¿Y está dispuesta a seguir hablando conmigo aunque crea que estoy loco?

SONIA: Claro.

TERAPEUTA: ¿Cuántos años cree ella que tienes?

SONIA: 16.

Esta interacción es típica en las negociaciones con directivos jóvenes dominantes. Temen que, al reparar en el exiliado, haya desbordamiento emocional, no son conscientes del Self del cliente y entran en polaridad con otros protectores. En este caso, el directivo de 8 años de Sonia parecido al Self estaba polarizado con uno de 16 años desinhibido, y ambos protegían a una exiliada de 3 años. Aunque las imágenes del mundo interno de Sonia puedan parecer muy caricaturescas y cueste creerlas, no es algo infrecuente.

TERAPEUTA: ¿Accedería la niña de 8 años a mirarte a los ojos para saber si puedes ayudar con el peligro de que la de 3 años te abrume emocionalmente?

[El contacto visual es un modo eficaz de ayudar a una parte a establecer un contacto sólido con el Self del cliente].

SONIA: Ella me ve.

TERAPEUTA: ¿Y cómo responde ella?

[Para analizar quién es ese «me», el terapeuta comprueba la respuesta de la parte].

SONIA: Dice que está preocupada por otras partes.

TERAPEUTA: ¿Podemos ayudarlas?

SONIA: Sí, está bien.

TERAPEUTA: ¿Puedes verlas?

SONIA: Sí. Son un montón de figuras de palo que agitan los brazos en el aire. Dicen que si volvemos a mi infancia, no sabrán qué hacer.

TERAPEUTA: ¿Tienen que hacer algo?

SONIA: Parecen creer que sí.

TERAPEUTA: ¿Qué opina, de ellas?

[El terapeuta quiere que esas partes pasen tiempo con el Self de Sonia para que ellas también se calmen].

SONIA: Me dan pena. Están aterradas.

TERAPEUTA: ¿Te ven o te sienten?

SONIA: Un poco.

TERAPEUTA: ¿Qué les impide distinguirte mejor?

SONIA: No tienen tiempo. No. Hay algo que no quieren que tú vea… ¡Oh! Sienten que las odian… que a mí me odian. Les da miedo enseñar eso a alguien más. Temen que me juzgues y te vayas.

TERAPEUTA: ¿Qué necesitan ahora mismo?

SONIA: Alguien está diciéndoles que paren de lloriquear y se callen.

TERAPEUTA: ¿Accedería esa parte a que te ocuparas tú de eso?

SONIA: De mala gana. Vale, sólo necesitaba decir eso.

TERAPEUTA: Estupendo. ¿Qué sientes ahora por esas partes aterradas?

SONIA: Compasión.

TERAPEUTA: ¿Qué necesitan de ti?

SONIA: Les estoy diciendo que voy a ayudar a la parte que fue odiada.

TERAPEUTA: ¿Alguien se opone?

SONIA: Si lo hiciera, se tranquilizarían.

TERAPEUTA: Entendido. Busca a quien sentía que la odiaban.

SONIA: Veo a la niña de 3 años.

TERAPEUTA: ¿Te ve ella a ti?

SONIA: ¡Ups! Acaba de aparecer un diablillo. Está blandiendo el tridente. Dice que sin justicia no hay trato.

TERAPEUTA: ¿Lo entiendes?

SONIA: Creo que tiene miedo de que si libera esa parte odiada de mí, no se haga justicia. Nunca le importará a nadie lo que a ella le pasó y nadie pagará por ello.

TERAPEUTA: ¿Qué opinas tú?

SONIA: Que no le falta razón.

Terapeuta: ¿Él quiere justicia?

[El terapeuta podría pedir al diablillo que se diferenciara, pero duda de que lo hiciera. Por consiguiente, opta por consultarle].

Sonia: Sí.

Terapeuta: ¿Estaría dispuesto a hacer un trato que los favorezca a todos?

Sonia: Está apoyado en el tridente.

Terapeuta: Si él te deja ayudar a la parte odiada, tú y él podríais sentaros a comentar a fondo todo lo que tiene que ver con la justicia, desde todos los ángulos. Así el diablillo tendría toda tu atención y podría dedicarse por entero al problema de la justicia, porque ninguno de los dos tendría que preocuparse por la niña de 3 años.

Sonia: Entendido. Ha instalado una hamaca.

Terapeuta: Muy bien. Pues pregunta si puedes ayudar a la parte odiada ahora.

Sonia: Vuelvo a ver a la niña de 3 años.

Terapeuta: ¿Qué opinas de ella?

Sonia: Quiero ayudarla.

Terapeuta: ¿Cómo responde ella?

Sonia: Aparta la mirada.

Terapeuta: ¿Estaría dispuesta a reparar en ti?

Sonia: Cree que es demasiado poco atractiva para que la vean... o que alguien lo es.

[En este punto, la parte empieza a presenciar −o a mostrar su vivencia al Self de Sonia−, el primer paso del proceso de descarga].

Terapeuta: ¿Quiere la niña que tú sepas más del asunto?

[El terapeuta la alienta a proseguir].

Sonia: Dice que a nadie le gusta una niña fea.

Terapeuta: ¿Qué opinas de ella?

[Si una parte se denigra a sí misma, nos concentramos en su relación con el Self, que automáticamente invalidará los juicios interiores negativos].

Sonia: La quiero. No es fea.

Terapeuta: ¿Siente ella tu amor?

[Queremos asegurarnos de que la exiliada siente la conexión con el Self].

SONIA: Quizá estoy demasiado lejos.

TERAPEUTA: ¿Y si se acerca?

SONIA: ¡Ah! Ahora sube a mi regazo. Pero no puede mirarme.

TERAPEUTA: ¿Qué debe ocurrir?

[El terapeuta se remite al Self de Sonia].

SONIA: Quiere que entienda esto: nadie la quiere. No es nadie.

TERAPEUTA: ¿A quién se refiere?

SONIA: Tiene una bebé de juguete en el regazo. La sujeta bocabajo y dice que tiene que pegarle cuando se queja.

TERAPEUTA: ¿Qué debe ocurrir?

SONIA: Teme que haga ruido si no le pega. Le cojo a la bebé.

TERAPEUTA: ¿Qué debe ocurrir, Sonia?

SONIA: No puede dejar a la bebé, pero cree que es culpa de la bebé que nadie la quiera.

[La niña de 3 años revela su dilema: protege a una bebé a la que también culpa de la desatención de la madre].

TERAPEUTA: ¿Lo comprendes?

SONIA: Sí. Le estoy pidiendo que me deje ayudarlas a las dos. Pero ella teme que yo no sea lo bastante grande.

TERAPEUTA: ¿De qué edad te ve ella?

SONIA: La tengo en el regazo. La dejo en el suelo y me levanto, para que vea que soy grande y puedo protegerlas.

TERAPEUTA: Dile que puedes sacarlas del pasado cuando estén preparadas.

[El terapeuta añade esto porque quiere que la exiliada comprenda lo que buscamos. Muchas veces las partes atascadas en el pasado ignoran por completo que tienen la posibilidad de marcharse].

SONIA: Le gusta la idea. Quiere enseñarme algunas cosas.

TERAPEUTA: Entendido. Cuando lo comprendas, dímelo.

[El terapeuta permanece en silencio unos minutos, mientras Sonia, con los ojos cerrados, presencia las vivencias de la bebé y de la niña pequeña].

SONIA: De acuerdo.

TERAPEUTA: ¿Necesita ella tu ayuda?

SONIA: Ahora está preocupada por su madre y por su tía Sonia.

TERAPEUTA: ¿Quién tendría que encargarse de ellas?

SONIA: Ella quiere que yo lo haga..., o sea que yo.

[En este punto empieza a deshacer o a reescribir el pasado].

TERAPEUTA: ¿Qué tal va?

SONIA: Ella y la bebé están listas para venir conmigo ya.

TERAPEUTA: Entendido. Llévalas al presente... ¿Cómo están?

[Esto es una recuperación].

SONIA: Bien.

TERAPEUTA: ¿Están listas para soltar sus cargas?

SONIA: Sí.

TERAPEUTA: ¿Juntas o por separado?

SONIA: Juntas.

TERAPEUTA: Podrían entregarlas como luz, tierra, aire, agua... o hacerlo de otro modo.

[Eso sería la descarga].

SONIA: Dice que nadie quiere a un bebé que apesta. Así que va a hundirle una aguja en el ombligo para que salga el mal olor.

TERAPEUTA: ¿A la bebé le parece bien?

SONIA: Sí. Y luego quemará el olor, junto con el resto de cargas de las dos.

TERAPEUTA: Avísame cuando haya acabado.

SONIA: Ya

TERAPEUTA: ¿Qué tal se sienten ellas ahora?

SONIA: ¡La bebé tiene el vientre plano! Se la ve muy contenta. La tengo en brazos. Y la niña de 3 años anda correteando.

TERAPEUTA: ¿Qué quieren hacer ahora que sus cargas han desaparecido?

SONIA: ¡Juego! La niña de 3 años quiere jugar. La bebé quiere estar en brazos. Voy a hacerlo.

TERAPEUTA: ¿Están de acuerdo en que ahora echemos un vistazo a otras partes?

[Esto es el principio de la integración de la transformación del exiliado con el resto del sistema].

SONIA: Sí. La niña de 8 años dice «¡Eso ha estado bien! A ver qué más puedes hacer».

TERAPEUTA: Y si tú pudieras encargarte de todo el mundo, ¿qué preferiría hacer la niña de 8 años?

SONIA: No está preparada para dejar su trabajo, pero quiere ver lo soy capaz de hacer.

TERAPEUTA: ¿Y si estuviera preparada para dejar su trabajo?

[El terapeuta insiste en esta importante pregunta].

SONIA: Quiere ir en bici.

TERAPEUTA: Si quiere, podría dar ahora mismo una vuelta sin dejar su trabajo.

SONIA: Le parece buena idea.

TERAPEUTA: Bien. Ahora echemos un vistazo al resto de partes que tanto se han esforzado por distraerte de distintas maneras.

SONIA: Veo una gradería con un montón de ojos que parpadean. Ellos también van a ver lo soy capaz hacer.

TERAPEUTA: ¿Qué les dices?

SONIA: Que por favor me miren.

TERAPEUTA: ¿Hay algo más que debamos tener en cuenta antes de dejarlo por hoy?

SONIA: ¿Y si vuelvo a enfadarme?

[Como se ha acabado el tiempo, el terapeuta acaba la sesión con el acceso directo, hablando directamente con esta parte preocupada, en lugar de recurrir a la comunicación interna].

TERAPEUTA: ¿Y qué si lo haces?

SONIA: ¿Estaría siendo mala?

TERAPEUTA: ¿Lo estarías siendo?

SONIA: No. No pasa nada por enfadarse.

[El Self de Sonia regresa].

TERAPEUTA: Estoy de acuerdo.

La directiva de 8 años parecida al Self de Sonia la había ayudado a salir adelante en los estudios y en el trabajo. Y cuando Sonia no estaba trabajando, una plétora de bomberos la distraía de su dolor emocional, reemplazándose unos a otros. Una vez que Sonia hubo encontrado a la protectora exiliada de 3 años que se sentía responsable de la bebé odiada (la exiliada), junto con varias figuras de palo que no querían que el terapeuta viera a la bebé, el Self de Sonia pudo volver al pasado, intervenir, traer a la niña y a la bebé al presente y ayudarlas a soltar sus cargas, lo que alivió la presión de la niña de 8 años.

CONCLUSIÓN

Como hemos dicho antes, las cargas por legado se diferencian de las cargas personales en varios aspectos: no corresponden a vivencias personales directas, suelen llevarlas los protectores y no los exiliados y el sistema del cliente puede querer soltar una carga sin que lo presencien. Si un protector es reacio a soltar una carga por legado, el escollo suele ser la lealtad hacia otros miembros de la familia. Cuando surge este problema, tal vez el Self del cliente quiera explicar cómo han cambiado las cosas con los años. Una vez que los protectores acceden a echar la carga por legado del sistema, el Self puede proponer a todos los protectores escoger los roles que prefieran, para que ellos también puedan transformarse.

Las cargas personales, en cambio, las llevan los exiliados, y ellos sí suelen querer que el Self presencie su experiencia traumática y los ayude a reescribirla. En este proceso, el Self del cliente legitima y quiere al exiliado. En cuanto éste se sienta digno de amor, soltará sus cargas y se transformará en... sí mismo. Los exiliados descargados descubren que ellos no son sus cargas y que su lugar no es el pasado, sino que están vivos en el presente y son completamente autónomos.

CAPÍTULO 13

Trabajo interno sin riesgos

Todo terapeuta de IFS se encalla. Encallarse es (1) parte integral de la experiencia de ser terapeuta de cualquier tipo e (2) inevitable cuando emprendemos un cambio de paradigma. Los terapeutas que estén aprendiendo IFS retomarán a veces –incluso muchas– enfoques y técnicas que les resulten cómodas, lo cual está bien. Aprender es un proceso. Recomendamos encarecidamente probar la IFS personalmente en la terapia, apuntarse a participar en algún grupo de supervisión mutua regular y obtener formación oficial en el modelo (que es en gran parte práctica) en el Center for Self Leadership. Yo (R.C.S.) me atascaba continuamente cuando desarrollaba la IFS. Hubo momentos en los que me sentí tan perdido y desesperado que opté por preguntar al cliente si se le ocurría qué hacer a continuación, y sus partes me propusieron el perfecto paso siguiente. Los sistemas de los clientes tienen la sabiduría necesaria para sanar, y ellos me enseñaron este modelo, así que no temas consultarles sobre los siguientes pasos.

ABORDAR SIN RIESGOS A UN EXILIADO

A medida que los directivos brinden al Self más acceso a las partes exiliadas, los comportamientos de los bomberos pueden ir a más.

Los bomberos pueden ser peligrosos, pero el peligro viene del contexto. Los bomberos se activan y el riesgo de daños graves aumenta cuando directivos externos o internos niegan, humillan o coaccionan al bombero. Por eso, cuando los bomberos reaccionan, indagamos. Si somos compasivos e insistimos, normalmente revelarán sus inquietudes y el dolor de la parte que protegen. En cuanto los directivos humillantes se han calmado y se han reunido con el Self, suelen acceder a negociar. Lo que más temen los bomberos es la esperanza, pero necesitan sentirla. Si el Self del terapeuta o del cliente le da a un bombero esperanzas fundadas no sólo de sanar al exiliado, sino también de dispensarlo de su rol, suele apaciguarse. Al igual que los directivos, los bomberos necesitan sobre todo confiar en que les estamos dando una alternativa viable a lo que hacen. Ahora bien, hasta que no se alivie el dolor exiliado que los pone en marcha, casi ningún bombero cambiará de rol. De ahí que, al abordar a un exiliado, lo que les pedimos a los bomberos vaya acompañado de una promesa: «Podemos aliviar el dolor y ya no falta mucho para eso. Sin embargo, lo lograremos antes si accedes a bajar el ritmo y no provocar tanto a otras partes» (esto es, a exiliados y directivos).

Las interacciones que buscamos entre el Self y un bombero, que tiende a ser impulsivo, o un directivo, que tiende a ser crítico o asfixiante, no son las mismas que queremos que se den entre el Self y el exiliado, que necesita sentirse más seguro y conectado. Pretendemos que los protectores también se sientan seguros y conectados, pero igualmente liberarlos para que adopten nuevos y valiosos roles en el sistema interno. A continuación, un ejemplo del Self de un cliente negociando un cambio en su principal directivo.

TERAPEUTA: ¿Te daría la anciana de blanco permiso para ayudar a la parte que ella protege?

STEPHANIE: Sí. Es una niña.

TERAPEUTA: ¿Qué opinas de la niña?

[El terapeuta comprueba si hay partes mezcladas con el Self de Stephanie].

STEPHANIE: Parece sentirse sola. ¡Me gustaría animarla!

[El terapeuta no está seguro de si se trata de una parte, pero la voz y la expresión facial de Stephanie le dicen que cuenta con energía del Self suficiente para continuar].

TERAPEUTA: Pregúntale si puedes acercarte más. Si está de acuerdo, mira cuánto puedes acercarte sin sentirte sobrepasada.

[Durante la larga pausa que sigue, el terapeuta espera pacientemente].

STEPHANIE: Al principio tenía miedo de mí y no respondía. Así que al final me he limitado a decirle «Estoy aquí para cuidarte» y me he sentado cerca. Y entonces se ha subido a mi regazo.

En ese momento, no hay duda de que el Self de Stephanie llevaba el timón y sabía qué hacer. Nótese que el terapeuta ha encaminado a Stephanie a obtener permiso de la anciana para aproximarse a la niña. En la IFS abordamos las necesidades de todas las partes de una red relacional, porque las partes no pueden cambiar por separado. La anciana llevaba años criticando a la niña para que mejorara y fuese menos vulnerable. Sus críticas, naturalmente, tenían el efecto contrario: la niña se sentía peor consigo misma y más vulnerable. A su vez, cuando la niña se sentía peor, la anciana aumentaba las críticas con el deseo de protegerla. El Self de la clienta interviene en este círculo negativo, que es de lo más común entre directivos y exiliados, ofreciendo al exiliado atención y amor.

IR DEMASIADO DEPRISA

Para asegurarse de que el cliente se diferencie de las partes extremas antes de salir de la consulta, el terapeuta debe concluir toda etapa de acceso directo o comunicación interna pidiendo hablar con el Self del cliente. Puede ocurrir que una parte de un sistema muy polarizado no renuncie al control y se niegue a dejar que el Self (o al menos un directivo competente) regrese. Una parte que rechace diferenciarse al final de una sesión puede estar furiosa o únicamente querer marcharse de la consulta lo antes posible. Asimismo, puede tratarse de una parte antes exiliada que tema volver a exiliarse. No tiene por qué ser peligroso que un cliente abandone una sesión mezclado con una parte extrema. Ahora bien, si es posible, el terapeuta debe preguntar a la parte si desea seguir estando al mando y comentar la validez de sus razones. En cualquier caso, es mejor para el cliente que se vaya con una parte al mando que entrar en una lucha por el poder. Pocas veces surte efecto tratar de forzar a una parte mezclada a ceder el control.

Cuando un protector lleva la batuta y no está dispuesto a separarse, nos disculpamos por molestarlo (si procede) y le prometemos consultarle en lo sucesivo. Si un exiliado se niega a separase, le prometemos que la terapia está pensada para garantizar que dejen de vetarlo lo antes posible. Y que eso ocurrirá antes si accede a separarse del cliente, aunque sea sólo un poco, para que el Self tenga algo de control. Al manifestar que sabemos de los miedos o el dolor de la parte y que respetamos sus necesidades, estamos demostrando el liderazgo del Self. Cuando la parte nos escucha tratar de tranquilizarla, aunque no deponga su postura extrema y siga teniendo el control, es probable que le dé al terapeuta otra oportunidad. Ten presente que algunas partes sólo están dispuestas a revelar sus verdaderos sentimientos habiendo demostrado que pueden hacerse con todo el control. Recuerda también que muchos exiliados temen diferenciarse, aunque sea ligeramente, porque creen que eso abrirá paso a los protectores para volverlos a encerrar.

Si la relación del terapeuta con el sistema del cliente es precaria o el terapeuta ha estado mezclado con partes extremas que han provocado a las partes extremas del cliente, éste podría sentirse desesperado y traicionado, lo que puede tener graves consecuencias. Las partes de los clientes con antecedentes autodestructivos pueden responder a una crisis amenazando con comportarse así o insinuándolo. Los bomberos recurren a comportamientos nocivos (p. ej., la bulimia, la autolesión, el consumo excesivo de drogas o alcohol, el comportamiento sexual extremo, el robo, el suicidio) para distraer y evitar el dolor. Si el terapeuta es capaz de mantener la perspectiva ante tal comportamiento y valorar las intenciones del bombero, el cliente tampoco temerá tanto a esas partes. Si el terapeuta cree que hay partes reactivas que se han mezclado con él en la sesión, debe intentar (con su Self al frente) contactar con el cliente lo antes posible y disculparse.

Desde el punto de vista de la IFS, los comportamientos extremos persiguen la supervivencia, no la autodestrucción. Paralelamente, entre las consecuencias se cuentan efectos físicos negativos, humillación del cliente por parte de los directivos por estar descontrolado y mayor distracción por parte de los bomberos mediante comportamientos extremos. Cualquiera de ellas contribuirá a multiplicar las tensiones internas. Los comportamientos peligrosos no se ignoran ni minimizan; los vemos como puntos de partida, oportunidades de aliviar la presión localizando polaridades y exiliados. Eso no excluye la necesidad de mantener al cliente a salvo hospitalizándolo. No obstante, la hospitalización es más eficaz si se presenta a los bomberos como una pausa para ganar tiempo y que el Self del cliente pueda demostrar que hay un modo mejor de manejar el dolor emocional.

DÓNDE SUELEN ENCALLARSE LOS TERAPEUTAS DE IFS

Inseguridad del terapeuta

La inseguridad es uno de los mayores problemas con los que tropiezan los principiantes. Cuesta confiar en uno mismo sin haber visto o experimentado la terapia IFS, que presenta una visión contracultural de la mente. La seguridad del terapeuta apacigua a los protectores de los clientes. Y al contrario: desconfían si a los terapeutas les falta seguridad. Los clientes no abrirán (y no deben abrir) la puerta de sus mundos internos a nadie que no esté seguro de lo que hace. Como hemos aconsejado antes, lo mejor que puedes hacer si tienes dudas es probar la terapia personalmente. Encontrarás a terapeutas de IFS en el directorio del sitio web www.selfleadership.org, y puedes leer nuestro manual de formación práctica para terapeutas (Anderson *et al.*, 2017).

Hasta los terapeutas con experiencia en IFS se encallan a menudo, porque el mundo interno es impredecible y está lleno de sorpresas. Los frecuentes instantes de súbita y deslumbrante creatividad, junto con muchos otros de inspiración, convierten la IFS en una terapia extremadamente cautivadora para todos los participantes. Asimismo, la naturaleza impredecible del proceso puede ser un reto para los noveles, sobre todo para los terapeutas que necesitan tener el control o ser expertos. Cuando, pese a estar atascados, aún albergamos energía del Self, nos sentimos más libres para pedir ayuda al Self del cliente, lo que normalmente desenreda las cosas. La fe en la energía del Self es probablemente la cualidad más importante que los buenos formadores y supervisores de IFS aportan a quienes dan sus primeros pasos. También es una de las más duras lecciones si partimos de la creencia de que los clientes nos necesitan para que les demos lo que les falta.

Al igual que labra la fe, la experiencia favorece la flexibilidad. Los pasos que presentamos en este libro pretenden ser pautas, no reglas. En la IFS buscamos adentrarnos en el sistema interno del cliente sin prejuicios ni planes preconcebidos; dirigiendo cuando se precise, pero principalmente siguiendo. Buscamos ser muy sensibles a los ecosistemas. La experiencia nos ha enseñado que los protectores de los clientes se tranquilizan y nos ganamos su respeto (la única forma de autoridad que se retroalimenta) al demostrar flexibilidad y ceder el control. Una vez bien recibidos en los sistemas internos de los clientes, tenemos el privilegio de acompañarlos en exploraciones fascinantes. Nuestra única reserva a la hora de mantener la flexibilidad es que los protectores temerosos de los clientes puedan embarcarnos en despropósitos. Si notamos que una sesión está yendo a la deriva, consultamos al Self del cliente y si nuestra intuición es correcta, nos enfocamos en el protector en cuestión. Le aseguramos que no actuaremos sin permiso y le proponemos que hable con mayor rotundidad de lo que le preocupa.

Aunque la terapia con clientes gravemente heridos y polarizados puede ser delicada, también es cierto que una conexión sólida entre el Self del cliente y el del terapeuta permite a éste recuperarse de los errores, incluso si esos errores desencadenan una reacción extrema. Por lo general, los errores se vuelven peligrosos debido a los protectores temerosos que alberga el terapeuta. Permanecer conectado al cliente durante una crisis relacional fortalece la relación terapéutica. En este sentido, parafraseando a Franklin D. Roosevelt, lo único a lo que debe temer el terapeuta es a sí mismo. Por ejemplo, un terapeuta liderado por el Self que active antes de tiempo a un exiliado puede calmar a las partes del cliente escuchando y disculpándose. Sin embargo, si una parte temerosa o defensiva toma el mando en el terapeuta, el cliente se sentirá abandonado y la actitud de sus protectores se agravará.

La idea es que la IFS es bastante segura si se practica con sensibilidad ecológica, pero las escaladas que implican a partes del terapeuta y del cliente pueden crear peligros. En conjunto, hemos cometido muchísimos errores, así que aconsejamos trabajar con cualquiera de tus partes que teman al error. Cuando el terapeuta sigue siendo el «Yo» de la tormenta, el miedo que alimenta la escalada interna y externa desciende espectacularmente y los errores se transforman en oportunidades de disculparse y reparar, algo que la mayoría de clientes recibe con gratitud y alivio. Para muchos clientes, será la primera vez que reciban una disculpa.

La responsabilidad del terapeuta en la IFS

Muchos de quienes se inician en la IFS, sobre todo si les han enseñado que la responsabilidad del cambio es del terapeuta, temen confiar en el Self del cliente. Es más, muchos terapeutas se afanan demasiado por suministrar a los clientes lo que presuntamente les falta, tanto si se trata de conocimientos y buenas interpretaciones como de una figura de apego lo suficientemente buena. Este afán denota que hay partes al frente. Cuando nos empeñamos y tenemos planes preconcebidos estimulamos sin querer luchas de poder con las partes protectoras de los clientes, que entonces se califican a menudo de transferencia negativa o resistencia. En el lenguaje de la IFS, un terapeuta que suscite transferencia negativa está liderando con partes del terapeuta expertas o celadoras. Destapará a los exiliados del cliente demasiado deprisa y no tendrá en cuenta las opiniones de los directivos del cliente, a quienes no les gusta nada que les digan cómo pensar, sentirse o comportarse.

Como resultado, las partes expertas del terapeuta se enfrentan a mucha más resistencia que los terapeutas que confían en el Self de los clientes. El ejercicio diario de la curiosidad, la confianza y un menor empeño (hacer menos) nos conduce al manantial de la salud de los clientes y es muy gratificante. Una de las primeras cosas que yo (R. C. S.) me planteo antes de empezar una sesión es: «¿Tengo unos planes preconcebidos o mucha prisa? Y, según avanza la sesión, ¿estoy poniendo demasiado empeño?». Puede que mi Self tenga la intención de ayudar a los clientes a sanar, pero no está conectado con los resultados.

Para contrarrestar la tendencia a afanarse en exceso común entre los terapeutas, alentamos a los noveles a pasar conscientemente y poco a poco de un lenguaje autoritario a uno inquisitivo. Cuando actuamos como expertos en terapia IFS, minamos nuestro principal objetivo terapéutico consistente en que las partes de los clientes aprendan a confiar y dirigir la mirada al Self del cliente. Tan pronto como el Self del cliente está disponible, la misión del terapeuta no es más que ayudar a todas las partes a diferenciarse, así como darse cuenta de si las partes se mezclan. Si preguntas a los clientes qué sucede, ye sorprenderá cuánto saben.

Detección de partes

Entre los ejemplos de comportamientos de clientes que indican que hay un protector mezclado, está el del cliente que parece confundido, cuando dice que no puede indagar o no sabe cómo relacionarse con una parte, que ya no ve a sus partes, que empieza a racionalizar sus problemas o su experiencia interna o se embarca en largas exposiciones detalladas sobre la semana anterior. En ocasiones surgen problemas que de veras precisan atención inmediata, pero en muchas otras, las partes protectoras interfieren de modo sutil. Los protectores pueden parecer razonables y convencer, incluso en temas extremos o que distraen. No estamos poniendo en entredicho su comportamiento. Es sólo que son buenos en su trabajo.

Un terapeuta novel de IFS se expone a morder el anzuelo y creer a la parte que distrae, o bien tomar partido en una polaridad y discutir con otra parte sobre el comportamiento de ésta. Posicionarse siempre causa problemas. En cambio, un terapeuta de IFS experimentado cuenta con un *detector de partes* muy desarrollado. Al fijarse en pistas como el tono de voz, la postura y los contenidos extremos, el terapeuta de IFS experimentado nota si los protectores están mezclados y el Self no lleva la batuta. Si sospechamos que la falta de progreso se debe a la sutil interferencia de un protector, le decimos al Self del cliente que mire su interior. Una vez detectado un protector, podemos proponer al Self del cliente que interactúe con él por medio de la comunicación interna o hablar nosotros directamente con ese protector.

Cuando el terapeuta principiante de IFS adquiere experiencia y constancia en el empleo de la IFS, aprende a no pelear con las partes protectoras. El nivel de actividad de un protector es proporcional a su evaluación y miedo a alterar la situación vigente, por pésima que sea. Lo único que se consigue al pelear con protectores temerosos es que se radicalicen aún más, al igual que cuando discutimos con alguien que adopta una postura extremista. Cuando un protector intenta distraer o cubrir a otras partes del modo que sea, lo que hacemos es obviar sus afirmaciones radicales o superfluas en pro de preguntar por sus necesidades: ¿por qué tiene que interferir justo ahora? Si la parte no quiere decir la razón, podemos especular en voz alta sobre los dos temores más habituales entre los protectores: el desbordamiento emocional debido a los exiliados y quedarse sin trabajo.

Normalmente es uno de ésos. De lo contrario, la propia conversación predispondrá seguramente a la parte a sincerarse sobre lo que realmente le preocupa.

El fenómeno que probablemente más suele desconcertar a los noveles es la parte «parecida al Self», un directivo que puede aparentar ser el Self (y que a menudo se asemeja a la persona en su edad actual). Sin embargo, en el trasfondo de sus atenciones y amabilidad está el deseo de mantener a los exiliados alejados de la mente. Es frecuente que las partes parecidas al Self crean ser el Self y persigan complacer tanto a la gente en general como a nosotros, los terapeutas, sobre todo conformándose a lo que creen que deseamos, para que el cliente salga de la sesión sin habérsele detectado ningún exiliado.

Entre las pistas de que una parte similar al Self maneja la situación, se cuentan (1) la falta de progreso de la terapia, aun cuando el cliente parezca contar con energía del Self y (2) la negativa de los exiliados a interactuar con el Self (que en realidad es la parte parecida al Self) o a que la presencia de éste los consuele. Si el cliente tiene visión interna, podemos diferenciar del Self a una parte similar al Self con sólo preguntar al cliente «¿Estás directamente con tus partes o te ves con ellas?». Como el Self es la sede de la consciencia, cuando el Self lidera en el mundo interno no nos vemos a nosotros mismos. Estamos directamente presentes con nuestras partes al igual que lo estaríamos cenando con la familia o amistades. En cambio, cuando una parte parecida al Self está al mando, vemos a nuestra parte similar interactuar con otras partes.

Exploración incompleta de las limitaciones de una parte

Muchos principiantes confunden a las partes con sus roles. Como las partes creen en las cosas radicales que dicen sobre sí mismas y sobre las otras partes, los terapeutas pueden verse arrastrados a considerar a determinadas partes defectuosas, incorregibles o deliberadamente destructivas. Hasta un avezado terapeuta de IFS puede caer en la tentación de juzgar a las partes que generan muchos problemas. Sin embargo, cuando las partes del terapeuta juzgan a los protectores del cliente, nos vemos abocados a luchas de poder inútiles y desmoralizadoras. La realidad es que a las partes protectoras no les gustan sus roles extremos y si no fuera por una serie de limitaciones, estarían encantadas de cambiar.

Cuando intentamos ayudar a una parte con sus limitaciones, pero sigue en una posición extrema, corremos el riesgo de frustrarnos y caer en comportamientos directivos, así que insistimos en que *la paciencia sale a cuenta*. Mantente firme en la convicción de que poner fin a las limitaciones trae consigo el progreso. A veces, tras despolarizar, recuperar y descargar a un exiliado, descubrimos que hay otro protector cuyo eje es otro exiliado. O nos enteramos de que alguien o algo de la vida externa del cliente está reactivando a sus protectores. Ahora bien, a veces nos encontramos con que el responsable de que el progreso esté estancado es una parte nuestra hasta ahora desconocida. Encontrarás más información sobre las estrategias de la IFS frente a atolladeros terapéuticos en el capítulo 1, coescrito por mí (M. S.), Pam Krause y Larry Rosenberg, en el libro *Innovations and Elaborations in Internal Family Systems Therapy* (Sweezy y Ziskind, 2016).

Muchos terapeutas de IFS sin experiencia se impacientan especialmente al tropezar con un reguero aparentemente interminable de barricadas dispuestas por los directivos y bomberos del cliente, que impiden acceder a los exiliados. No pierdas de vista que exponer a los exiliados es una propuesta aterradora para los sistemas de muchos clientes. Hasta que sus directivos se convenzan de que no hay peligro no abrirán esa puerta. Aunque creamos que hemos abordado todos los temores de los directivos, muchas veces descubrimos miedos escondidos. Los miedos ocultos más comunes son (1) que se activen bomberos terroríficos (conducta sexual indebida, rabia, suicidio), (2) que un bombero furioso o un directivo polarizado desencadene la desconexión con miembros de la familia externa y (3) que los exiliados revelen secretos. Además, los directivos suelen requerir una relación sólida con el terapeuta, porque ellos también tienen sentimientos exiliados, que saldrán a la superficie en cuanto se suelte la carga del exiliado.

La impaciencia siempre prolonga el proceso terapéutico. De hecho, puede que la impaciencia del terapeuta sea la limitación más innombrable (y, por ende, oculta) que influye en los protectores de los clientes. Mark Twain decía: «Nadie se desembaraza de un hábito o de un vicio tirándolo de una vez por la ventana, hay que sacarlo por la escalera, peldaño a peldaño». Los directivos tienen miedo y están habituados a ser cautelosos; debemos sacarlos de sus altas cumbres peldaño a peldaño.

No trabajar con el contexto externo de un cliente

La IFS abre la puerta a un maravilloso mundo interno que a muchos noveles les intriga hasta el punto de ignorar las limitaciones externas y los recursos del cliente. Sucede particularmente con terapeutas que nunca se han formado en el trabajo con sistemas externos, pero hasta los terapeutas familiares pueden sucumbir a la tentación de viajar al interior con los clientes y cerrar la puerta a las tormentas que arrasan el exterior.

Es muy recomendable estar al corriente de la capacidad del cliente de ir más allá de las limitaciones del entorno, la familia y demás. Cuando reflexionamos con los clientes sobre a quién implicar en el tratamiento, hay que ir con cuidado de no actuar en connivencia con partes –suyas o nuestras– que quieran negar las limitaciones externas. Si el cliente alberga una parte que quiere mantener a cierta persona fuera de la consulta o no quiere hablar de una relación externa, primero hablamos con esa parte para evaluar lo que le preocupa. La cuestión es que ignorar las limitaciones externas puede salir caro. La terapia IFS es más corta, segura y eficaz cuando tenemos en cuenta las limitaciones y los recursos a todos los niveles. Los terapeutas que, por formación o naturaleza, son reacios a trabajar con personas externas deben (1) formarse en terapia de pareja o familiar, (2) ayudar a aquéllas de sus partes que temen la intensidad de la terapia con diadas o grupos o (3) contar con la participación de terapeutas experimentados en la labor con sistemas externos.

Las partes del terapeuta

Todos los casos descritos en los que los terapeutas se atascan tienen que ver con la interferencia de las partes del terapeuta. En IFS, *conócete a ti mismo* significa *conoce tus partes*. Al alumnado de IFS se le alienta a trabajar constantemente con sus partes. Esto puede conllevar buscar a un terapeuta o supervisor de IFS, hacer un curso de IFS, entrar en un grupo de supervisión mutua o emprender una autoexploración con el manual práctico de IFS (Anderson *et al.*, 2017). Asimismo, puede implicar el autoconocimiento por medio de la meditación o alguna expresión artística, como la pintura, la escultura, la danza o la escritura. Muchos terapeutas estudiantes de IFS van trabajando hasta que se atascan, y entonces buscan a un terapeuta a quien pedir consejo de vez en cuando o cuando se enfrentan a una etapa más intensiva de la terapia.

Si haciendo terapia IFS das con un callejón sin salida o notas que algún problema de tu vida personal te ha activado especialmente, mantén la relación con tus partes antes, durante y después de las sesiones. Conviértete en tu propio detector de partes, también cuando animes a los clientes a emplear sus capacidades de detección de partes. La capacidad de los clientes de advertir sus propias partes durante la semana te ayudará a ti y los empoderará a ellos. Además, practicar la técnica de la habitación (en la que el cliente visualiza a la parte focalizada en una estancia segura, separada del resto de las partes del sistema) les va tan bien a nuestros sistemas internos como a los clientes. Para acrecentar nuestro acceso al Self cuando una parte nuestra se activa, podemos depositar a esa parte en una habitación, preguntarle qué le molesta y averiguar qué necesitaría del Self para dejar de interferir. Por último, recuerda que los casos que has atendido rebosan de excelentes maestros. Según las tradiciones espirituales orientales, el maestro estará ahí cuando el alumno esté listo. Los terapeutas se sientan cada día con maestros, así que hay que estar preparado.

HOSPITALIZACIÓN DE CLIENTES

Cuando los conflictos van a más en el entorno externo del cliente y están fuera del control del cliente o el terapeuta, o cuando un bombero está arrastrando a la persona a un grave peligro y no piensa retirarse, el terapeuta y el cliente pueden plantearse un breve ingreso hospitalario (Krause *et al.*, 2016). Uno de los propósitos de la hospitalización es descansar de las polarizaciones externas para poder abordar a los exiliados sin la amenaza de que otras personas hagan entrar en acción a los peligrosos bomberos. Si entran en acción, el centro hospitalario puede contenerlos.

Otro objetivo es proporcionar un entorno de ingreso seguro y nutricio, si lo hay, donde llevar a cabo trabajo interno. Por desgracia, muchas unidades psiquiátricas no son seguras, porque reaccionan a los síntomas de los bomberos con medicación excesiva, coerción y patologización, lo que asusta, descapacita y polariza aún más al cliente y a la familia externa de éste. Por si eso fuera poco, los hospitales aterran a los clientes que han sufrido maltrato en forma de coacción, porque los hospitales otorgan pleno poder a las autoridades. De ahí que deban evaluarse por adelantado las consecuencias de la hospitalización, así como hacer un esfuerzo por dar con un programa compatible con el enfoque de la IFS. Si decides que es necesario un ingreso, recurre al acceso directo para decirle al protector amedrentador que está forzando el tema que no le estás castigando. Dile que entiendes que la parte trata de ayudar a su manera, pero que tú tienes que mantener al cliente con vida y a salvo para poder demostrar que hay una buena alternativa a la muerte.

RECONOCER LA NATURALEZA DE LAS PARTES

Un último posible obstáculo en la práctica de la IFS tiene que ver con nuestra relación con las partes. Nuestra opinión sobre las partes determina nuestro modo de estar con ellas. Considerarlas cocreaciones, estados mentales efímeros o representaciones asimiladas de otras personas externas nos lleva a no relacionarnos con ellas como lo haríamos con la gente, lo que a su vez repercute en nuestra comprensión de cómo se producirá el cambio. Si las partes son como personas, se encallan, emocionalmente y en el tiempo cuando no se sienten dignas de amor. ¿Por qué cambian? La respuesta —al menos en la práctica de la IFS— es inequívoca: cambian cuando se las escucha, se las entiende y se sienten legitimadas. Una parte adolescente solitaria y enfadada no se sentirá ni comportará mejor porque la dirijan, la controlen o la veten. Con toda probabilidad, querrá comentar que se siente herida. Puede que necesite que le digan cómo funciona el mundo. Y, desde luego, necesitará sentirse conectada con el Self y el resto del sistema interno. Colmar la necesidad de una parte de legitimación, sentido de pertenencia y seguridad no es difícil cuando la vemos como un adolescente interno, un niño pequeño o un veinteañero solitario. Cuesta mucho más si identificamos a la parte con un estado mental o una abstracción como un objeto interno.

La idea de que todos somos grupos de personas internas no encaja con las tradiciones científicas occidentales, así que, si todavía te cuesta aceptar la propuesta de la mente plural, que sepas que no estás solo (ver Schwartz y Falconer, 2017). El peligro de considerar a las partes abstracciones es no valorarlas ni responder debidamente a sus necesidades. Aunque lo de que *las partes son personas* te suponga aún un salto conceptual excesivo, igualmente puede irte bien con la IFS, siempre que trates a las partes como si se tratara de personas. La clave reside en tratar a las partes del cliente con el mismo respeto a la individualidad con que trata a las personas.

CONCLUSIÓN

En las sesiones, los terapeutas siempre damos con atolladeros internos y en algunos momentos tenemos miedo. Cuando te sientas inseguro o asustado, hablarán las partes que presionan para que rechaces este modelo y retomes los métodos con los que estás más a gusto y mejor se te dan. Para ceñirse a la IFS es muy aconsejable la formación en IFS de nivel 1 (encontrarás información sobre todos los cursos de IFS, incluidos los programas virtuales *IFS Circle* y *IFS Continuity*, en la web del Center for Self-Leadership, www.selfleadership.org). Para comprender todo lo que implica la IFS, te recomendamos estar atento a todas tus partes y mantener el contacto con un colectivo donde haya tanto terapeutas que estén descubriendo la IFS como terapeutas versados en su empleo. Al enfrentarnos a partes extremas (de nuestro interior o del cliente), o cuando llegamos a un punto muerto, nuestra piedra angular es siempre el Self, el del cliente y el nuestro. Mientras nos mantengamos en nuestro Self, la sabiduría del cliente acabará por aparecer. La terapia IFS es una verdadera colaboración entre varios Selves.

SEGUNDA PARTE

TERAPIA IFS CON FAMILIAS, PAREJAS Y SISTEMAS MAYORES

CAPÍTULO 14

La definición de familia del modelo IFS

En los siguientes capítulos dejamos los sistemas internos individuales para centrarnos en los de familias, parejas y nuestra sociedad en general. Nuestros sistemas internos suelen estructurarlos las cargas familiares, que a su vez suelen estructurarse en torno a las cargas que las culturas y naciones arrastran. Las cargas llevan a los sistemas humanos a organizarse al extremo, intensificando los patrones que tan claramente vemos en la psique. Algunos miembros se ven exiliados por su vulnerabilidad, mientras que otros adquieren roles protectores que pueden ser proactivos (directivo) o reactivos (bombero).

Por ejemplo, la situación próxima a la pobreza que afrontan tantas familias estadounidenses antaño de clase media es producto de las cargas extremas de individualismo y materialismo que llevan décadas dirigiendo la política del país. Cuando una madre necesita dos empleos para mantenerse a flote y sus hijos reaccionan mal a su ausencia, puede estar demasiado agotada para acceder a la energía del Self. Y si, además, sufre discriminación racial o sexual en el trabajo, sus protectores furiosos o temerosos pueden añadir cargas a sus hijos, etcétera. Es así como las cargas de un sistema generan desequilibrios estructurales, y éstos generan cargas, que constriñen y cargan sus subsistemas.

Las cargas sociales, que son cargas por legado, impregnan y ordenan las estructuras familiares, constriñendo y generando desequilibrio en el nivel familiar. Como las personas, las familias acumulan cargas de la experiencia directa. Los miembros de la familia se reparten los mismos roles de exiliado, directivo y bombero, y se vinculan a esos roles por las mismas clases de limitaciones y cargas que mantienen a las partes en sus roles. Como lo que pretendemos es liberar a todos los actores de sus roles extremos para que puedan adoptar valiosos roles de su preferencia y estar en armonía unos con otros, para comprender a las familias empleamos el mismo mapa conceptual que con personas individuales.

El propósito de la IFS es acceder al Self y liberar a las partes (de la persona) y a las personas (en las familias) que se han encallado en roles extremos. En el capítulo 2 hemos analizado cuatro dimensiones de desempeño en las personas. Estas dimensiones, que se influyen mutuamente, son aplicables a sistemas de todos los niveles: desarrollo, liderazgo, equilibrio y armonía. Ahora tomamos estas cuatro dimensiones en el sistema de la familia externa. En nuestro caso, el *desarrollo* de una familia alude a su crecimiento y evolución en un contexto histórico. El *liderazgo* es un rol de responsabilidad con respecto al sistema y sus miembros, que se asigna a una o más personas a las que se atribuyen mayores capacidades de responsabilizarse. El *equilibrio* de una familia o cualquier otro sistema corresponde al establecimiento mutuo de límites y el reparto equitativo de recursos, responsabilidades e influencia en el seno del sistema; la *armonía* se refiere a determinadas cualidades relacionales del sistema, incluidas las que suelen emplearse para calificar a las familias funcionales: cohesión, flexibilidad, comunicación efectiva, atención, apoyo, colaboración y bajo nivel de conflicto. El equilibrio conduce a la armonía y la armonía fomenta el equilibrio.

DESARROLLO

El desarrollo de un niño tiene lugar en el contexto de los hechos históricos, que incluyen tanto las catástrofes a gran escala de origen natural como las provocadas por el hombre (como los terremotos, las guerras y los genocidios) y las desgracias personales (como que un progenitor muera atropellado al cruzar la calle o enferme mentalmente). Estos hechos cargan a las personas y a las familias de sentimientos extremos y creencias distorsionadas.

Las terapias psicodinámicas siempre han hecho hincapié en el desarrollo de la primera infancia y en cierta medida la terapia familiar se ha diseñado en respuesta a este énfasis. En consecuencia, casi todos los enfoques de la terapia familiar han sido ambivalentes (en el mejor de los casos) a la hora de analizar la historia de una familia. En el apogeo de la terapia familiar, hubo terapeutas que tuvieron en cuenta el ciclo vital de la familia (ver, por ejemplo, el trabajo de Betty Carter y Monica McGoldrick en 1989), pero la mayoría de escuelas de terapia familiar basadas en sistemas se centraban en el presente y pensaban en términos de metáforas biológicas y mecánicas. Si una máquina se avería, razonaban, la reparamos sabiendo qué está averiado, no cómo se averió. Con la misma estrategia, se enfocaban en las dinámicas actuales de una familia y en cómo funcionaban los sistemas, no en cómo se desarrollaban. Desde este punto de vista, la historia personal tenía poca relevancia. En cambio, desde la perspectiva de la IFS, los sistemas cargados no dejan de mezclar presente y pasado, por lo que la historia adquiere gran importancia en la terapia. Presenciar la historia, especialmente cuando el proceso de la IFS ya está avanzado, es importante para la sanación de casi todos los clientes.

Las consecuencias de sustentar y constreñir entornos en desarrollo

Para emplear sus recursos innatos de desarrollo, los sistemas humanos necesitan en una fase temprana un entorno que los sustente. La infancia temprana y la niñez son igual de vulnerables en las personas, las familias y las organizaciones. Los líderes necesitan tiempo para generar credibilidad, inspirar confianza y forjar objetivos comunes.

Entretanto, los miembros deben descubrir qué roles prefieren. Para poder prosperar, los miembros de la familia precisan un sistema que trace límites claros y aporte un acceso equilibrado a la influencia, las responsabilidades y los recursos. En este tipo de entorno nutricio, seguro y sin restricciones, los sistemas saben por naturaleza qué dirección y ritmo deben seguir. En cambio, el sistema desarrollado en un entorno restrictivo y poco seguro se desequilibra inevitablemente. El peligro activa la protección, y los protectores son líderes inmaduros que con el tiempo tienden a radicalizarse. Como mostramos a lo largo de este libro, un sistema gobernado por protectores es desequilibrado de por sí y no puede ser armonioso.

Aun así, no congregamos con la idea de que un solo período crítico en un entorno restrictivo destruya el potencial de salud de un sistema, ni siquiera que lo pueda mermar gravemente. Por muy temprano que se hayan impuesto a una persona limitaciones al desarrollo como el maltrato, la desatención, la enfermedad o la privación, esa persona sigue albergando un Self intacto y plenamente capaz, aunque los protectores oculten más ese Self que en los casos de quienes no han sufrido esas terribles limitaciones. Además, los sistemas humanos no tienen por qué pasar por una serie de etapas secuenciales para adquirir el liderazgo del Self, y quienes omiten una etapa no necesitan regresar para completarla antes de acometer el resto de etapas para alcanzar la salud y la madurez.

Por otro lado, un desarrollo sano no siempre requiere mucho tiempo ni intervención externa. Con el liderazgo del Self, cualquier sistema humano puede reordenarse y encaminarse a la salud en cualquier momento de su existencia. La experiencia nos dice que los sistemas no tardan en sanar en cuanto un liderazgo eficaz empieza a sustituir los ciclos fallidos por secuencias de equilibrio y armonía que fomenten ciclos beneficiosos. Ahora bien, para abrir paso a un liderazgo efectivo, los clientes deben ocuparse de las cargas que han acumulado, como las creencias extremas y los estados emocionales atascados abrumadores. Gracias a estas cargas, la historia mantiene el control, impide un desarrollo sano y desbarata el equilibrio organizativo. Las familias, como las personas, adquieren cargas de las vivencias traumáticas y llevan a cuestas cargas por legado.

El trauma y el desarrollo individual

Hemos trabajado con muchos adultos supervivientes a todo tipo de maltrato infantil, y los clientes nos han instruido sobre los efectos nocivos de los traumas en los sistemas humanos, sobre todo en la niñez. El trauma impone dos limitaciones generales al desarrollo de un sistema. En la primera, las partes vulnerables del sistema quedan congeladas en el terror o la vergüenza, a menudo en el momento del trauma. La segunda tiene que ver con el liderazgo. Los padres pueden renunciar a su rol, desprestigiar su aptitud para liderar y abandonar su influencia mostrando impulsividad (p. ej., violencia), compulsiones (p. ej., adicciones), sesgos (p. ej., preferir a un hijo en detrimento de otro) o excesiva pasividad (p. ej., depresión).

Hemos observado que la capacidad de una persona de crecerse frente a la adversidad es proporcional a su acceso al liderazgo del Self. Cuando las partes protectoras dejan de confiar en el Self y toman el mando, se pierde el liderazgo del Self, desaparece el equilibrio y la armonía se vuelve inalcanzable. En cambio, cuando el Self sigue ahí para brindar protección y consuelo en el trauma a los miembros más vulnerables del sistema, crecen la confianza y el respeto hacia el liderazgo del Self, lo que favorece el equilibrio y la armonía interiores. Uno de los principales objetivos de la terapia IFS es forjar esta clase de liderazgo, para que los inevitables retos y peligros de la vida fortalezcan y no minen la confianza.

Del desarrollo individual al desarrollo familiar

Los efectos negativos del trauma y los efectos positivos del liderazgo del Self pueden extrapolarse de las personas individuales a las familias. En las familias, al igual que en las personas, el liderazgo determina, al menos en parte, la repercusión de un hecho traumático. Si el trauma implica peligro o daño físico y los padres protegen a la familia manteniendo el liderazgo del Self y manejando eficazmente el daño, se granjean el respeto y la confianza de los miembros de la familia. Asimismo, si un trauma incluye una pérdida dolorosa y los padres están ahí para consolar y nutrir a los afligidos miembros de la familia, crece el prestigio de los padres.

Sin embargo, cuando la pena, el miedo o el dolor sobrepasa a los progenitores y éstos abandonan el liderazgo negando o minimizando los sentimientos de un hijo, pierden la confianza y el respeto. Cuando los progenitores renuncian al liderazgo, un hijo (a menudo el mayor, pero en absoluto siempre) interviene para ocuparse de las responsabilidades familiares, proteger, consolar y nutrir a los progenitores infantiles o furiosos, junto con los hermanos y hermanas desvalidos. Al tiempo que lidia con su propio niño interior abandonado y trata de manejar la desobediencia compulsiva de los bomberos de sus hermanos, este joven «parentalizado» se ve obligado a desarrollar unos potentes directivos promocionados en exceso que tienen demasiado poder y acumulan demasiada culpa. Una familia sin progenitores adultos hábiles que tengan al menos cierto acceso al liderazgo del Self es una familia en grave peligro.

LIDERAZGO

Para preservar el equilibrio y alcanzar la armonía, las familias necesitan un liderazgo eficaz. Las cualidades de un líder eficaz son muchas y complejas. Gran parte de la literatura sobre terapia familiar gira en torno al rol de los progenitores y cómo ayudarlos a implicarse menos psicológicamente, para que sus hijos puedan crecer. Sin embargo, en un liderazgo eficaz hay muchos otros aspectos, como los siguientes:

• Asignar equitativamente los recursos, las responsabilidades y la influencia.

- Asegurarse de que todos los miembros de la familia reciban la atención afectiva, la información y la intimidad que precisan para aprender, desarrollarse y sentirse tanto conectados como valorados.

- Crear un ambiente donde no se exilien las inquietudes ni los sentimientos, para que puedan expresarse las necesidades y diferencias, admitirse los errores, reconocerse los problemas y compartirse los sueños.

- Granjearse el respeto y la confianza de todos, de modo que los miembros de la familia polarizados consideren su mediación imparcial y acertada.

- Nutrir el desarrollo de los miembros de la familia, lo que conlleva garantizar que se cubran las necesidades materiales básicas y que el entorno familiar sea seguro. Asimismo, los miembros de la familia necesitan sentir que se preocupan por ellos, que los consuelan cuando sufren o cuando las decisiones familiares no son de su gusto, y que los alienten a descubrir y alcanzar los roles y objetivos que prefieran.

- Relacionarse con sistemas ajenos a la familia, lo que implica afirmar los puntos de vista y las necesidades de la familia, así como establecer armoniosas relaciones duraderas con otros sistemas. Este aspecto incluye la interpretación de la retroalimentación de otros sistemas, a tiempo y sin distorsiones, y estar pendiente de si esa retroalimentación refleja posibles problemas o cualidades de la estructura o los valores de la familia.

- Practicar el modelamiento personal, que consiste en dar ejemplo llevando una vida equilibrada y armoniosa, al tiempo que se abordan las necesidades del sistema más amplio. El modelamiento personal exige al menos cierto nivel de transparencia por parte del líder con respecto a las dificultades que entraña superarse.

- Preservar la visión compartida de la familia. Este último aspecto de un liderazgo eficaz es especialmente complejo. Las familias armoniosas suelen tener, al menos hasta cierto punto, una identidad común: un conjunto de valores y objetivos puestos en común que aporta a cada miembro sensación de afinidad y orientación. Un líder eficaz tendrá una visión personal de su vida, ayudará a los miembros de la familia a encontrar la suya y dirigirá los debates familiares en busca de puntos en común y de la síntesis de las visiones individuales.

Una visión compartida

Con demasiada frecuencia, los progenitores imponen su visión personal, derivada de sus cargas, a los hijos. Por ejemplo, muchos progenitores transmiten cargas por legado en forma de sueños poderosos —con afán de compensar las veces en las que creen haber decepcionado a sus padres—, o que proceden de los valores extremos de su cultura. Las cargas por legado pueden imponer expectativas rígidas y opresivas, dejando poco margen para la diferencia y el crecimiento. En el lado opuesto del espectro, cuando los líderes de la familia tienen poca visión personal o interés por la experiencia compartida, los miembros de la familia se sienten a menudo aislados y perdidos. Al igual que quienes persiguen básicamente adquirir riqueza, quien se siente perdido está más expuesto a llevar el individualismo y el materialismo estadounidenses a extremos de verdadero egoísmo.

A diferencia de los problemas que plantean la rigidez y la imposición de expectativas, o la ausencia total de expectativas, la visión de la familia compartida es flexible, altruista y adaptable a los miembros, según sus intereses y aptitudes. Tener un objetivo y una causa que trasciendan el beneficio personal fomenta una razón de ser y, en general, un sentimiento de comunidad. Sin embargo, un *ethos* de mero autosacrificio puede exiliar a las partes asertivas y centradas en sus propios intereses, por lo que el equilibrio es esencial. Una visión familiar debe equilibrar el altruismo con la recompensa personal.

Problemas habituales de liderazgo

Casi todas las familias cuentan con los recursos que se requieren para un liderazgo previsor, equilibrado y armonizador. El Self del líder de la familia sabe ser una buena figura de apego. El freno al Self genera los estilos de liderazgo problemáticos que hemos descrito.

La renuncia al liderazgo

Hay veces en las que los líderes de una familia están demasiado sobrecargados para tratar las demandas del exterior o del seno de la familia y no delegan responsabilidades ni cuentan con nadie en quien delegar. En los Estados Unidos, la brecha entre los ricos y el resto de la población ha crecido enormemente en las últimas décadas, hasta el punto de que un gran número de progenitores necesita dos empleos. Los progenitores superados por el estrés de mantener a la familia corren un grave riesgo de caer en una depresión y sucumbir a distintos comportamientos de los bomberos.

Un líder también puede verse limitado por una discapacidad derivada de una lesión, enfermedad o polaridades extremas interiores (o exteriores), lo que puede desembocar en una depresión o un duelo incapacitante. Tanto el líder sobrecargado como el discapacitado se exponen a renunciar a varios aspectos del rol de liderazgo. La renuncia al liderazgo asusta a los miembros de la familia, que a su vez pueden reaccionar de varias maneras, como la desobediencia o la somatización, para hacer que el líder retome la acción. La renuncia al liderazgo acaba creando un vacío que los otros, aun no siendo adecuados ni apropiados para desempeñar la tarea, se ven obligados a llenar.

Liderazgo polarizado

En algunas familias, los líderes están más polarizados que sobrecargados. Por ejemplo, un padre o una madre se vuelve permisivo con los hijos para contrarrestar la severidad del otro progenitor. Ambos progenitores se ven obligados a extremar aún más sus posiciones, pero preferirían no ser extremistas. Las polarizaciones en el liderazgo acaban generalmente por desbordarse y afectar al sistema entero, lo que da lugar a varios tipos de distracciones, así como al desarrollo de distintas coaliciones y polaridades en el seno del sistema.

Liderazgo desprestigiado

Los líderes de algunas familias pierden la confianza y el respeto de sus miembros. Por ejemplo, puede que el líder no proteja a la familia en un momento de crisis o que actúe de un modo egoísta. Puede que el líder de vez en cuando beba demasiado, tenga una aventura, recurra al maltrato o mienta a otros miembros de la familia sobre temas importantes. En consecuencia, aunque el líder demuestre tener recursos eficaces, es probable que la familia se oponga o se rebele abiertamente. Para recuperar el estatus desprestigiado, el líder debe deponer el comportamiento nocivo, reconocerlo ante los miembros de la familia, disculparse y procurar la reparación. No obstante, muy a menudo sucede que los líderes desacreditados adoptan la estrategia contraria: niegan, hacen como si nada hubiera ocurrido y pretenden que los miembros de la familia hagan lo mismo.

Liderazgo sesgado

Los líderes que se favorecen a sí mismos, a un miembro de la familia o a un subconjunto de miembros en detrimento de otros fomentan la falta de armonía y el desequilibrio. Para prevenir posibles rebeliones, es frecuente que los líderes sesgados traten de controlar el acceso de la familia a comentarios externos y al flujo de comunicación en el seno de la familia. Los líderes sesgados pueden negar ser arbitrarios, acusar a otros de serlo para ocultar sus acciones o tratar de justificar su arbitrariedad diciendo que es necesaria por una amenaza externa o por algún principio o tradición superior, como la religión o la «norma correcta» del patriarcado.

Liderazgo eficaz

Esto nos conduce a un aspecto crucial del liderazgo. Los líderes dirigidos por el Self son sensibles a las aportaciones de otros sistemas del entorno, que interpretan de inmediato y objetivamente, lo que propicia un proceso comunicativo abierto cuando la familia digiere esas aportaciones. Como sucede con el sistema de jurado estadounidense, que traslada la toma de decisiones a ciudadanos informados, los líderes dirigidos por el Self confían en el Self de cada miembro del sistema, que cuenta con información y capacidad de comunicarse libremente. Los líderes dirigidos por el Self son también pensadores sistémicos. Interpretan las aportaciones teniendo en cuenta el contexto relacional de su familia y sus mecanismos internos. Por ejemplo, cuando a un hijo le va mal en los estudios, normalmente los progenitores sienten el impulso de presionar al hijo o ayudarle con los deberes. Sin embargo, para ser eficaz, el progenitor debe valorar los sistemas del hijo a todos los niveles antes de decidir cómo responder. No sólo debe explorar el sistema familiar, sino también las relaciones del hijo con compañeros y profesorado, en busca de desequilibrios, polarizaciones y problemas de liderazgo limitantes. Ayudar a los padres a situar las cosas en su contexto es una de las principales labores de los terapeutas familiares.

La renuncia, la polarización, el desprestigio o el sesgo en el liderazgo impiden que un sistema reciba aportaciones sanas. Los líderes que renuncian pueden estar demasiado sobrecargados para tan siquiera percibir las aportaciones (imagina a un progenitor deprimido o maníaco). Los líderes desprestigiados probablemente negarán o ignorarán los comentarios que señalen sus errores. Los líderes sesgados probablemente sobredimensionarán los comentarios favorables a sus posiciones y distorsionarán o negarán el resto. Cuando se ignoran, se distorsionan, se niegan, se interpretan de un modo simplista o se dan largas a las aportaciones sobre la marcha del sistema y la respuesta del entorno, el sistema no puede reaccionar de un modo productivo y corregirse.

Lo mismo sucede con la comunicación en el seno de la familia. Los líderes que han renunciado no saben propiciar con la eficacia necesaria la desescalada de las polarizaciones; los líderes con sesgos reprimen los mensajes que cuestionan su perspectiva o que plantean temas incómodos, incluyendo secretos; y los líderes desprestigiados vetan los debates que puedan sacar a relucir sus errores. Cuando la comunicación se bloquea por alguna de estas razones, los miembros de la familia desconocen las repercusiones de sus acciones en los demás. Cuando los miembros de un sistema no son conscientes del verdadero coste de su comportamiento, emergen las polarizaciones y los extremos. Nunca deja de sorprendernos lo rápido que los conflictos crónicos discapacitantes se atenúan o desaparecen en cuanto los oponentes tienen ocasión de hablar entre ellos, desde el Self, sobre sus verdaderas necesidades e intenciones.

Estos cuatro problemas de liderazgo (renuncia, polarización, desprestigio y sesgo) pueden causar problemas en cualquier sistema. Por si eso fuera poco, al ser contagiosos, su presencia es raramente discreta. Uno lleva al siguiente. Por ejemplo, cuando el líder de un sistema renuncia y el poder se delega en más de una persona, estas personas tenderán a adquirir posturas polarizadas sobre el mejor modo de actuar. Y si toda la responsabilidad recae en una única persona mal preparada, los otros miembros del sistema entrarán también inevitablemente en una polarización con esa persona.

EQUILIBRIO

Para no caer enfermos, los sistemas humanos necesitan equilibrio. Las variables cruciales que intervienen a la hora de adquirir equilibrio son la influencia, los recursos, las responsabilidades y los límites. Y todas ellas se ven afectadas por las cargas.

Las variables que requieren equilibrio

En una familia, la *influencia* corresponde a quien toma importantes decisiones económicas, educativas, geográficas y sobre otros aspectos del estilo de vida, así como a quien decide con respecto al reparto de recursos y responsabilidades. Los *recursos* de la familia incluyen lo material (comida, cobijo, ropa, dinero), el tiempo de ocio, la nutrición, la atención y la orientación. Las felicitaciones de los padres y el acceso a los amigos también son *recursos*. Las *responsabilidades* en el seno de una familia consisten en educar y alimentar a los hijos, generar ingresos, forjar y preservar relaciones e intereses fuera de la familia nuclear y organizar y mantener el hogar.

Los *límites* son *distinciones* sobre qué o quién se incluye o excluye de un sistema. En algunos sistemas, los límites son relativamente fáciles de definir y pactar. Por ejemplo, un coche incluye todos los componentes que viajan con él. Si le quitamos el claxon, deja de ser parte del sistema del coche. Si lo volvemos a poner, estará de nuevo dentro de los límites del coche. Los límites no están siempre tan claros en los sistemas humanos, que pueden fomentar polarizaciones sobre su definición (p. ej., en las familias adoptivas).

Hace cuatro décadas, los terapeutas familiares estructurales postularon que las familias sanas tenían límites claros para sí mismas y sus subsistemas (Minuchin, 1974). Los «límites claros» (lo que denominamos *límites equilibrados*) se definieron como aquellos que permitían acceder adecuadamente a otros subsistemas, protegiendo al mismo tiempo un sistema familiar de intrusiones que impidieran su desarrollo. Los límites problemáticos o bien eran demasiado difusos, al permitir demasiado acceso a otros sistemas, o demasiado rígidos, al permitir demasiado poco acceso. Por consiguiente, en los sistemas humanos, los límites son reglas acerca de quién accede a quién y cómo. Cuando una familia funciona mejor es cuando todos los miembros son parte de los subsistemas que necesitan para desarrollarse y en los límites de cada subsistema hay equilibrio entre el acceso y la intimidad.

ARMONÍA

El *equilibrio* alude a las cuatro variables expuestas anteriormente (recursos, responsabilidades, influencia y límites), mientras que en estas páginas el término *armonía* se emplea para designar otras cualidades de las relaciones en el seno de un sistema. Se han utilizado varias palabras para describir las relaciones en familias que funcionan bien: *cohesión, flexibilidad, comunicación efectiva, atención, apoyo, colaboración, bajo grado de conflictividad*, entre otras. Todas ellas pueden englobarse en la dimensión de la armonía.

En una familia armoniosa, los miembros disfrutan de sus roles, o por lo menos comprenden la contribución de sus roles y sienten que se les agradece que los desempeñen. La familia se mueve basándose en una visión común que todos conocen y valoran. Además, se respetan las diferencias individuales de visión y estilo existentes entre los miembros de la familia y se intenta adecuar la visión de cada miembro a la visión global familiar. Puede haber competencia entre los miembros, pero se ve mitigada por los cuidados y la atención subyacentes de la familia en general, así como por el compromiso por el bienestar del sistema y de la ecología más amplia de sistemas en la que están enraizados.

Además, como el perdedor no se expone a perder ni su estatus ni su rol, la competencia no es producto del miedo. Todos los miembros de la familia están dispuestos a sacrificar recursos y objetivos personales, porque les importa el resto de miembros de la familia, y comprenden y apoyan la visión más amplia de la familia. Al ser la comunicación directa, espontánea y sincera, pueden resolverse los conflictos y corregirse los desequilibrios. Las familias armoniosas son grandes sustentadoras. Cuando los miembros han sentido esta armonía compartida, se afanan por recuperarla o acusan su pérdida.

LA POLARIZACIÓN Y LA SOBREIMPLICACIÓN

En la IFS ayudamos a clientes individuales a identificar a protectores mezclados, así como a protectores polarizados, que están entre bastidores y se presentarán más adelante, y los ayudamos a identificar a las partes exiliadas que son objeto de protección. Con las familias también lo hacemos. Como llevan mucho tiempo observando los teóricos de terapia familiar, las polarizaciones, sobreimplicaciones, desvinculaciones y los hijos parentalizados caracterizan a las familias con dificultades. En los siguientes apartados describimos patrones habituales de conflicto y vinculación que giran en torno a dos personas, pero pueden incluir varias alianzas con otros miembros de la familia.

Polarización

El problema más accesible en las primeras sesiones con la familia suele ser una polarización entre dos miembros de la familia que ocupan roles directivos, o una polarización entre un directivo y un bombero. Estas polarizaciones pueden ocultar sentimientos y temas clave en una familia durante años o incluso generaciones. Como veremos en el siguiente capítulo, el terapeuta de IFS puede recurrir a los mismos métodos que empleamos con las partes para ayudar a los miembros de la familia a abandonar sus roles rígidos.

Sobreimplicación

Según el principio del equilibrio en los sistemas, las relaciones distantes y sembradas de conflictos (polarizadas) van a menudo acompañadas de relaciones de sobreimplicación demasiado estrechas. El caso más habitual se da cuando los progenitores se hallan en un conflicto crónico y uno de ellos se acerca demasiado a uno de los hijos y se vuelve dependiente. Por otro lado, puede ocurrir que ambos progenitores se centren demasiado en los hijos por ser una distracción segura. La polarización, que es un conflicto entre protectores, desatiende a los vulnerables y dolientes exiliados. Al no contar aún estos progenitores con el liderazgo del Self necesario para ser los principales cuidadores de sus propios exiliados, puede que sus protectores encarguen a otros sus cuidados, o que tomen las riendas con distracciones como el trabajo y el alcohol. El único modo de romper para siempre con las sobreimplicaciones transgeneracionales (padre-hijo) es ayudar a los padres a convertirse en los principales cuidadores de sus propios exiliados, para que sus hijos ya no tengan que desempeñar ese rol.

Habitualmente, la sobreimplicación padre-hijo arranca en el sistema interno del progenitor y se extiende a todo el sistema familiar. Damon era un padre que mucho tiempo atrás había aprendido a exiliar a sus partes jóvenes vulnerables. Por lo tanto, esas partes eran dependientes y anhelaban la atención del exterior, empezando por la esposa de Damon. Sin embargo, los protectores de ella, que también habían exiliado a sus partes vulnerables, no toleraban la dependencia de él. Los protectores de Damon, sabiendo que le rechazaban una y otra vez, le hicieron alejarse de su esposa, con lo cual sus exiliados aún ansiaban más desesperadamente vinculación y consuelo. Reaccionaron volviéndose hacia la hija, que anhelaba la atención de su padre.

En este ejemplo vemos que el progenitor activó a los directivos de su hija para que nutrieran a sus exiliados, lo que significa que impuso las cargas de responsabilidad y cuidados a la hija. Con ello, su esposa aún se aisló más, tanto de él como de la hija, lo que a su vez provocó que las partes jóvenes de la hija se sintieran abandonadas por ambos progenitores, aunque de modos distintos. Años más tarde, las partes jóvenes de la hija repitieron el patrón de buscar cuidados en los hijos. La inversión de papeles padre-hijo, con los exiliados de un adulto aferrándose a los jóvenes y atribulados directivos de un hijo, puede transmitirse de generación en generación como un cromosoma.

El abandono, junto con los sentimientos de falta de valía o de miedo, da muchas veces lugar a tres tipos más de sobreimplicación.

En el primero, las jóvenes partes heridas de una persona tratan de introducirse en otra persona y transformarse en ella. Estas partes jóvenes persiguen acceder al poder, la vitalidad, la seguridad o cualquier otra cualidad de otra persona que creen que les falta. Y lo hacen adoptando los movimientos, el aspecto y el comportamiento de esa persona. En esencia, colonizan la identidad de una persona. Aunque este intento de colonización pueda ser reconfortante a corto plazo, al disiparse tanto los límites se transfieren cargas y se genera confusión interna sobre dónde acabo «yo» y empiezan los demás.

En el segundo tipo de sobreimplicación producto de la sensación de abandono, los exiliados arrastran la carga de la falta de valía desde una infancia con adultos maltratadores o rechazantes, y buscan desesperadamente la aprobación o la protección de alguien similar. Cuando ven en tal persona a un posible redentor, se le apegan tenazmente y están dispuestos a hacer cualquier cosa por la aprobación, el afecto o la protección de esa persona (Schwartz, 2008).

El tercer tipo de sobreimplicación se debe al miedo traumático. Terribles sucesos, como la pérdida de un progenitor o el caso inverso, la pérdida de un hijo, pueden generar exiliados que están encallados en el momento de la pérdida. Para repeler nuevas pérdidas, los directivos de esa persona se vuelven sobreprotectores y se sobreimplican con otros miembros de la familia. Este tipo de sobreimplicación también puede derivarse de temores del todo realistas. Es frecuente que los niños residentes en barrios peligrosos no tengan permiso para salir de casa si no es para ir a la escuela, y llevan la carga de preocuparse por la seguridad de sus padres. Los hijos que viven con un padre violento a menudo se aliarán con la madre, en busca de protección mutua. La sobreimplicación protectora puede ser necesaria para sobrevivir, pero igualmente se cobra un alto precio.

Polarización y sobreimplicación en las familias

En general, al observar las polarizaciones de toda una familia, vemos que las alianzas protectoras suelen girar en torno a cada una de las

dos personas que tienen un conflicto. Asimismo, vemos que los secretos caldean los conflictos y alianzas familiares. Mamá tiene una
amante lesbiana; papá es un profesor que seduce a sus alumnas; el
abuelo acosa sexualmente a la nieta; mamá se pasa el día bebiendo y
ha intentado tres veces suicidarse; Alberto, de 17 años, se escapa por
la ventana cada noche para colocarse con amigos que conducen a
toda velocidad y van armados; Chrissie, de 15 años, se quedó emba-
razada el año pasado y dio al bebé en adopción; el tío Ray antes era
la tía Rachel; la tía Petra, esquizofrénica, vive en la calle; el tío-abue-
lo Ed mató a su mujer y se pasará el resto de la vida en la cárcel. En
las familias, los secretos hacen hervir los sentimientos, lo que amenaza con revelar a un exiliado o a un bombero al acecho que ya estuvo al mando en el pasado, a veces con consecuencias pésimas. Ante
ello, los directivos de la familia reprimen el tema y la familia forma
alianzas protectoras, ya sea colaborando con los intentos de los directivos de contener o uniéndose a los bomberos para distraer.

* * *

LOS MIDDLETON: UNA FAMILIA POLARIZADA
EN UN PAÍS POLARIZADO

Veamos las repercusiones de algunas cargas por legado en una familia blanca estadounidense. Alana y Peter Middleton trasladaron las
cargas del racismo, el patriarcado, el individualismo y el materialismo
a su alianza. Preservaban la paz en su matrimonio alejando a las
partes descontentas y esforzándose mucho por ser positivos. Enviaron a su hija, Bridget, a una escuela privada cara, para que se rela-
cionara con niños del «tipo adecuado», lo que significaba niños blancos. El trabajo de Peter les permitió hacerse miembros de un club de
campo destinado a familias protestantes anglosajonas, para que Bridget pudiese pasar los veranos en la piscina y ellos pudieran salir a
cenar con gente «como ellos». En el terreno político, opinaban que

la preocupación por el medio ambiente era exagerada. En cuanto al gasto público, partían de la base de que los destinatarios de ayudas sociales y médicas se aprovechaban de contribuyentes como ellos. Peter era un comercial recalcitrante. Su credo era dar la mejor imagen de las cosas, y extrapolaba esa visión de las ventas a su vida: estaba convencido de que nada era imposible de vender si se ponía el empeño suficiente. Suscribía la doctrina de que el fracaso era un fallo de la persona, por lo que en tiempos difíciles era extremadamente susceptible a desacreditarse.

Cuando despidieron a Peter de su empleo de comercial y la familia se las veía y se las deseaba para mantener su modo de vida con el sueldo de enfermera de Alana, su matrimonio entró en crisis. Ella siempre había llevado mal el tener que trabajar a jornada completa y ocuparse también de las tareas de la casa. Sin embargo, sus directivos habían mantenido oculto aquel malestar, porque Peter ganaba el doble que Alana. En vez de decir lo que pensaba, ella había recurrido a los antidepresivos. Aunque su marido siempre había estado dispuesto a hacer la compra, nunca había participado en las tareas domésticas; y, pese a que ahora se pasaba el día solo en casa, seguía sin hacer nada en el hogar. Por su lado, la parte molesta de Alana la llevaba al desinterés por el sexo, y una parte de Peter estaba muy decepcionada con su vida sexual. Ambos habían exiliado a esas partes y no eran conscientes de la relación entre su vida sexual y el desequilibrio en cuanto a responsabilidades, basado en el género, que albergaba su alianza. Por si eso fuera poco, cuando ya no pudieron permitirse el aislamiento social de un club de campo y un instituto privado para su hija, y cuando ya no pudieron enorgullecerse de mantener unas apariencias inmaculadas, se sintieron vulnerables y humillados, lo que estimuló a sus bomberos hasta llegar a una escalada acelerada de las tensiones.

Cuando la apariencia se rinde a la realidad, los bomberos pueden surgir en todas las generaciones de una familia, y es entonces cuando pueden esperarse comportamientos como aventuras extramatrimoniales, consumo excesivo de alcohol o drogas y trastornos de la conducta alimentaria. Bridget siempre había sabido que la relación de sus padres era tensa. Ahora, al verlos criticarse, pelear y luego quedarse en silencio, la adolescente temía y a la vez esperaba que se divorciaran. En casa y en la escuela seguía siendo una niña modelo, pero en el nuevo colegio público empezó a salir con chavales rebeldes y a beber hasta perder el sentido. Ni Alana ni Peter sabían que bebía, pero un amigo de Bridget, preocupado, se lo contó al orientador escolar, quien derivó a los Middleton a un terapeuta de IFS familiar.

La familia acudió a la terapia con muchas quejas. Peter se sentía un fracasado; Alana oprimida e infravalorada, y Bridget dividida entre unas partes cumplidoras, que se afanaban por tener contentos a sus padres, y unas partes rebeldes, que se burlaban de la insistencia de ellos en pensar en positivo, por considerar que era un modo de anular la decepción, la ira y la tristeza. Al tener de repente la oportunidad de escucharse unos a otros, la familia descubrió que el crítico de Peter le regañaba por ser un perdedor incapaz de conservar un trabajo, por ser igual que los vagos —también conocidos como quienes eran pobres o no eran blancos— que le habían enseñado a despreciar. El crítico de Alana la atacaba por comer demasiado, tener sobrepeso y aspecto cansado, y no estar interesada en el sexo. Por su parte, el crítico de Bridget era un perfeccionista que la odiaba por haber acabado en una escuela que sus padres consideraban inferior, ir por ahí con chavales que a sus padres no les caerían bien si los trajera a casa. Esos directivos bien intencionados necesitaban ayuda, porque hacían que los Middleton se sintieran fuera de lugar, deprimidos y desesperados, un modo en que suelen manifestarse las cargas por legado.

CONCLUSIÓN

Al estar anidados los sistemas, en la terapia familiar con IFS observamos la misma estructura tripartita que en la psique de las personas. En respuesta al peligro, tanto la psique como la familia engendran directivos, bomberos y exiliados. Los miembros de la familia que acaban desempeñando esos roles se polarizan y constituyen alianzas, al igual que las partes y los partidos políticos. En una familia polarizada con cargas vemos que se ha truncado el desarrollo; hay desequilibrio, falta armonía y el liderazgo se ha vuelto arbitrario o bien se ha polarizado, desprestigiado o abandonado. No obstante, cada miembro de la familia tiene un Self, y el conjunto de la familia se armonizará bajo la influencia de sus Selves. Con la familia, la labor del terapeuta es la misma que con el cliente individual: ser consciente de las partes de cada miembro, seguir estando liderado por el Self y encaminar a los miembros de la familia a acceder a sus Selves. En el siguiente capítulo mostraremos ejemplos de la terapia familiar IFS.

CAPÍTULO 15

Resolver las limitaciones en terapia familiar IFS

Las familias suelen empezar la terapia con cautela. Algunos miembros de la familia se sienten culpables y temen que los culpen del problema, a otros les indigna el problema y la necesidad de terapia, y a todos les inquieta en alguna medida confiar en el terapeuta. ¿Se los juzgará si salen a la luz sentimientos y temas escondidos? Al igual que con las familias internas, nuestra primera estrategia con una familia externa consiste en reunirnos con los directivos del sistema. Para prevenir revelaciones inapropiadas, los directivos de la familia son muy reservados a la hora de definir el problema de la familia y recurrirán a innumerables estrategias para controlar el debate y desviar la atención de los temas exiliados.

Por ejemplo, los directivos de los miembros de la familia pueden tener posturas polarizadas con respecto a preocupaciones menos inquietantes, como disciplinar a los hijos, en vez de reparar en que el padre casi nunca está en casa. O concentrarse en la apariencia física, para evitar hablar de desequilibrios crónicos de poder. Sin embargo, independientemente de las tácticas que utilicen, las sanciones directivas se resquebrajarán cuando una discusión vaya a más o un adolescente por fin diga no y se filtre lo prohibido. Al resquebrajarse las sanciones, un nuevo ciclo arranca: los bomberos intervienen para distraer y los directivos reaccionan mal. Durante las luchas de poder y los síntomas, los miembros de la familia siguen sin saber de sus motivaciones subyacentes ni de la función de sus roles.

EJERCER DE MERCADER DE ESPERANZA

A lo largo de la terapia IFS ejercemos de mercaderes de esperanza prometiendo que los sentimientos extremos y las creencias distorsionadas perderán fuerza una vez examinados, tras lo cual será fácil soltarlos. Además, vendemos las ventajas de aflojar y probar algo nuevo. Ahora bien, aunque vendamos la idea de que vale la pena arriesgarse a cambiar, también damos pautas para la comunicación y nos ocupamos de la seguridad. Cuando un miembro de la familia está muy identificado con un bombero destructivo o un directivo que lleva una carga tóxica, como el patriarcado, lo desafiamos. Para que sea efectivo y beneficioso, un desafío debe estar liderado por el Self, lo que significa que debemos calmar a nuestras partes críticas y liderar con el corazón abierto. Un desafío liderado por el Self emplea el lenguaje de las partes, que no humilla, y propone pasos claros para cambiar la causa subyacente −sentirse malo o inútil− que genera el comportamiento problemático.

INTRODUCCIÓN DEL LENGUAJE DE LAS PARTES

Como mostramos en el siguiente ejemplo de caso, el terapeuta de IFS introduce el lenguaje de las partes al principio de las sesiones familiares. Podemos hacerlo de un modo natural, casi imperceptible, con sólo repetir en el lenguaje de las partes lo que cada miembro de la familia dice de sus reacciones al problema familiar actual. Como casi todos los clientes hablan de vez en cuando de las partes (p. ej., «En parte quiero salir a comer, pero en parte quiero quedarme en casa»), pocas veces se oponen a que se reformulen sus afirmaciones.

Cuando introduzcamos la idea de las partes, también podemos preguntar por los roles que desempeñan los miembros de la familia con respecto al problema actual y a cada uno de ellos. A partir de ahí, sabiendo que una intervención en un nivel sistémico repercutirá en otros niveles, podemos ir más allá y explorar las limitaciones existentes en otros niveles sistémicos, como problemas en el entorno familiar, polarizaciones en el seno de la familia, desequilibrios en cuanto a recursos y responsabilidades y cargas personales o por legado. El siguiente es un ejemplo de introducción del lenguaje de las partes durante la exploración de las interacciones de la familia. Esta familia acudió a terapia porque la hija de 19 años, Marilyn, se atracaba de comida y luego vomitaba. Harry es el padre de Marilyn.

HARRY: Al ver que Marilyn se ha dado un atracón, tengo sentimientos encontrados. Me da pena que ella tenga que hacerse eso, pero también tengo ganas de darle una bofetada.

TERAPEUTA: Así que a una parte tuya le da pena y otra se enfurece. ¿Es así?

Una vez que introducimos el lenguaje de las partes, muchos miembros de la familia adoptan enseguida este modo de hablar sobre sus sentimientos y pensamientos. Seguramente, la facilidad con la que se adopta este lenguaje responde a varias razones. Primero, asignar el comportamiento problemático a una parte de un miembro de la familia ayuda a la familia a interesarse en vez de criticar («¿Por qué hará eso?»); segundo, cambiar el comportamiento de una parte de una persona parece intuitivamente más realista que cambiar a la persona entera; y tercero, una parte extrema no es más que una parte con un cometido imposible. En cuanto los clientes aceptan la idea de que todos albergamos muchas partes, también comprenden intuitivamente que debemos albergar más partes, no sólo las que nos desagradan. Martin Luther King, Jr. plasmó esta idea cuando dijo que «perdonar no significa ignorar lo que ha pasado o colocar una etiqueta falsa a un acto malvado. Significa que el acto malvado ya no constituye una barrera para la relación» y «debemos admitir que el acto malvado del enemigo-amigo, lo que duele, nunca expresa todo cuanto él es. Hasta en nuestro peor enemigo podemos encontrar algo de bondad».

El lenguaje de las partes no pide a los miembros de la familia que ignoren ni replanteen lo que hayan hecho para hacerse daño, una postura que podría minimizar el daño o fomentar el perdón antes de tiempo. Lo que hace es encaminar a la familia a ver en el comportamiento hiriente la acción de una parte protectora (a menudo joven), y confiar en que todos los miembros de la familia son mucho más que una sola parte. Con sólo emplear el lenguaje de las partes, el terapeuta los ayuda a todos a ver al resto de los miembros —y a sí mismos— de otro modo. Hablar de las partes es tan decisivo para las familias como para las personas individuales.

DETECTAR A LAS PARTES Y PROMOVER EL LIDERAZGO DEL SELF

Ejercer de detector de partes para la familia es una importante faceta de nuestro trabajo. Al desempeñar esta función, cuando notamos que una parte toma el control detenemos la acción (habiendo pedido permiso por adelantado para hacerlo), de modo que los miembros de la familia puedan viajar al interior y escuchar a sus partes. Escuchar a las partes es uno de los primeros pasos para diferenciarse (separarse) de ellas. En cuanto una parte se ha separado al menos parcialmente, el Self del cliente puede hablar por ella. Ayudar a los clientes a hablar en nombre de las partes y del Self es una característica destacada de la labor de la IFS con familias, parejas y grupos, pues consiste sencillamente en mantener la energía del Self en los miembros de la familia mientras se escuchan unos a otros y debaten temas controvertidos. Sólo con que hagamos eso, las relaciones familiares suelen empezar a reordenarse por sí solas. En nuestro papel de detectores de partes para la familia, debemos ser precisos y justos, lo que conlleva la necesidad de que los terapeutas familiares de IFS se separen una y otra vez de sus partes y las ayuden continuamente.

PREDISPONER UNA COMUNICACIÓN EFICAZ

Para favorecer la diferenciación y dilatar el liderazgo del Self en el seno de la familia, ayudamos a los miembros de la familia a hablar por sus partes y no desde ellas. Puede ser difícil, así que de antemano pedimos permiso para ayudar por el camino («¿Puedo intervenir si noto que le vendría bien hablar en nombre de una parte?»). Asimismo, prometemos mediar en la culpabilización y la humillación entre los miembros de la familia, y evitamos las prisas invitando a los miembros de la familia a exponer sus temores (los temores de sus partes protectoras) al principio de cada intervención. La tabla 15.1 resume cómo fomentar una comunicación eficaz.

TABLA 15.1. Cómo fomentar una comunicación hábil

Indica a los miembros de la familia que...

1. Reparen en sus partes y las escuchen.
2. Hablen por sus partes y no desde ellas.
3. Exploren los temores de sus partes antes de intervenir.
4. Lideren desde su Self al debatir.

TRANQUILIZAR A LOS DIRECTIVOS DE LA FAMILIA

Tras comentar cómo hablar en terapia IFS, nos dirigimos a los directivos de la familia, que a menudo necesitan ayuda para confiar en el proceso. Con nuestro Self al frente y mostrándonos sinceramente interesados, empáticos, nutricios, seguros y directos, contactamos respetuosamente con los directivos de la familia preocupados por si nos caen bien y nos importan. Para ello, podemos alentar a los miembros de la familia a comentar cómo se sienten al acudir a terapia, y empatizamos con su reticencia natural a abordar temas incómodos con un extraño. Los tranquilizamos diciéndoles que no vamos a juzgarlos. Subrayamos que sabemos cómo actuar. Y nos mostramos confiados en que juntos podremos resolver el problema. La tabla 15.2 resume cómo tranquilizar a los directivos de la familia.

Por último, nos ocupamos de las inquietudes de los directivos con respecto al enfoque de la IFS y exponemos el plan de acción de la terapia tan detalladamente como lo requieran los directivos. En nuestra campaña de tranquilización de los directivos de la familia, aceptamos el deseo de la familia de centrarse en el problema actual, que muchas veces es el único que están dispuestos a comentar de entrada. Al escuchar la exposición de ese problema, empezamos a poder valorar cualquier otra cosa que limite a la familia, lo que probablemente incluirá sucesos históricos traumáticos o desequilibrios en el liderazgo que han desembocado en varios tipos de conflicto. En la tabla 15.3 se enumeran los ámbitos que pueden albergar limitaciones.

TABLA 15.2. Cómo tranquilizar a los directivos de la familia

- Alienta a los miembros de la familia a comentar cómo se sienten al acudir a terapia.
- Empatiza con su reticencia natural a abordar temas incómodos con un extraño.
- Asegúrales que no vas a juzgarlos.
- Subraya que sabes cómo actuar.
- Muéstrate confiado en que juntos podréis resolver el problema

TABLA 15.3. Búsqueda de limitaciones en el desarrollo, el liderazgo, el equilibrio y la armonía

1. **Desarrollo:** ¿Hay algún hecho histórico de gran escala, desde catástrofes naturales o provocadas por el hombre (p. ej., terremotos o genocidios) hasta desgracias personales (p. ej., que un progenitor muera atropellado al cruzar la calle o que un adolescente enferme mentalmente), que haya cargado a la familia de sentimientos extremos y creencias distorsionadas?

2. **Liderazgo:** ¿Han renunciado los progenitores a su rol de líderes desprestigiándose por ser impulsivos (p. ej., violentos), compulsivos (p. ej., toxicómanos), parciales (p. ej., favoreciendo a un hijo en detrimento de otro) o derrumbarse (p. ej., cayendo en depresión)?

3. **Equilibrio:** ¿Las creencias extremas (cargas) llevan a la familia a exiliar a algunos miembros (p. ej., la tía Jane era antes el tío Jim) y repartir los recursos injustamente (p. ej., lo primero son las necesidades del niño)?

4. **Armonía:** ¿Crean los desequilibrios conflictos de interés que frustren la tendencia natural del sistema a la armonía?

SELECCIÓN DEL NIVEL DE ENFOQUE

Al principio de la terapia con una familia externa, tenemos muchos niveles sistémicos entre los que elegir (la familia interna, nuclear o extensa; el trabajo, la escuela, la comunidad o la cultura). Como hacemos en terapia individual, invitamos a los miembros de la familia a escoger qué nivel requiere atención primero. Si piden ayuda para decidir en común por dónde empezar, podemos plantear opciones, como se ve en el siguiente ejemplo.

TERAPEUTA: De momento, hemos hablado de las partes que alberga cada uno de vosotros y que intervienen en el problema que os ha traído aquí: las pautas de alimentación de Marilyn. Ya hemos comentado un poco cómo funcionan las partes en vuestro interior. Sin embargo, vuestras relaciones en la familia y vuestras s vidas más allá de la familia son también importantes. ¿Cuáles son vuestras mayores limitaciones? Lo mejor sería que decidierais dónde empezar.

GRACE: ¿Nos puedes poner un ejemplo?

TERAPEUTA: Sí. Harry, por ejemplo, alberga a alguien frustrado que se activa frente a la parte bulímica de Marilyn. Sin embargo, también ha mencionado la gran tensión que hay en el trabajo, así que podríamos hablar de cómo su vida laboral afecta a ese alguien frustrado. Por otro lado, podríamos hablar de cómo el equilibrio de responsabilidades en el hogar repercute en las partes de todos. O de la medida en la que las interacciones de Marilyn con amigos y compañeros afectan a su crítica interna. O comentar lo mucho que a la familia en general le preocupa tener una imagen perfecta.

GRACE: Bueno, a veces Harry vuelve del trabajo de mal talante. Que quede claro que no le echo la culpa, porque está sometido a mucha presión. Cuando actúa así, no me meto y ya está.

TERAPEUTA: ¿A todos os parece bien empezar por aquí?

Es así como la familia decide el primer nivel de enfoque. Pueden escoger las relaciones polarizadas existentes en la familia, los problemas de liderazgo o las repercusiones externas. Elijan lo que elijan, siempre podemos hablar a la vez de más de un nivel y pasar de un nivel a otro según necesidad.

PASAR DE UN NIVEL A OTRO

La terapia IFS familiar es en gran medida colectiva y fluida. Los sistemas se sincronizan y funcionan paralelamente a sus subsistemas, lo que significa que la persona A se relacionará con la persona B del modo en el que se relaciona internamente con cualquiera de sus partes que se parezca a la persona B. Por ejemplo, cuando Grace estaba triste, Harry albergaba una parte que se comportaba con ella igual que se comportaba con sus propias partes tristes: se impacientaba y le daba consejos en un tono impaciente y crítico. Como los sistemas discurren paralelos, si Harry pudiese nutrir a sus exiliados, sería más paciente y amable con los exiliados de su mujer, aunque su falta de paciencia y amabilidad para con ella nunca se abordaran directamente en la terapia. Por la misma regla de tres, si pudiese mantener el liderazgo del Self frente a la tristeza de su mujer, cuidaría mejor de sus propias partes tristes.

En la IFS podemos pasar de lo interno a lo externo y viceversa sin problemas, porque consideramos que el mundo es un gran sistema con subsistemas anidados. Los cambios en las relaciones familiares en el nivel externo afectan internamente a los miembros de la familia, y viceversa, así que podemos enfocarnos en un nivel y observar qué ocurre en otros niveles. No es que un tiempo en un nivel sistémico vaya a acarrear siempre un cambió sincrónico en otro nivel sistémico. Los niveles sistémicos se influyen mutuamente, pero de un modo impredecible, por lo que nos enfocamos en el nivel que parece más efectivo y ecológicamente sensible en ese momento y permanecemos pendientes de la medida en la que ese cambio afecta otros niveles. Tanto si resolvemos un problema en el nivel externo como si nos enfocamos principalmente en el sistema interno de cada miembro de la familia, las relaciones pueden cambiar espectacularmente a ambos niveles.

SECUENCIACIÓN DEL EFECTO DE UN MIEMBRO DE LA FAMILIA EN OTRO

Al saber del problema que lleva a terapia a la familia, descubrimos quién de la familia juega qué rol en relación con el problema y analizamos cómo sus partes dominantes repercuten unas en otras. Por ejemplo, el padre de Marilyn, Harry, albergaba una parte que de vez en cuando atacaba verbalmente a su hija por su trastorno de la conducta alimentaria. Este comportamiento activaba a una parte frenética y agitada de la joven. Así transcurría la secuencia: Harry se enfadaba, Marilyn se sentía dolida y avergonzada, los directivos de Marilyn acumulaban críticas internas sobre ella, la parte dolida de Marilyn se sentía peor y el bombero de Marilyn aficionado a los atracones se ponía manos a la obra para distraerla y que ella no se sintiera avergonzada ni mala. Naturalmente, esta secuencia aún frustraba más a Harry. El terapeuta empieza a desentrañar esta secuencia con Harry y Marilyn.

TERAPEUTA: ¿Cómo te sientes al notar a Marilyn agitada después de que te hayas enfadado?

HARRY: Preocupado pero frustrado, porque sé lo que viene luego. Que empezará a comer.

MARILYN: Enseguida sé cuándo va a enfadarse, porque se queda en silencio.

TERAPEUTA: Cuando tu padre se queda en silencio, ¿qué sucede en tu interior, Marilyn?

MARILYN: Temo sus ataques verbales, pero sé que no puedo hacer nada para detenerlos.

TERAPEUTA: ¿Y luego?

MARILYN: Es verdad que muchas veces acabo dándome un atracón. Pero él no ve lo que ocurre en mi interior después de que me grite. Me digo a mí misma que soy la peor persona que jamás ha existido: la más débil, la más egoísta, la más repugnante.

Después de obtener esta secuencia entre Marilyn y su padre, el terapeuta preguntó a Grace por su reacción cuando su marido se frustraba y Marilyn parecía ansiosa. Grace pudo identificar a tres partes que normalmente se activaban a raíz de esa interacción: una también se frustraba ante el trastorno de la conducta alimentaria de Marilyn y se enfadaba igual que Harry, otra se identificaba con Marilyn como víctima del temperamento de Harry y la tercera siempre intentaba vetar cualquier clase de conflicto abierto en la familia, cambiando de tema.

CICLOS QUE GENERAN CARGAS POR LEGADO

Los directivos de las familias son una fuerza poderosa, capaz de dominar y exiliar por años a varias partes de los miembros de la familia. Además, las interacciones interpersonales que cobran influencia en la familia pueden fácilmente arrancar un ciclo interno donde los directivos exilian internamente a las partes vulnerables y heridas. Estas interacciones son a menudo entre padre o madre e hijo, pero también pueden darse entre hermanos, o incluso entre el hijo y un profesor, o cualesquiera otras personas conectadas. Cuando ese dolor exiliado atraviesa la consciencia, los bomberos se activan para distraer. Este ciclo, que se reitera cada vez con mayor intensidad, provoca gran parte del comportamiento sintomático que lleva a las familias a terapia. Un fenómeno muy común entre las familias es la transmisión intergeneracional de sentimientos y creencias extremos, que denominamos *cargas por legado*. A continuación, mostramos dos situaciones que ilustran las cargas por legado.

En la primera, los directivos de la madre de Marilyn exiliaron internamente a sus propias partes tristes, dependientes y furiosas; en un proceso paralelo, rechazaron a las partes tristes, dependientes y furiosas de Marilyn. Al volverse las partes jóvenes exiliadas de Marilyn aún más necesitadas de que las rescataran y redimieran, su bombero con trastorno de la conducta alimentaria se volvió más activo, lo que alentó a los directivos críticos de su madre a subir el tono. Ésta es una situación típica. Cuando las partes exiliadas llegan a la consciencia, los bomberos se ponen manos a la obra para distraer, ya sea viendo demasiado la tele, comiendo dulces, disociando o indignándose sin control. Entonces, los directivos paternos afean al hijo el comportamiento del bombero, y los directivos del hijo toman ejemplo internamente, avergonzando a sus bomberos. Debido a toda esa humillación, los exiliados del hijo sienten aún más vergüenza y sus bomberos redoblan sus esfuerzos para distraer, lo que genera más humillación por parte de los directivos, en el interior y en el exterior, y así sucesivamente.

Así es como el autorrechazo y la desaprobación paternos desatan un torrente de autorrechazo en el hijo, con lo que aún precisa más distracciones de los bomberos. Por ejemplo, cuando la compañera de habitación de la residencia estudiantil de Marilyn acabó hablando a sus padres de la bulimia de Marilyn y ésta volvió de la universidad, sus aterrados directivos incrementaron de inmediato sus intentos de controlar al bombero de los atracones. Paralelamente, su madre se quejaba de que el trastorno de Marilyn les hacía daño a ambos progenitores, mientras que su padre pasaba de defender a Marilyn a tratar de asustarla hablándole de las consecuencias físicas de la bulimia. Con toda esa presión dentro y fuera, Marilyn pasó de tener tres episodios de atracones semanales en la facultad a tres diarios en casa.

Si miramos la historia de la familia de Marilyn, parecía haber estado funcionando bastante bien. Compartían mesa, celebraban las fiestas y cubrían todas las necesidades materiales de Marilyn. No obstante, Marilyn decía haberse sentido triste y sola en la niñez. Según su experiencia, no era la hija adecuada para sus padres. Cuando expresaba un sentimiento negativo, como tristeza, soledad o ineptitud, su padre manifestaba su intolerancia cambiando de tema y hablando de algo alegre, y su madre contaba lo difícil que había sido su propia infancia. Las inquietudes de Marilyn parecían incomodarlos, mientras que los buenos resultados del hermano, Martin, en el equipo de baloncesto de secundaria, los tenían encantados.

Los directivos de Marilyn lo asimilaron todo e imitaron y copiaron internamente el descontento de los padres. Para distraer y consolar a Marilyn, otros protectores empezaron entonces a atracarse y purgarse. En el instituto, Marilyn lidiaba con los comportamientos de todas esas partes en secreto, sabiendo que si hablaba lo único que lograría serían reacciones de sus padres que agravarían sus conflictos internos. Sin embargo, cuando la enviaron de la facultad a casa con bulimia, ya se supo todo. Sus padres la criticaban y peleaban entre ellos, y sus bomberos aficionados a los atracones se desenfrenaron. Ante semejante torbellino de reactividad negativa en la familia, la primera tarea del terapeuta era convencer a los protectores de todo el mundo de que se sosegaran.

Otro modo habitual de transmitir cargas de generación en generación se da cuando los exiliados de un progenitor buscan cuidados en un hijo. En este caso, los directivos del hijo (partes jóvenes parentalizadas) protegen al padre o a la madre exiliando a las partes jóvenes vulnerables del hijo, las que de verdad necesitan crianza y aún la buscan. Una vez exiliadas estas partes por tener necesidades, se sienten humilladas, furiosas, solas y tristes, lo que conduce a los bomberos a distraerlas, lo cual avergüenza a los directivos, que duplican sus afanes por controlar e inhibir, lo que a su vez aísla aún más a los infelices exiliados del hijo, y así sucesivamente.

Para ilustrar esta secuencia, podemos retomar el ejemplo de Marilyn, quien durante largo tiempo creyó que era responsabilidad suya la continuidad del matrimonio de sus padres. A los 5 años, en una etapa de distanciamiento, la habían erigido en intermediaria. Contaba que iba de una habitación a otra de la casa transmitiendo mensajes entre sus progenitores. Sentía que ambos pretendían que escogiera un bando, pero ella los veía a los dos igual de frágiles y dependientes. Desesperados por mantenerlos unidos y hacerlos felices, los directivos de Marilyn suavizaban los términos de los mensajes que intercambiaban Grace y Harry, y hacían cualquier otra cosa que pudieran para apaciguar o prevenir nuevos conflictos. Todo aquello no hacía más que dar alas a la creencia de los jóvenes directivos de Marilyn de que las necesidades de la pequeña eran demasiado para sus padres. Al ver que los directivos de Marilyn necesitaban que los dispensaran de la obligación de cuidar de sus padres, el terapeuta se concentró en encaminar a Grace y Harry en la búsqueda de objetivos comunes con respecto a Marilyn y en el ejercicio de una crianza conjunta.

TERAPEUTA: *(A Harry)*. Al parecer, tu parte frustrada reacciona ante la que no soporta ver sufrir a Marilyn. ¿Cómo se siente esa parte?

HARRY: Impotente.

TERAPEUTA: Si a esa parte le interesa probar algo nuevo, puedo enseñarte a ayudarla, Harry.

En cuanto los miembros de la familia reconocen su incapacidad para cambiar a los demás y acceden, en teoría, a probar algo nuevo, tenemos la oportunidad de decir «Si te interesa, puedo ayudar». Es probable que en ese momento uno o más directivos de la familia exprese inquietudes. Nos limitaremos a abordar cada inquietud de un modo sincero y directo.

HARRY: ¿A qué te refieres con lo de *ayudar*?

TERAPEUTA: Ayudarla a que confíe en ti. ¿Te interesaría?

HARRY: Haría lo que fuera por ayudar a Marilyn, pero no creo que el principal problema sea yo.

TERAPEUTA: Le entiendo. Sin embargo, en las familias las personas se afectan entre sí, así que creo poder decir con seguridad que en este problema intervienen las partes de cada uno de vosotros. Ya hemos hablado de algunas partes de Marilyn y Grace, y vamos a ayudar a esas partes. En este momento te estoy preguntando sólo a ti.

HARRY: ¿Pero insinúas que mis partes han provocado la enfermedad de Marilyn?

TERAPEUTA: No, pero cuando tu parte frustrada se activa, a Marilyn le cuesta más ayudar a su parte bulímica a sentirse a salvo probando algo nuevo.

HARRY: De acuerdo. Quiero ayudar con eso, pero ¿qué es lo que estoy aceptando hacer?

De este modo, el terapeuta está logrando lo que denominamos *U-turn* (vuelta hacia uno mismo), con lo que ayudamos a cada miembro de la familia a dejar de enfocarse en cambiar al otro para trabajar en su propio sistema.

DESACTIVACIÓN DE DIRECTIVOS E IDENTIFICACIÓN DE LOS SELVES DE LA FAMILIA

Llegados a este punto en una terapia IFS familiar, los directivos de todos los miembros de la familia tendrán los mismos interrogantes: ¿qué les pedirán que hagan delante de los demás? ¿Será arriesgado? El terapeuta adecuó sus palabras para calmar esos temores.

TERAPEUTA: Hay muchas maneras de conocer a tus partes. Cada uno de vosotros puede encontrar una con la que se encuentre a gusto. Por ejemplo, a ti, Harry, puedo enseñarte a dirigirte a su parte frustrada ahora mismo. O puedo escenificarlo y hablar directamente con esa parte. No hay una única opción correcta. Lo único que queremos es que tú y esa parte os conozcáis y confiéis el uno en el otro.

HARRY: ¡A veces tengo la impresión de que conozco demasiado a esa parte!

TERAPEUTA: Ya me lo imagino. Sin embargo, no es lo mismo el que ella te controle que el estar tú presente para hablar con ella y en tu nombre.

HARRY: Entendido. Pero ¿pretendes que le hable ahora, con todo el mundo mirando?

TERAPEUTA: Si a tus partes no les importa que Marilyn y Grace lo vean, pueden quedarse. De lo contrario, pueden aguardar en la sala de espera.

HARRY: En este momento, no me importa que se queden. Pero ¿y si cambio de opinión?

TERAPEUTA: Buena pregunta. Si empezamos con ellas aquí y cambias de opinión, puedo decirles en cualquier momento que esperen fuera. Siempre podemos presentarte a las partes de los demás más adelante. Todo el mundo tiene asuntos que prefiere comentar en privado. Debes decidir por ti mismo, y el resto hará lo mismo.

Nótese que en esta negociación el terapeuta actúa con seguridad, sin acusar, con una actitud optimista, reconfortante y tranquila (es decir, no controladora). Su propósito es desactivar a la vez a los directivos de cada miembro presente de la familia. Su cometido es llevar el liderazgo del Self a ese sistema familiar, que tiene escasez de liderazgo. Como Harry está dispuesto a conocer a su parte frustrada, el terapeuta proseguirá con esa parte, teniendo a la esposa y la hija como testigos. Si no hubiera estado dispuesto a conocer a su parte frustrada, el terapeuta podría haber optado por hablar con Grace o Marilyn de sus limitaciones y su voluntad de cambiar. Cuando todos los miembros de la familia oyen a los demás reconocer que tienen algo que ver con el problema y manifestar al menos cierta disposición a ayudar a sus protectores a cambiar, sus directivos se sienten más seguros, lo que permite que en cada uno de ellos aflore más liderazgo del Self.

ACEPTACIÓN DEL CAMBIO COMO META

Cuando todos los miembros de la familia presentes en las primeras sesiones (el hermano de Marilyn, Martin, estaba de viaje y no asistió hasta más tarde) hubieron identificado a una o más partes que reaccionaban ante la bulimia de Marilyn, el terapeuta rastreó las interacciones entre sus partes. Como a la larga los directivos nunca se salen con la suya, preguntas del estilo «¿Y qué ocurre cuando esa parte frustrada y crítica toma las riendas?» suelen suscitar relatos sobre la ineficacia de los esfuerzos de los directivos, o cómo en realidad acaban empeorando las cosas. Una vez que los clientes lo reconocen, el terapeuta puede preguntar si a todos les gustaría que el resultado fuese otro.

TERAPEUTA: *(A Harry)*. ¿Qué te dice tu parte frustrada al darte cuenta de que Marilyn se ha dado un atracón?

HARRY: Que tengo que pararla.

TERAPEUTA: ¿Te sorprende saber que la parte autocrítica de Marilyn, la que desencadena los atracones, se expresa igual que tu alguien frustrado?

HARRY: Eso me entristece. Sé que mi frustración hace que Marilyn se sienta peor. Pero se diría que no puedo parar. Odio esta impotencia y no suporto verla hacerse eso a sí misma.

TERAPEUTA: ¿Te gustaría poder decirle sin criticarla que te preocupas por ella?

HARRY: ¡Claro! Ojalá tuviera más paciencia…

TERAPEUTA: Entonces, te gustaría que tu alguien frustrado se calmara, pero no sabes cómo ayudarle. ¿Es eso?

HARRY: Sí.

TERAPEUTA: ¿Te gustaría que te ayudaran a hacerlo?

CREACIÓN DE UNA VISIÓN DE FUTURO COMPARTIDA

Este tipo de preguntas lleva a los miembros de la familia a describir cómo preferirían relacionarse y los ayuda a imaginar un futuro mejor, lo que a su vez tranquiliza a sus protectores polarizados y contribuye a disipar las polarizaciones.

Un liderazgo hábil en sistemas humanos engendra una visión común que ayuda a albergar esperanzas y favorece la colaboración.

TERAPEUTA: *(A Harry)*. Si tu parte frustrada no interfiriera, ¿cómo podría ser tu relación con Marilyn?

HARRY: Podría hablar con ella sobre su vida. Tampoco tiene que contármelo todo ni estar siempre hablando conmigo, pero quiero llegar a conocerla otra vez. Quiero la oportunidad de hacer lo que me corresponde y darle de vez en cuando algún consejo paterno.

Como podemos comprobar, en esta sesión, Harry está dispuesto a afirmar que sus partes tienen que ver con el problema. Sin embargo, a veces no es así, porque un miembro de la familia insiste en que sólo deben cambiar las partes de otras personas. En vez de discutir, preguntamos a la parte insistente de ese miembro de la familia si lo que ha hecho por cambiar a los demás ha surtido efecto. Cuando la parte admite que normalmente su estrategia es improductiva –o, peor aún, contraproducente–, preguntamos a la parte si le gustaría probar con otra cosa. Mientras crea que no perderemos de vista el «verdadero problema» (las partes de la otra persona), generalmente aceptará posponer un tiempo el intentar cambiar a los demás. Llegados a este acuerdo, podemos encaminar a los miembros de la familia a concentrarse en sus partes angustiadas. La tabla 15.4 enumera pasos fundamentales para crear una visión compartida del futuro de la familia.

SUPERVISIÓN DE LOS EFECTOS DEL CAMBIO

Con el tiempo, al haber más cariño en la relación de Marilyn con su padre, las partes de su madre reaccionaron. Si bien la relación madre-hija era unas veces de sobreimplicación y otras distante, ambas temían perder a la otra, y ambas albergaban partes que se sentían amenazadas si las dinámicas familiares se transformaban. No es infrecuente, y siempre que hay cambios en las sesiones con la familia, les pedimos a todos que reparen en la respuesta de sus partes.

Tabla 15.4. Creación de una visión del cambio compartida

1. Diles a todos los miembros de la familia que se imaginen su futuro ideal.
2. Pregunta qué impide a cada uno crear ese futuro (es decir, diles que reparen en sus partes protectoras o exiliadas).
3. Si un miembro de la familia quiere que otro miembro cambie, pregúntale lo eficaz que ha sido esa estrategia.
4. Como intentar cambiarse mutuamente no funciona, pregunta a los miembros de la familia si, en vez de eso, les gustaría probar a cambiar a sus propias partes.

TERAPEUTA: Grace, ¿qué te parecería si Marilyn y Harry siguieran acercándose?

GRACE: Me sentiría aliviada. Me gustaría dejar de estar en medio y sería positivo para ellos.

TERAPEUTA: Hay partes de ti que quisieran dejar de estar en medio y que desean lo mejor para ellos. Eso es muy normal. También has tenido en varias épocas una relación estrecha con Marilyn. ¿Han tenido todas tus partes la oportunidad de hacerse oír?

GRACE: ¿Insinúas que me opondría a que ellos tuvieran una relación más estrecha?

TERAPEUTA: No, sólo que el cambio tal vez genere sentimientos en algunas partes.

GRACE: *(Tras una pausa).* Bueno, hay una parte triste porque Marilyn se hace mayor.

TERAPEUTA: Eso es del todo natural. Yo albergo esa parte con respecto a mis hijos, y sospecho que Harry también tiene una parte así. Puede que crecer también engendre sentimientos en partes de Marilyn.

Además de consultar las respuestas internas del resto de los miembros de la familia frente a un cambio pendiente, pedimos a los implicados en el cambio que escuchen a todas sus partes.

TERAPEUTA: Marilyn, ¿a tus partes les preocupa que te lleves mejor con tu padre?

MARILYN: Hay una que se teme que no durará. Esa parte me dice que mi padre volverá a ser malo si le dejo acercarse.

TERAPEUTA: ¿Alguna inquietud con respecto a la respuesta de tu madre?

MARILYN: Mmm. Sí. Hay en mí una parte que siempre está preocupada por ella. No soporto que se disguste, y no sé si a ella esto acabará de parecerle bien.

Además de emplear el lenguaje de las partes y hacer preguntas pensadas para revelar desequilibrios y cargas, contamos con varias técnicas útiles para concentrarse en el sistema interno de un miembro de la familia en una sesión familiar, y también para ayudar a los miembros de la familia polarizados a diferenciarse de las partes extremas y estar más liderados por el Self.

NEGOCIACIÓN DE UNA TREGUA ENTRE MIEMBROS POLARIZADOS DE LA FAMILIA

Siempre que ayudamos a las partes a diferenciarse, estamos ayudando a los miembros de la familia a acceder al liderazgo del Self, que constituye el principal objetivo de la terapia IFS. Supongamos que la familia quiere trabajar en una relación conflictiva. Lo siguiente es un modo de ayudar a las partes extremadamente polarizadas de una familia a diferenciarse. El terapeuta dispone varias sillas, unas frente a otras, para que los dos miembros polarizados puedan hablar. Cuando emergen sus partes, el terapeuta interrumpe la conversación y les dice que viajen a su interior para escuchar a sus partes activadas. A continuación, el terapeuta les pide que vuelvan y hablen por —y no desde— sus partes. Una vez que las partes activadas reconocen los beneficios de este modo de comunicarse, se interesan más por el Self y el liderazgo del Self. Además, como el estilo —concretamente, la rigidez de las partes— es a menudo más una pega que una cuestión de contenido, las dificultades tienden a resolverse enseguida, al acceder los participantes al liderazgo del Self. En cuanto las partes de cada persona se sienten escuchadas y comprendidas, casi siempre brotan las soluciones.

HARRY: *(A Marilyn)*. Sólo me hablas cuando quieres algo. Te pasas la vida en tu cuarto haciendo vete a saber qué y yo me lo tengo que tragar como si nada.

MARILYN: Y tú no quieres más que controlarme. De hecho, si no hablo contigo es porque no me caes bien…

TERAPEUTA: *(Interrumpiendo a Marilyn)*. Bien, vamos a parar un momento para que los dos podáis viajar al interior y estar con vuestras partes. Avisadme cuando las partes estén listas para dejar que hablen por ellas y vosotros hayáis abierto más el corazón.

MARILYN: *(Al cabo de un largo silencio)*. Vale, ya estoy.

HARRY: Yo también.

TERAPEUTA: Antes de retomar vuestra conversación, id al interior y preguntad a las partes que estaban hablando qué quieren o necesitan realmente. ¿Por qué toman el control? ¿A quién protegen?

MARILYN: Entendido.

TERAPEUTA: ¿Lista para hablar en nombre de tu parte?

MARILYN: *(A su padre)*. Mi parte enfadada salta siempre que te quejas de que estoy en mi cuarto. Yo también me siento mal por eso, pero me da tanta vergüenza la pinta que tengo que no salgo. Y cuando la tomas conmigo por eso aún me siento peor. Tengo otra parte más pequeña que cree que me tienes por una fracasada. Siempre que comentas mis problemas, esa parte se siente fatal y la parte enfadada se dispara.

HARRY: Lo siento…, eso es cosa de mi alguien frustrado. Lo dejo suelto otra vez. Es que está tan preocupado por ti y desesperado por que lo superes… Cuando te encierras en tu cuarto, es como si la casa estuviera vacía, y sé que estás ahí sufriendo. No me siento comprendido. Siento que estoy fracasando como padre.

En ese momento, Marilyn y su padre negociaron una tregua entre sus protectores respectivos, y así despolarizaron un conflicto entre dos personas, entre directivo y directivo. El directivo de Harry controlaba; el de Marilyn se aislaba. Con sus Selves al frente, podían hablar por esas y otras partes, incluyendo las que eran objeto de protección, y dejar al otro que se asomara más allá de sus muros protectores. Al sentirse más a salvo y dejar salir a sus partes vulnerables, pudieron disfrutar más el uno del otro. En cuanto los miembros de la familia acceden a hablar por sus exiliados, sus protectores se calman, el ambiente de la sesión cambia y se abren nuevas posibilidades.

TRABAJAR CON LAS PARTES DE UN MIEMBRO DE LA FAMILIA MIENTRAS EL RESTO OBSERVA

Según por dónde quisiera empezar la familia, el terapeuta podía indicar a Marilyn que se dirigiera a su directivo aislador, a Harry que escuchara a su parte frustrada o a Grace que atendiera a la parte que temía el conflicto. Es frecuente que los miembros de la familia necesiten dedicar por lo menos una sesión a prestar atención a sus partes. A veces suspendemos temporalmente las sesiones familiares para tener algunas sesiones individuales con un miembro de la familia. Otras mantenemos a la familia entera en la consulta e invitamos a todos los miembros a enfocarse, por turnos, en sus partes. Y en ocasiones sólo una persona lleva a cabo una exploración interna de sus partes mientras los demás observan. En la familia de Marilyn, como hemos mostrado, el terapeuta pasaba de un miembro de la familia a otro.

A pesar de que la familia participa a la hora de decidir quién necesita esa clase de atención tanto como se puede, al terapeuta le corresponde velar por que haya equilibrio, sin perder de vista los tipos de sentimientos que pueden emerger cuando un miembro de la familia recibe atención. Por ejemplo, otros miembros de la familia pueden ver en la atención individual la prueba de la existencia de un problema o de la parcialidad del terapeuta. ¿Es ella la más afectada? ¿Es él el favorito? Para evitar esas interpretaciones, afirmamos que quienes ayudan a sus partes están ayudando valientemente a toda la familia y, con el tiempo, les brindamos a todos la misma oportunidad.

Según lo que sea más cómodo para los miembros individuales de la familia, contamos con una serie de opciones para centrarnos en el sistema interno de un miembro de la familia. Cuando uno de ellos lo acepta, viajar al interior delante de los demás abre nuevas dimensiones relacionales. Al oír los antecedentes de una parte, es frecuente que se despierte la empatía de los observadores por una parte que les desagradaba de un miembro de la familia, y su opinión sobre ese miembro de la familia puede cambiar notablemente. Por ejemplo, al darse cuenta Marilyn, Martin y Grace de que la parte frustrada de Harry sólo tenía doce años y seguía atascada en el pasado, cuando el padre de Harry estaba muriendo de cáncer, reconocieron inmediatamente la importancia de exonerarle de la responsabilidad de salvar a los demás. La aceptación y amabilidad que ofrecieron a esa parte joven, triste y frustrada, acabó ayudándole a abandonar el pasado, descargarse y transformar su rol tanto en la familia de Harry como en su sistema interno.

El rol del observador

Conviene observar a los miembros de la familia separarse de sus partes reactivas y responder desde el Self a los miembros de la familia que se han vuelto vulnerables. Un grado elevado de liderazgo del Self favorece que los miembros de la familia sean capaces de presenciarse unos a otros compasivamente. Ahora bien, no sabemos qué partes de los observadores se activarán. Por ejemplo, si Grace hubiese estado mezclada con la parte de ella enfadada con Harry, le habría costado escuchar a ese alguien frustrado con la mente y el corazón abiertos, y tal vez habría atacado a Harry. Naturalmente, frente a esa reacción, Harry se hubiese mostrado reticente a revelar más cosas. Para minimizar ese riesgo, pedimos por adelantado a los miembros de la familia que comprueben en su interior quién podría activarse, y ayudamos a esas partes a diferenciarse de antemano. Luego les volvemos a pasar revista. Si al principio descubrimos que hay partes reactivas y no son capaces de separarse, nos adelantamos al problema y la resolución para evitar daños.

Los miembros de la familia tienden a sentirse más a salvo al revelar mutuamente sus partes si todo el mundo accede a seguir una regla: dentro y fuera de las sesiones, todos pueden hablar de sus propias partes, pero no de las partes de otros miembros de la familia. Esta regla ayuda a los miembros de la familia a abstenerse de aprovecharse de información delicada compartida. Vetamos afirmaciones

del tipo «Sé que en tu interior hay un niño encantador, así que aparta de mi vista a esa parte furiosa y déjame hablar con él». En cambio,
alentamos comentarios como «Hay una parte en mí que se asusta
cuando te enfadas, y necesito un instante para ayudar a esa parte».
Esta regla cobra especial importancia si a la familia le cuesta mantener el liderazgo del Self en casa. Si una parte de la persona A intenta
que una parte de la persona B cambie, la parte de la persona B extre-
mará aún más su postura. Cuando hay suficiente liderazgo del Self,
esta regla ya no es tan importante, porque el Self de A ayudará a las
partes reactivas de A, mientras que el Self de B ayudará a las partes
vulnerables de B, y el Self de A también estará disponible para las
partes vulnerables de B.

Previsión de las consecuencias

Contamos con la vulnerabilidad del miembro de la familia que ha
sido observado. Ha expuesto información íntima y muy personal
frente a personas que le hirieron en el pasado y podrían volver a
hacerlo. Incluso aunque parezca que una sesión ha sido fructífera,
los directivos de esa persona estarán en alerta máxima y arremeterán
contra cualquier observador que muestre el menor signo de condena. Contando con que esto sucederá, llegamos de antemano a un
acuerdo con la familia. A cambio del valor y la voluntad de compartir que ha demostrado ese miembro de la familia, la familia le dará
espacio, no le condenará y será amable surja lo que surja en el transcurso o después de la sesión. En la tabla 15.5 figuran los términos del
acuerdo previo de los miembros de la familia.

> **TABLA 15.5.** Cuando un miembro de la familia accede a que lo presencien otros miembros, prepara de antemano a la familia
>
> - Todo cuanto diga la persona es confidencial.
> - El resto de los miembros de la familia pedirán permiso de antemano para abordar cualquier cosa que se haya revelado.
> - En reconocimiento del valor y la voluntad de ser vulnerable que ha demostrado ese miembro de la familia, el resto de los miembros de la familia se comprometen a:
>   - Escuchar a las partes de su interior que puedan mostrarse críticas o reactivas.
>   - Hablar por esas partes más adelante en la terapia, dando prioridad a la necesidad de la persona vulnerable de amabilidad sin juicios en el transcurso y después de la sesión.
>   - Pedir ayuda al terapeuta si lo anterior les cuesta.

LIBERTAD DE ELECCIÓN

Viajar al interior es un ejercicio íntimo y delicado, así que damos a todos los miembros de la familia plena libertad para elegir si quieren o no ser observados por otras personas de la familia. Cuando nos preocupa que un miembro de la familia necesitado de intimidad no la pida, o si sospechamos que otro miembro de la familia será incapaz de separarse de partes reactivas, basta con decidir arrancar las exploraciones internas en privado. Para ello, o bien pedimos al resto de los miembros que se queden en la sala de espera o bien programamos una visita individual para otro momento.

Si un miembro de la familia decide estudiar más a fondo su sistema interno en privado, podemos generar empatía y comprensión en la familia proponiéndole que, si lo desea, más adelante les cuente a los otros miembros lo que ha pasado. A veces, sin embargo, hasta este nivel de revelación es demasiado amenazante, por lo que el cliente debe poder optar por la más absoluta confidencialidad. Si acaba decidiendo dar a conocer su mundo interno, él y el terapeuta pueden comentar de antemano qué no teme revelar en las sesiones familiares, para que luego no se arrepienta de nada.

CONCLUSIÓN

Los terapeutas de IFS ayudan a las familias a recomponerse resolviendo las limitaciones. Confiamos en que una masa crítica de Self promueve la sanación en cualquier sistema, así que nuestro propósito es encontrar las limitaciones a la energía del Self y acabar con ellas. Todos los sistemas buscan el equilibrio e intentan enderezarse por sí mismos. Lo observamos en los afanes inmaduros de autoequilibrarse de los protectores, cuyas tácticas estabilizan un sistema a costa de ocultar las heridas e incrementar las polarizaciones. En cambio, cuando las partes forjan relaciones con el Self, sus conflictos se atenúan y el equilibrio sistémico se restablece.

CAPÍTULO 16

La descarga en terapia familiar IFS

Cuando trabajamos al nivel del sistema interno de un miembro de la familia, no sólo debemos abordar las inquietudes de los directivos de la familia, sino también las de los directivos del interior del miembro de la familia que lleva a cabo el trabajo individual. Probablemente, a esas partes les preocupará sacar a la luz a exiliados vulnerables o bomberos vergonzantes. Si bien lo habitual en terapia individual es inquirir sobre los temores de los directivos, en una sesión de terapia familiar, cuando los demás observan a un miembro de la familia hacer trabajo individual, los directivos de esa persona tenderán a sentirse muy vulnerables y sensibles al exponer a partes tal vez mal vistas en el seno de la familia.

LA DESCARGA DE UN LEGADO

A veces, las partes mal vistas no son más que protectores extremos, otras veces arrastran cargas por legado. Por ejemplo, Grace, la madre de Marilyn, que presentamos en el capítulo 15, se sentía perpetuamente herida por su propia madre, que la había criticado desde que tenía uso de razón. La madre de Grace culpaba a ésta del trastorno de la conducta alimentaria de Marilyn. Cuando Grace viajó a su interior, descubrió que su madre no era sólo una visita ocasional en días señalados y una voz en las conversaciones por teléfono semanales; también estaba afincada en el sistema interno de Grace. Con la familia presente, el terapeuta ayudó a las partes recelosas de Grace a confiar en su Self para poder aprender más de una parte que tenía el mismo aspecto y hablaba igual que su madre.

TERAPEUTA: Grace, pregunta si esa de su interior que tiene el mismo aspecto y habla igual que su madre es una parte.

GRACE: Me responde que «más o menos».

TERAPEUTA: Entendido. ¿Qué porcentaje de la energía de esa parte te pertenece a ti y qué porcentaje a tu madre?

GRACE: El 80 % es de ella.

TERAPEUTA: ¿Alguna de tus partes se opone a descargar ese 80% que no te pertenece?

GRACE: Sólo con que me lo plantee, la parte-madre ya se enfada. Dice que mi madre cumplió con su deber y que éste es mi deber.

TERAPEUTA: Ya veo. ¿Y cuál es tu respuesta?

GRACE: No parece que ninguna de mis partes quiera dejarlo todo en manos de mi madre.

TERAPEUTA: ¿Y qué les dices tú?

GRACE: Que tal vez cargar con su propia energía negativa la incitaría a pedir ayuda... Yo nunca he sabido ayudarla.

TERAPEUTA: ¿Qué debe ocurrir entonces?

GRACE: Le estoy diciendo a esa parte que mi madre también tiene un Self superior. Ni cargar con su energía negativa ni imitar su comportamiento parece hacer ningún bien a mi madre.

TERAPEUTA: ¿Qué responde la parte?

GRACE: Está asintiendo.

TERAPEUTA: ¿Qué debe ocurrir entonces?

GRACE: Quiere soltar esa energía, pero no le gusta ser desleal. Yo la tranquilizo diciéndole que no tenemos por qué devolvérsela a mi madre. Podemos soltarla sin más... Y ahora ya está lista.

TERAPEUTA: Entendido. ¿Cómo quiere esa parte dejarla ir?

GRACE: La tiraremos juntas al mar.

TERAPEUTA: Avísame cuando lo hayáis hecho.

[Grace se queda sentada con los ojos cerrados, apaciblemente, durante unos instantes].

GRACE: Ya está.

TERAPEUTA: ¿Qué aspecto tiene ahora la parte?

GRACE: ¡Pues se ha transformado! Es yo a los 6 años.

TERAPEUTA: ¿Qué sientes por ella?

GRACE: La tengo en brazos.

TERAPEUTA: ¿Ella sigue arrastrando una carga?

GRACE: Sí. El 20 % es suyo.

TERAPEUTA: ¿Qué quiere la parte que tú sepas?

GRACE: Sólo que el suyo ha sido un trabajo solitario. Pregunta si puede también dejar el trabajo.

TERAPEUTA: ¿Qué le respondes?

GRACE: ¡Que sí! Ya no nos hace ninguna falta.

TERAPEUTA: ¿Y a qué prefiere dedicarse la parte?

GRACE: No quiere más que quedarse conmigo y jugar.

Al final de la sesión, Grace preguntó en su interior si alguna parte se opondría a que hablara con su madre en persona. Al no oponerse ninguna, esa semana se llevó a su madre a comer y preguntó por su infancia. Alentada por Grace, su madre habló de su matrimonio con el padre de Grace, que era encantador y jovial cuando estaba de buen humor, pero sarcástico y crítico cuando no lo estaba, algo que ocurría con frecuencia. También sorprendió a Grace preguntándole si su estilo de crianza había sido demasiado crítico. Ella le respondió que había sido muy crítico e hiriente, y su madre comentó lo severa que era su propia madre. Pese a que este tipo de respuesta consciente de un familiar temido no está ni mucho menos garantizada, Grace había acudido al almuerzo con curiosidad y segura de que estaba lista para manejar lo que pudiera surgir. Tras comer con su madre, las partes de Grace confiaron más en el liderazgo de su Self.

El desarrollo de una carga

Si creemos que un hecho del pasado que haya originado cargas des-empeña un papel significativo en el problema actual de la familia, podemos preguntar sobre el inicio del problema y su evolución. Asimismo, siempre que emerjan partes extremas en sesiones familiares, podemos preguntarles cómo llegaron a sus sentimientos y creencias.

TERAPEUTA: *(A Grace)*. Dices que albergas una parte que teme que Marilyn muera de bulimia. ¿Ha sucedido algo en tu vida que pueda causar ese miedo?

HARRY: No sé si tendrá algo que ver, pero tuvimos un aborto y una muerte fetal antes de que naciera Marilyn. Nos dejó agotados a los dos. Pero lo dejamos todo atrás al tener a Marilyn.

Al decir eso Harry (Grace permanecía en silencio), el terapeuta les pidió permiso para seguir hablando del tema. Cuando ambos accedieron, les propuso buscar a partes afectadas por sus embarazos fracasados. Al repasar sus vivencias, Harry encontró a una parte protectora que manejaba la pérdida olvidando. Esa parte le había llevado a abandonar a Grace en muchos momentos de crisis. En cuanto a Grace, encontró una parte para la que el abandono confirmaba su maldad e incapacidad de ser querida, además de otras partes enfurecidas por el abandono de Harry.

Por lo que respecta a las pérdidas de embarazos en concreto, Grace albergaba a una crítica interna que le decía que era tóxica y que cualquier hijo que tuviera estaba condenado. Debido a las incansables advertencias de esa parte, a Grace la había aterrado el asma infantil de Marilyn, aun siendo leve. Muy a su pesar, también halló una parte que reaccionaba frente a esos miedos desconectando de Marilyn en favor de Martin, su hijo pequeño, que gozaba de excelente salud. Tras descubrir todo eso, Grace y Harry quisieron asistir solos a unas cuantas sesiones de terapia de pareja, para presenciar, llorar y descargar a sus exiliados. Cuando se reincorporaron a las sesiones familiares, ya pudieron indagar más en cómo su pena inhibida y su distanciamiento como pareja habían afectado a Marilyn y Martin.

La experiencia de esta familia es un buen ejemplo de cómo las cargas generan desequilibrio y perjudican el desarrollo de una familia. Dos personas se casaron arrastrando cargas notables de la infancia y respondieron a sus crisis comunes alejándose el uno del otro. Habían llegado a renunciar al liderazgo de forma más generalizada al exiliar la tristeza de sus hijos, abstenerse de comunicarse entre ellos directamente, angustiarse irracionalmente por la salud de una hija y repartir desigualmente los recursos de la atención positiva y el amor.

EQUILIBRIO Y DESEQUILIBRIO

En cuanto una familia se siente lo bastante a salvo en la terapia para manejar hechos y sentimientos exiliados, el terapeuta puede interpelarlos sobre el equilibrio. Consulta las preguntas de muestra de la tabla 16.1, que analiza cómo una familia gestiona el equilibrio y las repercusiones de los desequilibrios. Formular preguntas es en sí una intervención beneficiosa, porque cuando los clientes logran que sus partes que narran desde el intelecto se hagan a un lado, las preguntas del terapeuta abren paso a la metaperspectiva del Self. Desde esa perspectiva, los clientes pueden juzgar las cargas y desequilibrios con mayor compasión y a la vez ver soluciones antes ocultas. Paralelamente, las preguntas suelen conducir a problemas exiliados y pueden asustar a los directivos de la familia. Si un miembro de la familia manifiesta temor (de forma abierta o encubierta) a comentar un desequilibrio, bajamos el ritmo y nos ocupamos primero de ese temor. Una vez que los miembros de la familia han examinado abiertamente ese temor con sus Selves al frente, el temor suele disiparse.

Las cargas engendran desequilibrio

Los desequilibrios en el reparto de los recursos y responsabilidades familiares emanan de creencias extremas (cargas), normalmente herencias culturales que se remontan varias generaciones.

TABLA 16.1. Evaluación del equilibrio

PREGUNTAS PARA EVALUAR EL EQUILIBRIO EN LA FAMILIA

- ¿Cómo toma decisiones la familia? ¿Quién en concreto da su opinión? ¿Quién tiene la última palabra?
- ¿Quién cuenta con más tiempo de ocio, dinero, atención, amistades, etcétera? ¿Quién cuenta con menos? ¿Cómo se llegó a esa proporción?
- ¿Quién tiene más responsabilidad en la familia? ¿Quién menos? ¿Cómo se llegó a esa proporción?
- ¿Quiénes tienen una relación más estrecha?
- ¿Quién está más distanciado de quién?
- ¿Quién protege más a quién?
- ¿Pueden dos miembros de la familia tener un conflicto sin que un tercero los interrumpa?

PREGUNTAS PARA EVALUAR LAS REPERCUSIONES DEL DESEQUILIBRIO EN LA FAMILIA

- ¿En qué medida afecta el desequilibrio a cada una de sus partes?
- ¿Qué ocurriría si tuviesen más equilibrio en ese terrenos?
- ¿Hay partes temerosas de hablar de ese desequilibrio? ¿Qué es lo que más les preocupa?
- ¿Hay posibilidad de algún arreglo que pueda mejorar las cosas?
- ¿Hay partes contrarias a que hagáis mejor las cosas?
- ¿Qué más os impide hacer mejor las cosas?

Cuando empezamos a indagar en la historia y las tradiciones de la familia, la conversación desemboca espontáneamente en las repercusiones del desequilibrio para la familia. La carga por legado del patriarcado, por ejemplo, se traspasa en familias y culturas cuando padres e hijos tienen mayor influencia y recursos, y menos responsabilidades en el hogar, que madres e hijas. La idea de que una determinada categoría de persona de la familia (el hombre, el más listo, el de salud más frágil, el más alto, el más atlético, etc.) merece por naturaleza más recursos es una creencia, no un hecho. Creencias como éstas cargan a las familias de desequilibrios dañinos. Si detectamos un desequilibrio, podemos preguntar directamente por la carga que lo originó.

TERAPEUTA: *(A Harry)*. ¿Cómo adquiriste la creencia de que los hombres tienen derecho a más tiempo libre en casa?
HARRY: Así era en mi familia. Supongo que lo aprendí sin más.

También podemos empezar pidiendo a los progenitores que describan la cultura de sus respectivas familias y colectividad. O decirle a toda la familia que repare en las cargas por legado que siguen manifestándose en la familia.

HARRY: Mi padre nunca me daba tregua. Sacara las notas que sacara en la escuela, nunca era capaz de felicitarme. Siempre me hacía saber que no era lo bastante bueno.
TERAPEUTA: Entonces él llevaba la carga del perfeccionismo. Marilyn, ¿crees que tu padre heredó esa?
MARILYN: ¡Y que lo digas! A lo mejor no es exactamente lo mismo, porque papá a veces sí me felicita. Sin embargo, igualmente siento que nunca consigo ser lo bastante buena, como si le decepcionara, aunque él diga algo amable.
TERAPEUTA: ¿Has heredado tú ese perfeccionismo?
MARILYN: Bueno, yo sólo critico a mis padres o a mí misma. Pero sí juzgo a la gente mentalmente. Ahora bien, no soy tan dura con nadie como conmigo misma.
TERAPEUTA: Las partes críticas son así. En voz alta, tu perfeccionista es dura con tus padres, pero también lo es mentalmente contigo y otras personas. *(Volviéndose a Grace y Martin)*. ¿En qué medida os afecta el perfeccionismo de la familia de Harry?
GRACE: «¡No nos conformamos!». ¡He oído a su madre decirlo más de una vez! Y tenía claro que no quería ser yo quien bajara el listón.

MARTIN: Caray, me siento algo culpable. Me gusta ser el mejor. Mi entrenador es un poco como papá. Puede ser duro, pero sé que me admira por no rendirme.

Si bien al principio Martin no veía más que ventajas en el legado del perfeccionismo, reconoció, cuando Marilyn le cuestionó, que prefería los comentarios positivos que los negativos de su entrenador... y de su padre. Cuando Grace respondió sugiriendo que no necesitaba triunfar para que le quisieran, bajó la mirada.

HARRY: Se te ve triste, chaval.
MARTIN: Sí. No sé por qué.
TERAPEUTA: ¿Te gustaría averiguarlo?
MARTIN: Vale.
TERAPEUTA: ¿Prefieres que los demás se queden o que se vayan?
MARTIN: Pueden quedarse.
TERAPEUTA: Entendido. Viaja a tu interior, Martin, y percibe la tristeza. ¿Qué piensas de ella?
MARTIN: Me desconcierta.
TERAPEUTA: ¿Qué quiere la tristeza que sepas?
MARTIN: Que si no me esfuerzo por ser el mejor, ¿quién soy entonces?
TERAPEUTA: ¿Te parece que tiene sentido?
MARTIN: Sí.
TERAPEUTA: ¿Te gustaría saber quién eres?
MARTIN: Me encanta jugar al baloncesto.
TERAPEUTA: Hay sitio para todas tus partes, tu jugador de baloncesto incluido. Y también hay sitio para el Martin que no es una parte.
MARTIN: *(Paseando la mirada por su familia)*. Entendido.

Al diferenciarse de su jugador de baloncesto perfeccionista, Martin descubrió a una parte joven que creía que tan sólo le querrían si era el mejor. Después de aquello, la familia escribió en una pizarra cómo el perfeccionismo había repercutido en cada uno de ellos. Mientras hablaban, reflexionaron sobre cuándo y cómo se había desarrollado el perfeccionismo en la familia de la que procedía Harry. Cayeron en las tribulaciones y los rechazos que habían sufrido sus abuelos, como inmigrantes judíos a principios de siglo. Por último, decidieron celebrar una ceremonia en el patio de casa para soltar esa carga compartida y honrar a sus antepasados en una noche estrellada de verano.

Cargas secretas

Si al trabajar con una familia tienes la impresión de que te falta una pieza del rompecabezas, te aconsejamos que esperes a que los directivos de la familia se calmen antes de preguntar por los episodios que engendran secretos. Como hemos ido mostrando, los secretos cargan los sistemas, y los secretos familiares pueden andar al acecho, como fantasmas, en las sesiones. Al ejemplo de las muertes no lloradas de la familia de Marilyn podemos añadirle una larga lista de secretos comunes que cargan a las familias, como la guerra y las catástrofes naturales, el maltrato verbal y físico, la separación conyugal, el consumo problemático de drogas o alcohol, la desatención, el abandono, la enfermedad incapacitante, la enfermedad mental y el suicidio, así como toda clase de episodios que al terapeuta pueden parecerle inofensivos, pero para los miembros de la familia tienen un significado. Una vez que se ha revelado un hecho originario de cargas y la familia nos ha permitido hablar de él, podemos encontrarnos con que la familia se siente congelada en un momento difícil del pasado, al igual que las partes se quedan congeladas en momentos traumáticos.

Emigración e inmigración

La mayoría de las familias heredan valores o perspectivas culturalmente sintónicos que pueden volverse pesados cuando ya no encajan en las circunstancias actuales de la familia. Se trata de un dilema común entre familias inmigrantes cuyos hijos crecen en una nueva cultura. Además, las familias emigrantes pierden a su gente y sus relaciones, y las familias inmigrantes a menudo se enfrentan a profundos prejuicios. Para identificar las limitaciones que conlleva abandonar el hogar y reubicarse en una nueva cultura, inquirimos sobre los cambios de valores y cómo lidia con ellos la familia.

Cargas materiales

Las cargas materiales, como los trabajos estresantes, los barrios peligrosos, la pobreza, la discriminación y las necesidades especiales de miembros de la familia discapacitados o ancianos, ponen a prueba el liderazgo y agotan los recursos de la familia. Pueden llevar a ideas o sentimientos extremos y son limitantes por naturaleza. Al indagar sobre las repercusiones de las cargas materiales en la familia, debatimos cómo los miembros de la familia pueden apoyarse mejor unos a otros y acceder a los recursos de la colectividad.

LA HISTORIA DE LAURA

Ponemos fin a este capítulo con otro caso que ilustra muchas de las cosas que hemos expuesto más arriba. Laura acudía a terapia en la universidad y no tardó en pedir a su madre, Darcy, y a su hermana, Molly, que fueran con ella. Cuando Laura tenía 11 años y su padre falleció en un accidente de tráfico, emergió una nueva dinámica familiar. Su madre, Darcy, siguió trabajando, pero se replegó en una depresión prolongada. Pese a sentirse culpable por renunciar a su rol de liderazgo, apenas hacía nada en casa y Laura tomó el relevo, con lo que se convirtió en la hija parentalizada. Laura se hizo cargo de la situación y asumió unas responsabilidades desproporcionadas. Era ella quien se aseguraba de que Molly, su hermana de 8 años, desayunara y fuera a la escuela en condiciones. También limpiaba la casa, le hacía a su madre la lista de la compra y preparaba la cena. Todo aquello frenó el curso de su desarrollo y generó varios bomberos muy resentidos que criticaban duramente a Darcy. Por su parte, Molly, que temía que su madre volviese a caer en depresión, defendía a Darcy de la ira de Laura. Las tres se hallaban en un estado de desesperación mutua, con partes vulnerables congeladas en el momento en que murió Bill. Las tres arrastraban cargas de pena, soledad y desesperanza no expresadas. La muerte de un progenitor aboca a menudo al sistema familiar a un desequilibrio permanente, responsable de la clase de polarizaciones, alianzas y sobreimplicaciones crónicas, así como falta de armonía en general, que constituyen la base de la terapia familiar.

Siendo universitaria, Laura se volvió adicta al fentanilo, que adquiría en las calles. Ni su madre ni su hermana sabían que tomaba drogas, aunque la joven viviera en casa, porque se ausentaba gran parte del tiempo. Tras ver a varios amigos morir de sobredosis, no obstante, Laura inició un programa terapéutico cuyo primer paso consistía en reconocer la adicción, admitir que no podía controlarla y reflexionar sobre los pros y contras de no dejarla. Aunque se fue del programa con el compromiso de permanecer sobria, seguía temiendo el dolor emocional que desencadenaba su adicción. Una amiga de la facultad que asistía a terapia IFS la animó a probar.

En las dos primeras sesiones, Laura contó que vivía con su familia y que lo hacía para ahorrar. Dijo que a menudo discutía con su madre, la cual pasaba el máximo tiempo posible a solas en su cuarto.

Entretanto, Molly se preocupaba sin cesar por Darcy, acusaba dolores de estómago y se perdía muchas clases, lo cual repercutía en sus notas. La actitud pasiva de Darcy ante esa crisis enfurecía aún más a Laura, y entonces Molly defendía a Darcy. Tras escuchar la historia de Laura, el terapeuta decidió que la mejor forma de ayudar a Laura era ayudar a toda la familia, así que propuso mantener sesiones familiares. Laura aceptó, pero con la condición de que su adicción no saliera a la luz. Por consiguiente, decidieron que Laura seguiría haciendo terapia individual y la terapia familiar giraría en torno a las relaciones en la familia.

Una sesión individual con Laura

En la terapia individual, Laura descubrió que su parte adicta estaba enfadada con ella y no le dirigía la palabra, así que el terapeuta recurrió al acceso directo para hablar con el adicto mientras Laura escuchaba.

TERAPEUTA: ¿Podemos hablar con tu adicto al fentanilo?

LAURA: No creo que hable. Está encerrado en una jaula, y está enfadadísimo. Quiere salir y volver a consumir.

TERAPEUTA: ¿Puedo hablar directamente con él?

LAURA: Vale.

TERAPEUTA: Entonces tú serás la parte que consume fentanilo. Déjala hablar. ¿Estás ahí?

LAURA: No... es lo que acaba de decir.

TERAPEUTA: ¿Qué teme que ocurra si no vuelve a colocarse?

LAURA: No le temo a nada. Me encanta colocarme..., es una sensación genial. Me muero de ganas de volver a hacerlo.

TERAPEUTA: Entendido. Gracias por decírnoslo. Voy a volver a hablar con Laura. ¿Estás ahí, Laura?

LAURA: Sí.

TERAPEUTA: ¿Qué debe ocurrir?

LAURA: Tiene que quedarse en la jaula.

TERAPEUTA: Entendido. Podemos dejarle ahí mientras seguimos con las sesiones familiares. Pero volveremos a él. Podrás dejarlo salir de la jaula en cuanto él confíe en que puede hacer algo de su agrado, sin necesidad de ayudarte de ese modo.

LAURA: Se está burlando de ti.

TERAPEUTA: ¿No se cree que tú no necesites colocarte?

LAURA: Así es.

TERAPEUTA: Entendido. Lo retomaremos cuando las cosas cambien.

LAURA: De acuerdo.

Una sesión con la familia de Laura

Si bien el terapeuta se hizo cargo enseguida de los problemas estructurales de la familia de Laura, quería empezar sabiendo más sobre sus partes. Por lo tanto, pidió a Laura y a su madre que hablaran entre ellas sobre su relación. En cuestión de minutos, Laura estaba reprendiendo a Darcy. El terapeuta impuso una pausa y les dijo a los tres miembros de la familia que se concentraran en su interior y repararan en sus sentimientos. Darcy dijo sentirse impotente y culpable ante la ira de Laura, con deseos de salir corriendo.

TERAPEUTA: Así que una parte tuya quiere salir corriendo, otra se siente impotente y hay una tercera que te dice que eres mala madre, ¿es así?

DARCY: Sí.

TERAPEUTA: ¿Quién suele tomar el control cuando hablas con Laura?

DARCY: La impotente, supongo. Me quedo ahí sentada y aguanto el chaparrón, aunque en casa a veces me voy.

TERAPEUTA: *(A Laura)*. ¿Qué pasa en tu interior cuando tu madre hace oídos sordos?

LAURA: Me enfado mucho. ¡Está apática, joder! Me dan ganas de sacudirla por los hombros. Está en trance.

MOLLY: ¡¿Por qué eres tan mala con mamá?!

TERAPEUTA: Bien, hagamos otra pausa. Laura, es normal que quieras espabilar a tu madre para que salga de la depresión, y hablaremos más de ello sobre la marcha. Por ahora, no obstante, quiero que te concentres en tu parte furiosa interna y le preguntes qué está protegiendo. Molly, haz tú lo mismo.

Tras varios intentos, Laura pudo escuchar a su protector furioso lo bastante como para saber qué/a quién estaba protegiendo. Le dijo al terapeuta que había encontrado algo.

352 TERAPIA SISTEMAS DE FAMILIA INTERNA

TERAPEUTA: Estupendo. Antes de seguir, comprueba si tienes el corazón abierto para poder hablar *por* esas partes y no *desde* ellas.

LAURA: *(En un tono más suave).* Entendido. Mamá, cuando estás así de pasiva, hay una parte de mí desesperada, aterrada... como si fuéramos todas a morir. La parte enfadada me dice muchas cosas del estilo «¡Le corresponde a ella hacer de madre!», pero en realidad lo único que quiere es que me ayudes, porque me estoy ahogando.

DARCY: Comprendo que estés aterrada y enfadada..., llevas años teniendo que mantenernos a flote. Ojalá pudiera actuar de otro modo. Siempre he sabido que te estaba haciendo daño. Pero no he conseguido salir del agujero. Y esta culpa aún me hunde más. Quiero que sepas lo mucho que lo siento.

LAURA: *(Haciendo una mueca).* Con sentirlo no basta.

TERAPEUTA: *(A Darcy).* ¿Estás dispuesta a trabajar con las partes que no te dejan salir de ese agujero? Si es así, puedo ayudar. Te sentirás mejor, y Laura y Molly ya no tendrán que cuidarte.

DARCY: Claro que estoy dispuesta. Es sólo que no sé cómo hacerlo. He probado muchas cosas desde que Bill murió.

TERAPEUTA: Entiendo. Puedo ayudar.

Esta sesión ilustra muchas características de la terapia IFS familiar. Para empezar, en lugar de dar instrucciones a los miembros de la familia sobre cómo cambiar de comportamiento, el terapeuta les sugiere que se concentren en su interior y escuchen a las partes que motivan sus patrones disfuncionales. Luego les hace hablar por esas partes, en vez de dejar que las partes hablen directamente. A continuación, les indica a todos los miembros de la familia que averigüen a quién protegen internamente sus protectores (a los exiliados). Y, por último, les pide que hablen por esos exiliados. Una vez que se ha hablado en nombre de los exiliados, el ambiente de las sesiones familiares se relaja, ya que los Selves de los miembros de la familia empiezan a emerger y los protectores deponen las armas. Es entonces cuando la principal tarea del terapeuta consiste en mantener a los clientes en la energía del Self mientras hablan por sus partes.

A lo largo de todo este proceso y en las sesiones, el terapeuta desempeña el rol de mercader de esperanza, como hemos mencionado. Vender esperanza a protectores enquistados que se sienten desesperados apacigua a todo el mundo y fomenta la paciencia. El terapeuta es capaz de hacerlo porque confía en que la IFS puede ayudar a todos los miembros de la familia. En distintos momentos, cuando es evidente que los miembros de la familia pueden albergar algo de energía del Self en el rol de testigos, el terapeuta también le dice a un miembro de la familia que viaje al interior a emprender una exploración vertical con las partes de esa persona, mientras los demás observan. Este ejercicio es igual de eficaz tanto para los miembros de la familia que ejercen de testigos como para quien habla.

El paso adelante de Darcy

En sesiones posteriores, Darcy se prestó voluntaria a hacer unas cuantas sesiones individuales de comunicación interna en presencia de Laura y Molly. Cuando Darcy se sumergió en su parte impotente, encontró a una niña aterrada que veía a su padre pegar a su madre, y ambas chicas lloraron. La niña de 5 años de Darcy sabía que no podía hacer nada para detener a su padre. En ese momento, tal como descubrió Darcy, sus protectores habían intervenido para ahorrarle la decepción, acabando con toda esperanza de que la vida pudiese ser distinta. También se dio cuenta de por qué la ira de Laura la había intimidado tanto. Cuando hubo recuperado y descargado a la niña de 5 años, Darcy abrió los ojos, miró a sus hijas y se adelantó a abrazar a Laura sin mediar palabra. Como si al fin hubiesen cruzado un abismo, se aferraron unas a otras. Al principio Molly aguardó paciente su turno, pero al prolongarse el abrazo se unió sin más. Cuando por fin las tres se separaron, Darcy contó a sus hijas lo cerrada que había estado hasta que conoció a Bill. La niña de 5 años se había apegado a la fuerza física de su marido, como protector externo, así como a su bondad y benevolencia. Bill había sido el primer hombre al que no temía. Con su muerte, la niña de 5 años quedó abandonada, y sus protectores, que habían permitido el apego con muchas reservas, se abrieron paso, vengativos, prometiendo no volver a dejarla albergar esperanzas ni esforzarse por mejorar su vida.

Ante esas revelaciones, Laura afirmó que su parte furiosa ahora estaba triste. Molly confesó que una parte de ella había querido detener la sesión para proteger a su madre, pero entonces se alegraba de no haberlo hecho. En tanto que el terapeuta ayudaba a las dos hijas en sesiones posteriores, el progreso de Darcy acarreó varios cambios estructurales en la familia. Sus protectores retrocedieron notablemente (aunque no del todo), lo que le permitió tender la mano más activamente; dio muestras de un interés renovado por Laura y supo ir recordando a Molly que no se ocupara más de ella.

Cuando el Self empieza a emerger como líder interno o externo, los protectores extremos de los miembros de la familia casi siempre se relajan enseguida. Comprender el dramático trasfondo de la pasividad de su madre ayudó a Laura a descargar gran parte de su vida y abrió la puerta a una nueva y ansiada cercanía con su madre. Al volverse Darcy más activa, Laura y Molly dejaron atrás en gran medida su sentido de la responsabilidad para con ella y la familia. Por fin, entonces que ya no tenía que proteger a Darcy de Laura, Molly pudo disfrutar de una relación estrecha con ambas. Naturalmente, una sesión no sanó a los exiliados de Darcy ni liberó por completo a sus protectores. El terapeuta contaba con que habría altibajos y los hubo. Ahora bien, cuando los protectores de Darcy volvían a la carga, ya nadie era presa del pánico, porque comprendían lo que estaba sucediendo.

El adicto al fentanilo de Laura se prepara para desempeñar un nuevo trabajo

Después de la sesión rompedora de Darcy, Laura retomó su parte adicta en una sesión individual. El adicto seguía enjaulado, pero parecía más tranquilo.

LAURA: Se da cuenta de que me siento mejor y, si pudiera, querría hacer algo más.

TERAPEUTA: Si ayudáramos a la niña cuyo padre falleció, ¿podría él hacer algo más?

LAURA: Dice que *ya veremos.*

TERAPEUTA: Si pudiera dejar de consumir fentanilo y hacer otra cosa, ¿qué preferiría?

LAURA: Parece que le interesa ayudarme a encontrar una profesión.

Tras descargar a su exiliado, Laura sacó al adicto de la jaula y, efectivamente, el adicto pasó a ayudar a Laura a orientar su carrera, si bien de vez en cuando le preguntaba a Laura si le apetecía colocarse, porque él lo echaba de menos. Hemos trabajado con un gran número de clientes como Laura que habían estado encadenados a distintas adicciones, incluyendo (entre otras) varias drogas, alcohol, comida y deporte. Hemos observado que estas conductas compulsivas alivian a los clientes del dolor, la soledad, la vergüenza y el terror. Creemos que el factor más adictivo de todas estas adicciones es el alivio. Una vez que los exiliados alcanzan un alivio estable y duradero derivado de la descarga y la forja de una relación prolongada con el Self del cliente, los bomberos se percatan de que sus trabajos son obsoletos y las ansias compulsivas remiten enormemente. Llegados a ese punto, algunos clientes deseosos de abandonar su conducta adictiva son capaces de hacerlo solos, mientras que otros precisan de la ayuda de grupos de apoyo y de intervención médica.

* * *

CONCLUSIÓN

Las limitaciones fundamentales de la familia de Laura, las partes cargadas, pertenecían al interior de cada miembro de la familia. No obstante, hay también muchas familias con limitaciones externas, como residir en barrios peligrosos, trabajar demasiado o lidiar con el racismo, la misoginia, la homofobia o la transfobia. Estas limitaciones también deben atenderse en la terapia, en ocasiones para alcanzar un cambio interno duradero.

Tal como ilustramos en este libro, los sistemas humanos –partes, personas, familias, colectividades y culturas– anidan, se reflejan e interactúan. Y como todos los sistemas, sufren a veces heridas y están expuestos a desarrollar cargas que pueden heredarse de generación en generación. Asimismo, todos los sistemas buscan el equilibrio y tratan de autoequilibrarse. Cuando forjan relaciones con el Self, las partes polarizadas se moderan y se restablece el equilibrio sistémico. El Self es el mecanismo de autoequilibrado que todos albergamos en el interior.

CAPÍTULO 17

Terapia de pareja IFS

La terapia de pareja sólo es diádica porque reúne a dos clientes en la estancia. Si pensamos en términos de multiplicidad psíquica y en que toda persona alberga un sistema interno de partes, vemos que es probable que haya varias partes implicadas en cualquier patrón de conflicto. La terapia de pareja, por ende, se abre camino por la misma estructura psíquica subyacente que la terapia individual y familiar, y le son aplicables los mismos conceptos y técnicas de la IFS. La terapia de pareja IFS puede practicarse por sí sola o como subconjunto de la terapia familiar que se da en las sesiones reservadas a los progenitores. En este capítulo queremos aportar un resumen simple de la técnica y mostrar cómo reunirse con padres y madres como pareja durante la terapia familiar.

SEGUIMIENTO DE LAS INTERACCIONES DE LA PAREJA

En la terapia de pareja IFS empezamos con un seguimiento de las interacciones horizontales entre los miembros de la pareja para ilustrar su ciclo de conflicto. He aquí un ejemplo:

TERAPEUTA AL MIEMBRO DE LA PAREJA A: Cuando te enfadas, ¿qué hace tu parte enfadada?

MIEMBRO DE LA PAREJA A: Grita.

TERAPEUTA AL MIEMBRO DE LA PAREJA B: ¿Estás habituado a la parte de ella que grita?

MIEMBRO DE LA PAREJA B: Sí.

TERAPEUTA AL MIEMBRO DE LA PAREJA B: ¿Qué notas en tu interior cuando ella te grita?

MIEMBRO DE LA PAREJA B: Yo también me enfado.

TERAPEUTA AL MIEMBRO DE LA PAREJA B: ¿Y qué hace tu parte enfadada?

MIEMBRO DE LA PAREJA B: Responde gritando.

TERAPEUTA AL MIEMBRO DE LA PAREJA A: Cuándo tu parte enfadada responde gritando, ¿qué ocurre en tu interior?

MIEMBRO DE LA PAREJA A: Me quedo paralizada y dejo de hablar.

TERAPEUTA AL MIEMBRO DE LA PAREJA B: Cuando ella deja de hablar, ¿qué haces?

MIEMBRO DE LA PAREJA B: Creo que me enfurruño.

Una vez expuesto de ese modo su ciclo, es la ocasión para que el terapeuta haga algunas cosas importantes: (1) señalar que ninguno de los dos tiene sus necesidades satisfechas, (2) invitar a la pareja a escuchar el punto de vista del terapeuta e introducir el concepto de las partes protectoras e (3) invitar a ambos a interesarse por la vulnerabilidad y la necesidad no cubierta de reconocimiento y amor que subyace en los afanes de sus partes protectoras (Herbine-Blank *et al.*, 2016).

Cuando las parejas se relacionan desde el Self y no desde las partes protectoras, recuerdan por qué conectaron en un principio y sus conversaciones abiertas favorecen la reparación y la resolución. Nuestra labor, por lo tanto, consiste en ayudarles a encarnar a sus Selves, no en darles consejos o interpretaciones destinados a resolver los problemas de la pareja. Dado que los protectores sólo se calmarán y dejarán que el Self se manifieste cuando sus exiliados hayan sanado, también ayudamos a los miembros de la pareja con el trabajo interior propio de la IFS, en que acceden a sus exiliados y los despojan de su carga. Sobre todo al empezar, «buscamos que se enfoquen hacia dentro y fuera de su pareja» (Herbine-Blank *et al.*, 2016, p. 40).

HABLAR POR LAS PARTES Y NO DESDE ELLAS

Lo que sigue es un largo fragmento de un diálogo que tuvo lugar a mitad de camino de una terapia de una pareja con dos hijos en edad escolar. Muestra (1) cómo los miembros de la familia pueden presenciarse unos a otros al explorar su interior y (2) el poder de los miembros de la familia cuando hablan por sus partes y no desde ellas. Phil, que arrancó la sesión, empezó hablando de un protector que pretendía asustar a su marido, Timo, para que se reincorporara al trabajo al cabo de varios años de quedarse en casa cuidando de los niños. Phil está en el papel de emisor y Timo en el de receptor. Orientamos a los miembros de la pareja en ambos roles para ayudar a sus partes a diferenciarse, de modo que puedan hablar por sus partes y escuchar desde el Self (Herbine-Blank *et al.*, 2016; Schwartz, 2008).

Phil: Hará unas 2 semanas Timo me dijo que había cambiado de opinión sobre lo de volver a trabajar. Sé que si continúa quedándose en casa seguirá estando deprimido y enfadado, y lo pasaré mal. Así que, naturalmente, nos hemos pasado toda la semana gritándonos y una noche tuve que levantarme de la mesa. Me fui de casa y fui incapaz de volver hasta que todo el mundo se hubo acostado. Esto me hace mucho daño y no sé si puedo seguir así.

Timo: Pues si quieres irte te vas y ya está.

Terapeuta: Bien, voy a estar atento mientras habláis. Es decir, que en cuanto detecte que alguno habla desde una parte, pediré tiempo muerto, los dos viajaréis a vuestro interior y quien estuviera hablando regresará para hablar desde esa parte. ¿De acuerdo? Pues me gustaría que los dos lo hicierais ahora.

[En vez de abordar el contenido, el terapeuta recuerda a Phil y Timo que el objetivo es diferenciarse de las partes y hablar por ellas].

Timo: Entendido.

Phil: Sí. Lo intentaré.

Terapeuta: Entendido. Phil, fíjate en la parte tuya que ahora mismo estaba hablando. ¿Re dejará que hables por ella? Y, Timo, fíjate en la parte defensiva que ha respondido. Si vuestras partes precisan ayuda para diferenciarse, decídmelo.

[Ambos cierran los ojos y se relajan visiblemente al atender a su interior].

Phil: He encontrado a una parte en mi pecho que está agitada y quiere presionarte para que trabajes. Por debajo hay una parte vulnerable que se asusta mucho cuando te enfadas.

Timo: Eso suena mejor. Sé que mi rabia te pesa y puedo intentar ponerle remedio. Me gustaría que pudieras creer que mi enfado no tiene tanto que ver con el hecho de quedarme en casa con los niños. Es más por sentir que a veces no me escuchas. Y cuando amenazas con irte de ese modo me viene directamente el recuerdo de cuando mi padre me abandonó. Al empezar a escuchar en mi interior, he reparado en la parte que contraataca. Sin embargo, al quedarme más rato, he encontrado a la parte más joven, que se queda aterrada cuando amenazas.

[Ambos habían estado hablando desde el Self en nombre de sus partes, pero ahora la ira de Phil vuelve a entrar en escena].

Phil: Dices que mis amenazas te dan miedo, pero creo que no eres consciente de lo mal que actúas en casa. Cuando estás ahí, tengo la sensación de que siempre andas pendiente de mi comportamiento y estás muy irritable. Parece que busques motivos para enfadarte. Como ya sé lo que va a pasar, me mantengo a distancia. Si yo estuviera siempre encima de ti como tú de mí, comprendería que me dejaras. Como sigas comportándote así, pues sí, se acabó.

Terapeuta: Bueno, Phil, voy a interrumpirte porque estoy volviendo a oír a la parte enfadada. Viaja por un instante a tu interior y búscala dentro o cerca de tu cuerpo.

[El terapeuta decide trabajar un poco con la parte enfadada de Phil, puesto que ésta no deja de interferir].

PHIL: *Estoy* enfadado. Lo noto en el pecho.

TERAPEUTA: ¿Y qué sientes por la parte enfadada?

[Ésta es la principal pregunta detectora de partes de la IFS].

PHIL: ¡Gratitud! No me enfado con facilidad ni con frecuencia. Así que el que esa parte se asome me alivia un poco.

TERAPEUTA: Entendido. Dile a la parte enfadada que valoras el hecho de que se asome para variar.

[En este momento el terapeuta se esmera en legitimar al protector enfadado de Phil. En la IFS acogemos a los protectores; no pretendemos controlarlos ni vetarlos. Ahora Phil tiene la mirada fija a su derecha y permanece unos instantes en silencio].

PHIL: Mi parte arrogante también está aquí.

[Obsérvese que su protector enfadado responde a la legitimación apaciguándose, de manera que Phil toma consciencia de otra parte importante].

TERAPEUTA: ¿En qué lugar de tu cuerpo ubica a la parte arrogante?

PHIL: *(Se señala el pecho).* Para mí, todo empieza aquí. Tengo el corazón a cien…

TERAPEUTA: Diles a la parte enfadada y a la arrogante que quieres saber de ellas. Luego pregúntales si confiarían en que hablaras por ellas. Así podrás mantener el corazón abierto incluso cuando hables con Timo de esos temas difíciles.

[El terapeuta se centra en la relación entre Phil y sus partes, recordando a Phil que las ayude a diferenciarse].

PHIL: Eso me ayuda… mantener el corazón abierto. Sí.

TERAPEUTA: Bien, vamos a volver a probar, esta vez contigo hablando por tus partes.

Phil se diferencia

PHIL: *(Mirando a Timo).* Puedo hablar por mis partes. Mientras dialoguemos, no tengo que avergonzarte, no tengo que acusarte de ser imprudente o desconsiderado. Sé que estoy dolido y asustado y triste.

TERAPEUTA: Estupendo, Phil, habla por las partes que están dolidas, asustadas y tristes.

PHIL: Echo de menos lo nuestro. Cuando nos atacamos, hay una parte en mí que se siente triste y hay otra parte en mí que quiere culparte. Pero no creo que sea del todo justo. La verdad es que no tengo claro lo de tu vuelta al trabajo, porque tendré que ocuparme mucho más de los niños. O sea, que el problema no es tanto el trabajo. Y no es sólo que tu ira me asuste. También te añoro cuando me retiro al despacho constantemente porque peleamos.

TERAPEUTA: Gracias, Phil. ¿Qué te ha parecido, Timo?

[Ahora el terapeuta se vuelve a ver cómo están las partes de Timo].

TIMO: Me ha conmovido. Se ha vuelto vulnerable. Ya no me hierve la sangre y me hace volver a quererle.

Los miembros de la familia acuden a terapia hablándose desde unas partes rígidas y arrogantes que adoptan posturas coercitivas, que siempre están prestas a ir a más frente a los protectores de la otra persona. Aunque Phil abrió la sesión amenazando con romper su matrimonio, en cuanto ese protector se calmó y expresó vulnerabilidad y afecto, Timo dejó de ser despectivo, lo que muestra que el proceso no consiste tanto en adquirir habilidades comunicativas como en lograr que las partes confíen en que el Self dirija la conversación. Una vez que hubieron vuelto a sentirse conectados y a salvo, Timo pasó a abordar un problema subyacente.

Tránsito horizontal de uno a otro miembro de la pareja

TIMO: La verdad, si no te esfumaras y te metieras en el despacho, mi humor mejoraría bastante. Y, además, si me escucharas como ahora lo estás haciendo...

PHIL: Sé a qué te refieres, pero no estoy de acuerdo. Cuando me aíslo vienes detrás de mí con mucha insistencia. Me gustaría hallar el modo de que te me acercaras sin armarla.

Timo: ¡A mí también! Porque no me gusta tener que armarla, pero si no es así te marchas.

Phil: ¿Y crees que armarla es la única forma de estar conmigo cuando te sientes desconectado?

Terapeuta: ¿Te alejas, Phil?

[El terapeuta interrumpe e invita a Phil a analizar su comportamiento. Phil suspira y mira al terapeuta].

Phil: Bueno, sí, podemos hablarlo. Timo se pega demasiado para mi gusto. Tenemos modos distintos de hacer. ¿Hay solución a eso? Yo creo que basta con que seamos capaces de negociar nuestro espacio. ¿Cuánta cercanía es suficiente para ti, pero no demasiada para mí? ¿Entiendes? Es que le dedico mucho tiempo y energía a mi profesión y tenemos dos hijos, así que para mí es esencial hacer paradas. Necesito leer libros y tocar la guitarra sin interactuar con nadie. Sin embargo, esas tres cosas, que para mí son del todo normales –leer, tocar la guitarra y trabajar– las vive como si yo me alejara y desapareciera de su vida.

Terapeuta: ¿Te parece acertado, Timo?

[El terapeuta regresa a Timo para pedir su opinión. Si no estamos trabajando en vertical con un cliente, transitamos en horizontal, yendo de uno a otro de los miembros de la pareja, para comprobar su energía del Self e ilustrar los patrones de interacción de sus protectores].

Timo: Es la versión de Phil.

Terapeuta: Ha vuelto a hablar la parte desdeñosa. Si ella se apartara un momento, ¿qué sentirías ahora mismo?

[Al detectar de nuevo al protector de Timo, el terapeuta lo encamina a interesarse por la motivación de esa parte].

Timo: Duele, hummm…, duele oírle simplificarlo de ese modo.

Terapeuta: ¿Porque no te parece acertado?

Timo: Me parece acertado pero incompleto. Claro que leer es importante y tocar la guitarra es estupendo…, me gusta oírle tocar la guitarra. Y su trabajo es fundamental para nuestra familia. *(Volviéndose hacia Phil).* Creo que te apoyo bastante en tu trabajo. Sin embargo, cuando te dedicas a lo tuyo tanto tiempo, siento rencor.

Necesito más de ti. Necesito que me incluyas. ¿Y cómo llegar a ti? Lo planteas como si todo fuera la mar de sencillo.

TERAPEUTA: Así que, al notar que Phil se aísla o se muestra distante, ¿te duele y una parte enfadada va a por él?

[Una vez más, en vez de dejar que los miembros de la pareja interactúen en torno al contenido, el terapeuta interviene para encaminarlos a reparar el comportamiento de sus partes].

TIMO: Sí. Me siento cómodo al enfadarme. Me sale de un modo natural cuando siento que pierdo poder.

TERAPEUTA: Entonces, Phil, cuando la parte enfadada de Timo toma el control, ¿qué sucede exactamente en tu interior?

PHIL: Como ya he dicho, me asusto. Y también soy consciente de que se me acusa injustamente. Me sale la parte arrogante. ¡No tienes derecho a enfadarte conmigo! ¡No he hecho nada malo! Ya sé que la parte enfadada de Timo quiere ayudar, pero en mi opinión consigue justo lo contrario de lo que quiere.

[Esto suele ser verdad: los protectores extremos casi siempre obtienen justo lo contrario de lo que quieren].

TERAPEUTA: *(Dirigiéndose a Timo).* ¿Estás de acuerdo en que, al enfadarte, consigues justo lo contrario de lo que quieres?

TIMO: Casi siempre. Y sé que mi ira asusta a los niños, lo que es una de las razones por las que estamos aquí.

TERAPEUTA: Y también he entendido que sientes apego por tu parte enfadada. Te gusta su fuerza. Te gusta que salga a defenderte.

[El terapeuta hace un alto para legitimar la importancia del protector enfadado de Timo].

TIMO: Sí, sin ella estaría muy asustado.

TERAPEUTA: ¿Podemos dedicarle un minuto?

[El terapeuta pide permiso a Timo para prestar atención a su parte enfadada].

TIMO: Sí.

TERAPEUTA: *(A Phil).* ¿Te parece bien?

[El terapeuta también pide permiso a Phil].

PHIL: Muy bien.

El exiliado de Timo

TERAPEUTA: *(A Phil).* ¿Podrás mantenerte abierto como testigo? *[El terapeuta ayuda a Phil a adoptar el rol de testigo, recordándole que ayude a sus partes a diferenciarse].*

PHIL: Gracias por recordármelo. Lo intentaré.

TERAPEUTA: Si te cuesta, dímelo. ¿De acuerdo, Timo? Pregunta a tu ira a quién está protegiendo.

TIMO: Veo a un bebé llorar. No está a salvo.

[Timo cierra los ojos y permanece callado durante lo que parece mucho tiempo. Si bien atiende a su interior sin detallar las escenas que está presenciando, su rostro expresa sus sentimientos].

TERAPEUTA: ¿Qué tal va?

[El terapeuta le consulta con tacto].

TIMO: Voy a sacar de ahí al bebé.

TERAPEUTA: Estupendo. ¿Cuál es su lugar?

TIMO: Conmigo.

TERAPEUTA: Llévalo al presente para que esté contigo. ¿Está el bebé listo para soltar sus cargas?

TIMO: Aún no. Hay más…, pero por hoy ya está. *(Abriendo los ojos).*

TERAPEUTA: ¿Qué tal te sientes?

TIMO: Ahora lo veo. A veces espero que sea Phil quien me rescate…, es decir, que ayude al bebé. Cuando me decepciona… es demoledor. Sé que tengo que encontrar al Phil que hay en mí.

Lo que Timo descubrió fue especialmente importante para él, porque él y Phil, como casi todas las parejas, habían estructurado su relación desde el principio en torno a la nutrición y protección de los exiliados del otro, un terreno abonado para que aparecieran problemas (Schwartz, 2008). Sin embargo, cuando las partes exiliadas se sienten queridas por el Self y se han reintegrado internamente, los protectores pueden retirarse, los miembros de la pareja pueden acceder constantemente a sus Selves y los conflictos recurrentes tienden a desvanecerse. En este caso, Timo estaba accediendo a la ley de la física interna (ver el capítulo 20), según la cual todo el mundo tiene un recurso interno (un Self) lleno de amor, legitimación y consuelo que está siempre a disposición de las partes. Una vez descubierta esta ley, la IFS traslada al interior la teoría del apego. En vez de esperar que el terapeuta o la pareja sea la figura de apego adecuada para los exiliados, el Self de la persona es el principal cuidador. Este enfoque libera al otro miembro de la pareja, que pasa a ser un cuidador secundario, una posición de mucha más libertad y menos dependencia. En esta sesión, el terapeuta propuso a Timo que probara mentalmente a diferenciarse (y permanecer diferenciado) de su protector enfadado, a pesar de las provocaciones habituales de Phil.

TERAPEUTA: Vamos a hacer un pequeño experimento mental, Timo. Imagínate que Phil se ha ido a hacer una de esas cosas suyas y tú se sientes provocado. Pídele entonces a tu parte enfadada que te deje a ti manejar la situación. ¿Qué tal resulta?

TIMO: Si Phil se ausenta sin mí es fácil enfadarse. Pero si no me enfado y lo veo digamos en un contexto más amplio, entonces me doy cuenta de que estoy triste. Me entristece que estemos separados. Sí, y echo de menos estar juntos.

TERAPEUTA: ¿Puedes abrir los ojos y hablar con Phil en nombre de la parte triste?

TIMO: *(Abriendo los ojos y mirando a Phil).* Te echo de menos.

TERAPEUTA: ¿Phil?

[El terapeuta vuelve a Phil, que tiene los ojos llenos de lágrimas].

PHIL: Esto es muy fuerte para mí. Muy emotivo. Es que sé... sé a qué te refieres. Sé que te sientes abandonado. Yo no estaba presente en esa época de tu vida, pero lo he oído y me lo creo. Te veo. Es decir, al menos por lo que a mí respecta, tienes mucha más fuerza cuando cuidas de ese bebé no deseado. Me lleva a ti en un modo muy muy distinto. O sea, que si me dices que me echas de menos, lo único que deseo es ir a tu lado.

TERAPEUTA: ¿Qué te parece lo que ha dicho?

Timo: *(Secándose una lágrima).* ¡Muy bonito! Es que cuesta llegar a ese punto siempre..., incluso a menudo. Me siento visible. Estás siendo sincero y presente.

Como hemos observado, Timo es vulnerable y tiene la oportunidad de sentir la compasión de Phil. Y a su vez, el relato de Timo sobre el trasfondo vulnerable que hace brotar a su protector enfadado es muy conmovedor para Phil. Junto con el lenguaje de las partes, este momento de apertura da alas a Phil para hacer una confesión.

El exiliado de Phil

Phil: Bueno, voy a ser del todo sincero. Esto tal vez no sea propio de una buena persona, pero cuando dices «Te echo de menos» y tengo que estar en algún sitio, no voy a tu lado. Y a veces pienso «¡Venga ya! Tendrías que poder cuidar de ti mismo. ¡No me necesitas continuamente!». No es que quiera ser así, pero sí que a veces es así como me siento.

Terapeuta: Una parte de tuya piensa «¡Ay, crece de una vez!».

Phil: Sí. No es algo de lo que esté orgulloso. No es agradable decirlo, pero es la verdad.

Terapeuta: *(Volviéndose hacia Timo).* ¿Ese mensaje hace saltar a tu parte enfadada?

Timo: Sí, es como decir «Oh, bueno, esta mañana hemos tomado un café. ¿Qué más quieres de mí?». Y, sin embargo, aquí estoy pensando «Caray, esta semana ni nos hemos preguntado aún cómo nos va».

Phil: Me oigo decirlo en voz alta, y sé que a lo mejor en el fondo no quiero que sea así. Soy consciente de que cuando desconecto estoy de lo más a gusto. Así que esa parte es mía.

[Obsérvese que el protector de Phil, que insistía en que él y Timo deberían sin más adaptarse a sus diferentes criterios de intimidad, se ha sosegado y ha dotado a Phil de una nueva perspectiva].

Terapeuta: Nos quedan unos minutos. ¿Quieres explorar la parte que te desconecta?

PHIL: Desde luego.

TERAPEUTA: ¿Te parece bien, Timo? Recuerda, corazón abierto.

[El terapeuta recuerda a Timo el papel del receptor].

TIMO: Puedo hacerlo.

TERAPEUTA: Pues ahora, Phil, localiza y escuche a la parte que se molesta tanto cuando Timo dice que te necesita. Escúchala. ¿Qué sientes por ella?

PHIL: Tengo una relación muy estrecha con esa parte (es decir, soy yo) y agradezco que ponga límites cuando todo el mundo quiere un pedazo de mí.

TERAPEUTA: ¿Estaría esa parte que fija límites dispuesta a separarse un poco? *(Phil asiente).* ¿A quién protege?

PHIL: *(Cerrando los ojos).* Sí, sí, pues protege a ese chico que no sabía defender sus derechos…, es decir, básicamente, a ser quien soy, a ser gay. Es el chico que no tiene permiso para serlo. Aprendí a estar a salvo siendo del todo autosuficiente y estando muy pendiente de procurarme espacio suficiente para que no me descubrieran.

TERAPEUTA: Lo entiendo, Phil. Pregunta a la parte que pone límites si accedería a dejarte ayudar al chico que necesitaba todo ese espacio.

PHIL: Claro. De acuerdo. Sí. *(Llevándose las manos a las sienes).* Me arde la cabeza.

TERAPEUTA: ¿Qué ocurre?

PHIL: Siento mucha vergüenza.

TERAPEUTA: ¿Es el chico? *(Phil asiente).* ¿Qué sientes por él?

PHIL: Sí, le arde la cabeza. Me da mucha pena. Quiero cuidar de él.

TERAPEUTA: ¿Cómo reacciona él?

PHIL: Agradece que lo vea.

TERAPEUTA: Bien, pues obsérvalo junto con toda esa vergüenza que arrastra.

PHIL: Siendo invisible.

TERAPEUTA: Dile que te haces cargo de todas las veces en que las se sintió avergonzado e invisible. Hoy no tenemos tiempo de sanarlo por completo, así que dile que puede volver la semana que viene. ¿Le parecería bien al chico?

[Consciente de la hora, en ese momento el terapeuta decide no seguir presenciando y descargando al exiliado de Phil. Opta por llevar a Phil a legitimar esa parte y marcarse el objetivo de volver sobre ella en la próxima sesión].

PHIL: Sí.

TERAPEUTA: De acuerdo. Ahora volvamos a la parte que pone límites. ¿Qué le ha parecido a esa parte observarte con el chico avergonzado?

[Aunque no hay tiempo de descargar al exiliado, el terapeuta sí quiere solidificar la relación de Phil con la parte que pone límites, un protector importante].

PHIL: Eso es esencial. Si puedo existir, pueden verme, y entonces no me disolveré en las necesidades de Timo. Así que sí, el de los límites puede relajarse mientras yo no me olvide del chico. La verdad es que tengo la capacidad de cuidar de muchas personas.

TERAPEUTA: Pues ahora hagamos ese experimento mental contigo, Phil. Imagínate que Timo se te acerca cuando te dispones a salir por la puerta. Comprueba cómo podrían ir las cosas si el de los límites no tomara el control.

[Mediante el mismo experimento mental que ha empleado con Timo, el terapeuta sugiere un ensayo mental de lo que sería estar (y permanecer) diferenciado de la parte de los límites, aun habiendo una provocación que normalmente convocaría a esa parte].

PHIL: *(Tras cerrar los ojos en silencio unos instantes).* Sí, la verdad es que es agradable. Está bien que a uno lo necesiten. Lo contrario a que tiren de mí por mil sitios hasta que parece que no queda nada de mí.

TERAPEUTA: Estupendo. Y pongamos que ahora mismo de verdad no puedes estar con Timo del modo que él desea. ¿Cómo podrías manejar la situación sin la ayuda de la parte de los límites?

PHIL: *(Tras cerrar los ojos en silencio unos instantes más).* La principal diferencia es el tono. Sigo siendo lógico, como diciendo «Cariño, tengo que hacer esto y lo otro...». Pero ahora respondo con el corazón, no con la cabeza.

TERAPEUTA: ¿Y la parte de los límites está dispuesta a dejarte actuar así con Timo esta semana?

[El terapeuta comprueba si el protector de Phil permitirá que su Self lleve la batuta en tiempo real].

PHIL: Sí, quiere que yo intervenga.

TERAPEUTA: *(Girándose).* ¿Qué te parece esa imagen?

[El terapeuta vuelve a centrarse en Timo].

TIMO: *(Tomando la mano de Phil).* Me encantaría. Agradecería esa clase de interacción. Es como si dijeras «Estoy contigo. No puedo estar aquí porque tengo que estar allá. Pero estoy contigo». *(Phil sonríe).*

TERAPEUTA: ¿Y qué te ha parecido ver a Phil ayudar a su chico avergonzado?

TIMO: Ha sido muy enternecedor. Cuando él desaparece me enfado y olvido su historia. Recordarla me motiva a abrir la mente..., no sólo cuento yo. Siento compasión por él.

TERAPEUTA: Entendido. Hoy hemos tenido un buen equilibrio, donde ambos habéis podido viajar a vuestro interior. ¿Queréis añadir algo antes de que lo dejemos? *(Timo mira a Phil y sonríe).*

TIMO: ¡Vamos a la cama!

Los protectores que velan por las partes vulnerables abocan a la mayoría de parejas al conflicto. Sabemos que sólo abandonarán su labor cuando los exiliados a los que protegen hayan sanado. No obstante, tan pronto como los protectores se calman lo suficiente para permitir una conversación de Self a Self pueden alcanzarse grandes hitos, como muestra este ejemplo.

CONCLUSIÓN

La mente plural nos brinda muchas relaciones dentro y fuera de cada relación externa. Nos casamos con algunas partes de nuestra pareja, pero no con otras; conocemos algunas partes de nosotros mismos, pero no otras. La terapia de pareja IFS nos permite adentrarnos en esta red relacional con respeto, sin juzgar, sabiendo que las verdaderas necesidades que hay tras todas las quejas y desvelos por controlar son sencillas, básicas y comunes. Necesitamos que nos escuchen, comprendan y quieran. Es mucho lo que puede negociarse externamente cuando el Self de cada miembro de la pareja colma esas necesidades internamente.

CAPÍTULO 18

Aplicación del modelo IFS
en sistemas sociales y culturales

Cuando la IFS estaba en ciernes, yo (R. S.) observé claros paralelismos entre los sistemas internos de mis clientes y los sistemas externos donde estaban inmersos, incluyendo sistemas mayores que la familia. Al igual que los supervivientes de traumas, los países que han sido objeto de ataque arrastran determinadas creencias sobre el peligro y se exponen a depender de partes extremadamente protectoras, que permanecen ancladas en el pasado y reaccionan desproporcionadamente ante amenazas potenciales. Por ejemplo, tras el 11 de septiembre, el entonces vicepresidente estadounidense Dick Cheney, afirmó: «Si hay un 1 % de posibilidades de que científicos pakistaníes ayuden a al-Qaeda a construir o desarrollar una arma nuclear, debemos actuar como si fuera una certeza» (Suskind, 2006, p. 62). Como muchos supervivientes de traumas, esos líderes nacionales adoptan una estrategia rígida y autoritaria. Menosprecian los elementos débiles y vulnerables del sistema, provocan a los de dentro y fuera del sistema y se sirven de los conflictos que generan para seguir justificando su hegemonía.

En este capítulo hacemos un breve repaso de las cargas y desequilibrios de los Estados Unidos a través del prisma de la IFS, como si el país fuese una persona. Aunque tus políticas difieran de las nuestras, confiamos en que nuestro análisis de patrones paralelos a todos los niveles sistémicos humanos te resulte interesante y de utilidad. Desde luego, hoy la «persona» de los Estados Unidos presenta muchos síntomas, incluyendo una tasa de suicidios alarmante; la irrupción de muertes causadas por opiáceos, que está desembocando en estadísticas de bajas propias de un conflicto bélico; enormes problemas de salud derivados del consumo excesivo de carbohidratos y grasas, y la mayor tasa de encarcelamiento del mundo. Además, la disparidad económica entre ricos y pobres estadounidenses nunca había sido tan elevada. Al haber sido escenario del genocidio de pueblos indígenas y de la esclavización de los africanos y su descendencia, así como del desprecio y la vulneración de derechos de judíos, musulmanes, mujeres, homosexuales y toda población minoritaria, en los Estados Unidos hay un gran número de exiliados. Todo sistema humano con un número masivo de exiliados se vuelve sumamente delicado, vulnerable y volátil, con líderes enormemente polarizados y elementos protectores egoístas en aumento. Así están hoy los Estados Unidos. Echemos un vistazo a las cargas por legado que nos han llevado hasta aquí.

CARGAS ESTADOUNIDENSES POR LEGADO

Los Estados Unidos arrastran varias cargas por legado, algunas traídas por los colonos europeos y otras recogidas a medida que el país se formaba. Creemos que las siguientes cargas por legado están relacionadas y han sido especialmente decisivas en la conformación del exilio en este país.

- *Racismo:* Empleado para justificar el genocidio de los amerindios y la esclavización de los africanos, a quienes se arrancó de sus hogares.
- *Patriarcado:* Derivado de las raíces europeas y religiosas.
- *Individualismo:* Producto de la lucha por sobrevivir de los pioneros, el individualismo fomenta el desprecio por la vulnerabilidad y la creencia de que el fracaso es un fallo de la persona.

- *Materialismo:* Derivado en parte de las dificultades económicas y físicas de los inmigrantes llegados al continente americano, se ha visto sin duda agravado por los amenazantes ciclos financieros de auge y caída que caracterizan las economías capitalistas.

A esas tremendas cargas por legado se suman otras relacionadas con una larga historia de guerras, dentro y fuera de las fronteras, para excluir a determinados grupos religiosos (en el pasado, católicos y judíos, y ahora musulmanes). Además de estas cargas, la población estadounidense arrastra creencias y emociones derivadas del recorrido de sus particulares grupos étnicos. Muchas proceden de grupos inmigrantes que han sufrido reiteradamente invasiones, hambruna o desastres naturales; o se han visto oprimidos durante generaciones, convertidos en chivo expiatorio, discriminados, masacrados y víctimas de holocaustos. Sus descendientes heredan la humillación, el miedo, la desesperación, el duelo, la lealtad, la rabia y la desconfianza en las autoridades generados por esos traumas, a menudo sin una narración concreta que relacione sus sentimientos y creencias con los orígenes de la carga.

Racismo

La historia fundacional de los Estados Unidos como entidad política está plagada de inmigración, asesinato en masa, robo y esclavitud, que conllevó más asesinatos en masa. Los europeos que huyeron al continente americano llevaban consigo una enorme carga por legado de racismo y codicia, reflejada claramente en las bulas dictadas por el papa Nicolás V en 1452 (40 años antes de que Colón se embarcara), donde declaraba a los infieles enemigos subhumanos del catolicismo. El papa alentó a las naciones cristianas a derrotar a los paganos allá donde fueran, a arrebatarles sus bienes y posesiones y a someterlos a esclavitud de por vida (Newcomb, 2008). Sus bulas inspiraron la «doctrina del descubrimiento», de la que se valieron los colonizadores europeos para esclavizar y perpetrar el genocidio de los pueblos indígenas de las Américas.

Los invasores europeos justificaban su intención de robar con una concepción radical del derecho por raza. Dominados por partes agresivas, codiciosas, individualistas, esforzadas y arrogantes, no mostraron empatía ni compasión alguna por nadie que pudiera entorpecer sus objetivos. Exterminaron a los amerindios y, más adelante, instituyeron la esclavitud –arrancando e importando de otras tierras a gente a la que calificaban de *subhumana*– durante 300 años. Esta mentalidad cargada conformó el capitalismo y el materialismo particularmente agresivos que siguen caracterizando hoy en día a los Estados Unidos.

Son varios los grupos étnicos del país que arrastran muchas cargas, pero las de los amerindios y los afroamericanos no tienen parangón. Sus experiencias ancestrales no pueden compararse con las de los ilusionados fugitivos europeos esperanzados que se enfrentaron al peligro y a la adversidad en pos de la libertad religiosa y la seguridad económica. Algunas tribus amerindias que sobrevivieron al genocidio se enfrentan hoy a intereses corporativos que quieren su tierra, agua o derechos mineros. En cuanto a los afroamericanos, sus antepasados fueron arrancados de sus hogares, agredidos y esclavizados. Los llevaron como presas a las costas americanas y siguieron siendo presas legales de toda la población euroamericana y su gobierno, hasta que se liberaron de la esclavitud al acabar la guerra civil. Posteriormente, se promulgaron las leyes de Jim Crow y justicieros euroamericanos empezaron a atacar a vecindarios afroamericanos, ejerciendo su poder mediante la intimidación y el terror, quemando sistemáticamente cruces y casas y llevando a cabo linchamientos. Con la llegada de los «supremacistas blancos» a la Casa Blanca y unos servicios policiales más militarizados que nunca, los afroamericanos siguen habitualmente viviendo aterrorizados en los Estados Unidos.

Semejante nivel de crueldad lleva a plantearse qué puede llevar a seres humanos a considerar a otros grupos no humanos y tratarlos con brutalidad. Una vez más, podemos observar el legado del trauma. Como cuenta Resmaa Menakem (2017) en su poderoso libro *My Grandmother's Hands*, «En Inglaterra, siglos XVI y XVII no fueron en absoluto una época agradable. Se quemaba sistemáticamente a la gente en la hoguera por herejía [...]. La tortura fue un instrumento oficial del Gobierno inglés hasta 1640. La famosa Torre de Londres era, en parte, una enorme cámara de torturas. Uno de los muchos instrumentos de tortura que albergaba, el potro, se empleaba para tirar de los cuerpos hasta desmembrarlos [...]. En la Edad Media inglesa, la tortura no sólo estaba ampliamente extendida; era un deporte de espectadores» (p. 59).

Así plasma la historiadora Barbara Tuchman la vida cotidiana en aquel tiempo: «En las torturas y castigos de la justicia civil, se acostumbraba a amputar manos y orejas; se retorcía, quemaba, desollaba y desmembraba los cuerpos de las personas. En la vida cotidiana, los transeúntes veían a delincuentes exhibidos con una cuerda anudada o encadenados en posición vertical con una argolla de hierro. Pasaban junto a cadáveres colgados en la horca, así como cabezas y cuerpos descuartizados, empalados en estacas en los muros de la ciudad» (citada en Menakem, 2017, p. 60). Muchos de quienes huyeron a las colonias americanas habían vivido, presenciado o temido ser objeto de esas brutalidades. «En todo su discurso sobre la nueva Jerusalén, los peregrinos y puritanos no eran exploradores. Eran refugiados que escapaban de la prisión, la tortura y la mutilación [...]. Esos más de diez siglos de brutalidad medieval, practicada en cuerpos blancos sobre otros cuerpos blancos, ¿empezó a parecer cultura? ¿Acabaron ese trauma intergeneracional y sus efectos con la llegada de inmigrantes europeos al Nuevo Mundo?» (pp. 60-61). En vista de esos antecedentes, observamos que la capacidad de cerrar el corazón y cosificar a otros humanos se remonta hasta mucho tiempo atrás y se propagó al Nuevo Mundo y a las colonias europeas de todo el planeta. Además del comportamiento delictivo y la herejía, también se recurrió a las diferencias raciales y étnicas para justificar la crueldad y la opresión que afianzaron la supremacía blanca.

Las cargas por legado, sobre todo las que se han convertido en parte integral de la cultura, se resisten a desaparecer. En los Estados Unidos, a nuestras partes les cuesta enormemente dejar de acumular al menos algo de la carga por legado del racismo, independientemente de nuestro color de piel. «Eso significa que, sea cual sea nuestra apariencia física, si nacimos y nos criamos en los Estados Unidos, llevamos en la sangre la supremacía del cuerpo blanco y nuestras adaptaciones a ella» (Menakem, 2017, p. 10). Como euroamericanos, somos conscientes de cómo nuestras partes racistas tratan de justificar, defender y no dejarnos ver nuestras ventajas. Ahora bien, una vez que somos conscientes de esas partes, ¿qué hacemos con ellas? Hay muchos a quienes les dan vergüenza sus partes racistas e intentan exiliarlas, lo que desemboca en más racismo implícito, puesto que siguen afirmando su perspectiva inconscientemente y repercutiendo en nuestras acciones. De ahí que apostemos por practicar la IFS con esas partes: escucharlas, comprender cómo tratan de protegernos y, finalmente, convencerlas de que podemos soltar sin peligro las cargas por legado. (Encontrará más información sobre la visión de la IFS sobre el racismo en mi (R. C. S.) capítulo «Dealing with Racism: Should We Exorcise or Embrace Our Inner Bigots?», en *Innovations and Elaborations on Internal Family Systems Therapy* [2016]).

Origen étnico

Las personas emigran por un gran número de razones. Aunque algunas de ellas sean positivas, como el matrimonio, lo que nos preocupa es el extremo más amplio y traumático del espectro. El país de origen de un grupo étnico puede estar marcado por su propia historia de invasiones, expulsiones, plagas, hambrunas, desastres naturales y otros episodios que han originado cargas. Hoy en día, cuando los inmigrantes acuden a los Estados Unidos es probable que compartan con nuestros antecesores alguna o todas las razones que motivaron su partida: proximidad (de África a Europa por el Mediterráneo, de Centroamérica y México a los Estados Unidos), miedo y necesidad de trabajar. A algunos los expulsan de sus hogares invasores, guerras civiles o la lucha contra el narcotráfico capitaneada por Washington; otros deciden marcharse por razones que van desde el cambio climático y el desastre ambiental hasta la pobreza abyecta y el desempleo. Aunque la emigración sea voluntaria, cortar los vínculos familiares y laborales en el país de procedencia convierte la partida en algo doloroso. Por otro lado, introducirse en una cultura desconocida, a menudo hostil, con un idioma distinto, lleva a los esfuerzos de los inmigrantes por llegar y mantenerse a salvo a otra saga de desgaste larga y prolongada. Algunos inmigrantes lidian con el miedo, el aislamiento, la opresión política y el duelo inhibido depositando sus esperanzas en la siguiente generación; otros están demasiado pisoteados para albergar esperanzas (Erpenbeck, 2017).

Ni que decir tiene que, pese a los obstáculos a los que se enfrentan y a las cargas que arrastran, los grupos inmigrantes étnicos también traen consigo virtudes, valores y costumbres. Si bien sus virtudes y costumbres pueden ayudarlos a sobrevivir y prosperar, algunos que en su contexto original eran adaptativos desentonan y no encajan bien en los valores y costumbres de la cultura dominante estadounidense. Al igual que un hijo reflexivo y compasivo resulta una anomalía en una familia agresiva y competitiva, los valores culturales de algunos grupos inmigrantes no se corresponden con el individualismo, la competitividad y el afán por ascender socialmente propios de los Estados Unidos.

Sexualidad y género

Además de un racismo muy arraigado, en los Estados Unidos se han afianzado las cargas por legado del patriarcado y la misoginia, que están relacionadas con la homofobia y la transfobia. Los grupos directivos dominantes hacen todo lo posible por controlar lo que denominamos el «discurso de la normalidad», donde toda desviación se vuelve carnaza para la humillación y el control social. En el contexto de las cargas por legado, la socialización tiende a ser de lo más intensa e importante. Todas las cargas aquí enumeradas relacionadas con la raza, el género, la identidad de género y la sexualidad se imponen a los niños a una edad temprana, cuando se forman una identidad social y se desprenden de (exilian) partes que parecen inaceptables o diferentes en el seno de sus familias y culturas más amplias.

La humillación por parte de sus progenitores o iguales induce al pequeño a exiliar determinadas partes, y el sistema de seguridad de la psique suele colaborar en gran medida: los directivos internos exageran y critican a las partes rechazadas, queriendo cambiarlas u ocultarlas («Eres demasiado sensible, demasiado ruidoso, estás demasiado triste, te enfadas demasiado, eres demasiado dependiente, demasiado débil, tienes la piel demasiado oscura, eres demasiado femenino, etc.»). Al interpelarlos, los directivos que humillan dicen que su propósito es evitar que vuelvan a humillar al niño. Hacen suyas la energía y las creencias del entorno donde los educaron para hacernos encajar... y en casos extremos, para asegurar nuestra supervivencia. Sin un ápice de ironía, los directivos humillan para evitar que los humillen, con lo que convierten la mente en una monstruosa cámara de resonancia donde se reproduce la humillación externa como si fuera información objetiva.

El exilio de la clase trabajadora blanca

En las últimas cuatro décadas, la desigualdad económica se ha disparado en los Estados Unidos. Desde 1980 «la economía estadounidense ha trasladado 8 puntos de los ingresos nacionales del 50 % inferior al 1 % superior» (Ingraham, 2017). En cambio, en Europa Occidental «el 50 % inferior gana casi el 22 % de los ingresos [...] mientras que el 1 % superior se queda con sólo con cerca del 12 %» (Ingraham, 2017), tal como era en los Estados Unidos hace 40 años. Si examinamos esta redistribución de la riqueza en el país desde un ángulo algo diferente, durante estos años los ingresos de los trabajadores del 20 % inferior sólo han crecido un 4 %, mientras que los del 10 % superior han aumentado más del 100 %. Debido a este cambio, muchísimos estadounidenses son ahora neoexiliados.

En 2013, Anne Case y Angus Deaton, de la Universidad de Princeton, detectaron un incremento sorprendente de la mortalidad entre los euroamericanos de 45-54 años desde 1999, que podía atribuirse casi en su totalidad al aumento de la tasa de mortalidad entre euroamericanos sin estudios universitarios (Pew Research Center, 2015). En cambio, en el mismo período, la población trabajadora europea blanca sin estudios de Alemania, Francia y el Reino Unido, sometida a las mismas presiones de la globalización y la automatización, presentó una tasa de mortalidad descendente, al igual que los afroamericanos y latinos de los Estados Unidos.

Al analizarlo más a fondo, Case y Deaton (Pew Research Center, 2015) descubrieron que los blancos estadounidenses sin estudios universitarios mostraban un patrón de dolor crónico, facturas médicas acumuladas, deuda acumulada, desempleo, estrés económico, depresión, desesperación y mayor consumo de drogas y alcohol. El resultado final era una tasa de mortalidad creciente por varias causas, en este orden de importancia: intoxicación, en gran medida por drogas y alcohol; cáncer de pulmón; suicidio; hepatopatía crónica y diabetes, ésta situada en quinto lugar, muy por debajo de las anteriores. En resumen, los trabajadores blancos que habían alcanzado un estilo de vida propio de clase media en los Estados Unidos se encontraban de repente en una trayectoria descendente (Pew Research Center, 2015). No es eso lo que los estadounidenses blancos tenían previsto, ni lo que sus padres vivieron, ni tampoco lo que muchos otros conciudadanos norteamericanos vivieron durante el mismo período. En opinión de Case and Deaton, esta tasa creciente de mortalidad encierra lo que le sucede a la gente al verse frustradas sus esperanzas y expectativas, momento en el que, como ya sabemos, se despliegan los bomberos.

Individualismo y meritocracia

Uno de los aspectos más perniciosos del individualismo en los Estados Unidos es la creencia de que el fracaso es un fallo de la persona. En una sátira mordaz de 1958, el sociólogo británico Michael Young acuñó el término *meritocracia* para parodiar el mito de que el progreso basado en el mérito, propio del sistema educativo británico, brindaba a todo el mundo la oportunidad de competir en un terreno de juego igualado. Young, que señalaba la inexorable irregularidad de ese terreno de juego, consideraba la meritocracia una piel de cordero que envolvía al viejo lobo del sistema de clases europeo. Y eso es lo que observamos hoy en los Estados Unidos, cuando quienes ostentan el poder inclinan el terreno a su favor mediante la educación, el acceso a los recursos, el control de los medios de comunicación y los políticos, y los intentos de controlar los parámetros del discurso público... para luego predicar que el no triunfar es sólo culpa de uno mismo, o de algún otro grupo que parezca estar compitiendo por los recursos.

Para desgracia de Young, los medios de comunicación no tardaron en atribuir a su término un significado erróneo: el de equidad. Y para los vencedores de la batalla del capitalismo, el término meritocracia continúa siendo muy atractivo. En los Estados Unidos, los «ganadores» se sienten justificados y se muestran orgullosos de su dominio. Asimismo, creen que los «perdedores» cosechan las consecuencias de la pereza y la avaricia, y los consideran una carga. Para muestra, el infame discurso del republicano moderado Mitt Romney sobre el 47 % de la población previsiblemente votante de los demócratas cuando él se presentaba a la presidencia. Lo dijo ante un grupo de multimillonarios, durante la campaña. Los votantes del Partido Demócrata, según Romney:

> [...] dependen del gobierno [...]; creen ser víctimas [...]; creen que el gobierno tiene la responsabilidad de cuidar de ellos [...]; creen tener derecho a la sanidad, a la alimentación, a la vivienda, a lo que sea. Que eso es una prestación. Y que el gobierno debe dársela. Y votarán por este presidente [...]. Son gente que no paga el impuesto sobre la renta [...]. No tengo por qué preocuparme de esa gente. Nunca les convenceré de que deben asumir sus responsabilidades y ocuparse de sus vidas. (Corn, 2013)

Las cargas estadounidenses por legado del racismo, el patriarcado, el individualismo y el materialismo impregnan de ese tipo de desdén a los protectores. En consecuencia, los Estados Unidos no sólo exilian a un mayor porcentaje de la población que cualquier otra nación occidental. Muestran, además, menos compasión y más desprecio por sus poblaciones exiliadas, quienes, a su vez, corren un grave riesgo de despreciarse a sí mismas. Hay un perfecto paralelismo con los sistemas internos de los supervivientes de maltrato, cuyos directivos detestan la vulnerabilidad y cuyas partes vulnerables creen merecer el maltrato.

Aparte del mito de la meritocracia, el espectro de indigentes de las calles de nuestras ciudades, así como la destrucción creciente de las redes de seguridad social, no dejan de recordarnos que debemos seguir esforzándonos por amasar más, porque nunca sabemos cuándo nosotros podemos también acabar exiliados. Esta amenaza pone a prueba nuestra compasión y nos alienta a asociar la supervivencia con la acumulación de riqueza. Temiendo que nuestros exiliados también nos ahoguen, nuestros directivos nos dicen que quienes sufren se lo han buscado. Nuestros directivos luchan por mantenernos con la cabeza alta, susurrando que somos distintos, que no somos como ellos. Estos efectos se plasman en las respuestas a una encuesta reciente entre universitarios de primer curso milenials estadounidenses. El 74,4 % coincidió en que ser ricos era su principal objetivo en la vida (Landes, 2018).

Otro aspecto nocivo del individualismo lo hallamos en el mito de la fuerza de voluntad. Según este mito, no sólo debemos ser capaces de alcanzar el «sueño americano» a base de fuerza de voluntad, sino también saber controlar nuestros impulsos «destructivos». De lo contrario, somos débiles o malos y merecemos la humillación y el castigo. En nuestros sistemas internos, los drogadictos y alcohólicos descontrolados conviven con severos críticos internos que los amonestan por no tener la fuerza de voluntad de dejarlo. Estos directivos internos toman medidas extremas para intentar controlar a los bomberos que beben o se drogan y no ven cuál es su papel en el ciclo.

Veamos cómo funciona ese ciclo en los Estados Unidos en cuanto al tema de la toxicomanía.

La guerra contra la droga

En 1998, la Asamblea General de la ONU se comprometió firmemente a liberar al mundo de las drogas en 10 años. Ya habíamos visto algo parecido. La Ley Seca, que se prolongó de 1920 a 1933 en los Estados Unidos, resultó ser del todo ineficaz en su propósito declarado de proteger a mujeres y niños de los bomberos consumidores de alcohol de maridos y padres. Ahora, más de 20 años después de la declaración de las Naciones Unidas, seguimos cosechando los desastrosos resultados de la última campaña mundial de prohibición, que ha costado a los contribuyentes del planeta al menos 100.000 millones de dólares. Como ocurrió con la anterior Ley Seca, las principales beneficiadas de esta nueva Ley Seca han sido las organizaciones gubernamentales y delictivas corruptas que aterrorizan y exilian a la población civil (Shultz y Aspe, 2018).

Los Estados Unidos representan sólo el 5% de la población global, pero el 25% de la población reclusa. Las principales víctimas de la guerra contra la droga, como mínimo en los Estados Unidos, han sido los consumidores de drogas que no son de raza blanca y los vendedores al por menor, junto con sus familias e hijos. Sólo en 2014, se detuvo en el país a 1,4 millones de ciudadanos por delitos no violentos de posesión de drogas, la mayoría de ellos gente de color. Además de atiborrar nuestro sistema penitenciario, las draconianas leyes antidrogas han alimentado los delitos violentos y contribuido a propagar el VIH y la hepatitis C, que se transmiten mediante jeringuillas usadas (Droward, 2016).

Actualmente hay iniciativas bipartidistas destinadas a reformar las Directrices para la Formulación de Sentencias Federales de los Estados Unidos (encontrarás más información en el sitio web de The Sentencing Project). ¿Qué ocurre cuando un país hace las paces con los bomberos? Portugal, que tenía un enorme problema con las drogas, las descriminalizó todas en 2001. Los consumidores, en lugar de enfrentarse a consecuencias jurídicas, podían acudir a la asistencia sanitaria pública. Como resultado, las muertes por sobredosis descendieron un 85 % en Portugal, la menor tasa de mortalidad por consumo de drogas de Europa Occidental, «aproximadamente la quincuagésima parte de la última cifra correspondiente a los EE. UU.» (Kristof, 2017). En esos mismos 16 años unos 64.000 estadounidenses murieron de sobredosis (tantos como la suma de los fallecidos en las guerras de Vietnam, Afganistán e Irak). Paralelamente, la economía portuguesa creció, y «el Ministerio de Salud calcula que sólo unos 25.000 portugueses consumen heroína, frente a los 100.000 que lo hacían cuando empezó a aplicarse esa política» (Kristof, 2017). Por consiguiente, la política sobre drogas lusa, ampliamente condenada al principio, se ensalza ahora como un modelo «incomparablemente más barato» y más eficaz que la cárcel para lidiar con el consumo de drogas ilícito. El Ministerio de Sanidad de Portugal gasta menos de 10 dólares anuales por ciudadano, mientras que Washington invierte 10.000 dólares por familia. Eso significa que nuestra política antidroga no sólo ha sido letal para miles de norteamericanos, sino que ha costado al contribuyente más de 1 billón de dólares (Kristof, 2017). Un dinero que obviamente se necesita para otras cosas.

Los espectaculares efectos de la estrategia alternativa lusa frente a las partes bomberas están en la misma línea de los que observamos en la IFS con los bomberos extremos de los supervivientes de traumas. Cuando los directivos dejan de atacar a los bomberos y el Self está disponible para sanar el dolor subyacente de los exiliados, la guerra llega a su fin y los clientes ya no se sienten unos patéticos perdedores incapaces de controlarse. La experiencia nos ha enseñado que el castigo, la humillación y otros intentos de eliminar y reprimir a los bomberos los llevan a redoblar su compromiso de proteger el sistema. La investigación del psicólogo australiano David J. Kavanagh y sus colegas avala esta observación (Kavanagh, May y Andrade, 2009). Pidieron a personas que acudían a terapia por consumo de alcohol y adicción que rellenaran un cuestionario de evaluación de sus impulsos y ansias de beber, así como de cualquier intento de erradicar pensamientos relacionados con el alcohol en las 24 horas anteriores. Los participantes que más combatían los pensamientos intrusivos relacionados con el alcohol eran también quienes tenían el mayor número de pensamientos intrusivos (Kavanagh *et al.*, 2009).

Los bomberos —y todos los tenemos— son incansables trabajadores de emergencias. Cuando creen en su cometido, lo único que se consigue intentando controlarlos es motivarlos a emprender sacrificios más heroicos. En cualquier nivel sistémico humano, las guerras contra los bomberos son indefectiblemente desastrosas. O bien los bomberos van a más y los síntomas se agravan, o bien los directivos logran reprimir el comportamiento de los bomberos (temporalmente) imponiendo un rígido estado policial. Esto sucede tanto en el interior de cada uno de nosotros como en los países. La única solución real a la impulsividad y la compulsividad destructivas es sanar el dolor del que se deriva el comportamiento.

Materialismo

El miedo, la soledad y el sentimiento de inutilidad desencadenan el afán adquisitivo. Actualmente nos hallamos en un círculo vicioso donde el individualismo nos aísla y nos hace temer por el futuro. Ese temor, a su vez, nos lleva a priorizar cada vez más el logro, el mantenimiento o la recuperación de un mayor estatus y más posesiones. Los estadounidenses blancos que tenían aspiraciones optimistas en cuanto al destino de sus hijos y se consideraban miembros de la clase media (más allá de la profesión que tuvieran) se han convertido en los más recientes exiliados del país. Son los votantes sorpresa de Trump. Agresiones como la destrucción de sus sindicatos, la reestructuración fiscal que arrancó con Reagan, la globalización y la automatización han desbaratado sus aspiraciones materiales —el efecto natural del aumento de la prosperidad estadounidense después de la Segunda Guerra Mundial—, con lo que este grupo se ha vuelto temeroso y resentido. Por su parte, sus furiosos bomberos han respondido buscando cabezas de turco y cambiando espectacularmente. Cuando la desigualdad económica se disparó en el pasado, la mayoría de los afectados culpaban a los poderosos. Ahora, Donald Trump ha cambiado de dirección la furia y ha convertido a los inmigrantes de otras razas y al Gobierno en chivos expiatorios.

La promesa de Trump de cambiar radicalmente el *statu quo* y reconciliar a sus electores con el sueño americano atrae a sus furiosos bomberos. Su discurso machista y ruptura descarada de las reglas son lo que les gustaría hacer a esos bomberos si tuvieran la ocasión. Volviendo a la idea de nuestro país como superviviente de un trauma, un demagogo como Donald Trump es síntoma —al igual que nuestros elevados índices de suicidio y drogadicción— de un sistema humano profundamente desequilibrado por tener muchos exiliados. El *premier* estadounidense es una manifestación externa de un tipo de protector rimbombante, enemigo de la vulnerabilidad, que encontramos en muchos clientes cuyos exiliados se sienten indefensos y olvidados (al igual que los exiliados de Trump, sospechamos). La conclusión de todo ello es que, en cuanto un sistema humano cree multitud de exiliados, los protectores extremos no tardarán en hacer aparición y, como Trump, tenderán a generar más desequilibrio y polarización.

En este punto surgen nuevos paralelismos entre la esfera individual y la nacional. Como el Self está tan conectado con la naturaleza y consagrado al equilibrio y la armonía, los líderes dirigidos por el Self tienen una profunda consciencia ecológica y saben que el crecimiento ilimitado en un planeta con recursos limitados no es sostenible. Las partes codiciosas han eclipsado esta sabiduría hasta el punto de que los dirigentes estadounidenses se aferran a la idea de que el crecimiento económico ilimitado es la única opción posible. Como expusieron Capra y Luisi (2014), el problema «de que el crecimiento también puede ser perjudicial o patológico, como el desarrollo del cáncer, raramente se aborda; tampoco el dilema de que el crecimiento material ilimitado en un planeta finito sólo puede conducir al desastre» (p. 367).

Los Estados Unidos, con su carga por legado del materialismo extremo, han abrazado la doctrina del crecimiento ilimitado desde su concepción, con unas consecuencias cada vez más catastróficas. Las cargas por legado de brutalidad y trauma que los colonos trajeron consigo de Europa contribuyeron a fomentar la carga por legado del individualismo, junto con el desdén por las redes de seguridad y los «perdedores». Hoy en día, ser «ganadores» en los Estados Unidos pasa en gran medida por destruir familias en el interior y el exterior. Los dos hemos sido terapeutas de ejecutivos obsesionados con el dinero que, tras sanar a sus exiliados, dedicaban sus energías a la familia, a los amigos y a ayudar a la humanidad. Si todos sanáramos a nuestros exiliados, la economía de consumo norteamericana se vendría abajo y todos los bomberos que con su insaciable apetito adquisitivo intentan llenar nuestro vacío emocional podrían retirarse. Entretanto, tendríamos la oportunidad de invertir nuestro coraje y creatividad en el proyecto urgente de vivir de un modo sostenible.

Hace décadas, en un artículo de 1925 titulado «¿Qué pasa con Occidente?», Mahatma Gandhi decía que «no bastaba con exigir la liberación de la "explotación y la degradación", como solían hacer los socialistas [...]. [Ghandi] sostenía que quienes quisieran "evitar los males del capital" no podían menos que "revisar el punto de vista del capital" por completo y alcanzar una perspectiva donde "la multiplicidad de deseos materiales no fuera el propósito de la vida"» (Mishra, 2018, p. 84).

Gandhi se dio cuenta de que las democracias podían evitar transformarse en tiranías o destruir el planeta con sólo cultivar el mundo interno de los seres humanos. No sólo le interesaba preparar al pueblo para sobrellevar las miserias de las protestas políticas no violentas; quería que necesitara menos cosas. Cuando nuestro objetivo deja de ser conseguir dinero, estatus y poder, y lo que buscamos es querer y ayudar a nuestras partes y a otras personas, no sólo nos sentimos más conectados, sino también más satisfechos. Al descargar a nuestros exiliados, tapamos los agujeros de nuestros cubos internos, que dejan de estar perpetuamente secos y pidiendo que los llenen con más logros, elogios, adoración, poder y posesiones. Cuando el Self conecta con el Self, el resultado es una mayor sensación de vinculación y pertenencia, y un maravilloso sentimiento de amor, que es incomparablemente más gratificante que las cosas materiales. Al contribuir a correr la voz de que todo el mundo tiene un Self (al que la mayoría puede acceder relativamente rápido) y de que las partes no son lo que parecen, sino que puede amárselas hasta transformarlas, esperamos contribuir al nuevo modo de pensar por el que Gandhi abogaba.

Yo (R. C. S.) he colaborado e intercambiado ideas con Dan Siegel (2018) y Loch Kelly (2015), dos colegas que han dado con sus propios modos de acceder rápido al Self. Siegel escribió que, practicando su método, que él denomina *la rueda de la consciencia*, «puedes descubrir que esta liberación de un yo aparte empieza a producirse […]. No es que el yo desaparezca; según he oído contar a muchas personas que practicaban la rueda, se trata más bien de la conexión, la extensión y la expansión del sentido del yo, una parte de algo más allá de la interioridad de la mente interior embutida en la piel» (2018, p. 149). El enfoque que hace Kelly del acceso al Self tiene su origen en el budismo tibetano. Según Kelly, «la clave es que esa sabiduría del corazón [es decir, el Self] nos permite experimentar nuestra identidad no sólo como una persona física, limitada e independiente, sino también como alguien inextricablemente conectado con una comunidad, el tejido del amor, y algo superior a nuestro yo individual» (2015, p. 194). Más recientemente, también colaboré e intercambié ideas con el lama John Makransky (2007) y la lama Willa Miller (2009), que están integrando la IFS en el budismo tibetano. A todos nos emociona comprobar que tenemos vivencias similares, y estamos decididos a trasladar esa consciencia común a nuestro campo de actuación y también al público.

UN PAÍS LIDERADO POR EL SELF

¿Cómo serían los Estados Unidos si pudiéramos soltar nuestras cargas por legado y contar con más liderazgo del Self? Se nos abrirían los ojos y los corazones a los exiliados y a la destrucción que estamos causando al planeta. Ese despertar facilitaría las iniciativas por revertir el cambio climático, la desigualdad económica y la discriminación. En vez de castigarlos, atenderíamos a los bomberos, como hicieron en Portugal con los consumidores de drogas. Dejaríamos de atacar las actividades de los bomberos, que son el resultado de exiliar a tantas personas dentro y fuera del país, y escucharíamos sus voces. Valoraríamos más las relaciones que las posesiones materiales y el poder. Con menos avaricia y con unas relaciones exteriores lideradas por el Self, se reduciría globalmente nuestro número de enemigos. No nos llamarían tanto la atención los demagogos que aparentan ser fuertes, pero que son crueles y se llenan la boca de vanas promesas.

Estos cambios liberarían enormes recursos, uno de los más importantes el dinero invertido en nuestro colosal presupuesto militar, destinado a controlar a los exiliados y sus bomberos en otros países, por no hablar del sistema penitenciario y de la policía civil, cada vez más militarizada, ambos enfocados al control interno de exiliados y bomberos. Podríamos reconvertir estos recursos cubriendo las necesidades básicas dentro y fuera de las fronteras. En el discurso público, al igual que en la terapia, los protectores se quejan a menudo de que sería una ingenuidad reducir el nivel de protección. Ahora bien, si ya no arrastráramos cargas de guerras y ataques terroristas del pasado, podríamos dedicarnos a reducir las polarizaciones, en vez de reaccionar exageradamente a las amenazas. Si queremos que sobreviva la raza humana, las grandes guerras ya no son una opción realista. Para alcanzar todo esto debemos reorganizar el sistema económico. Podríamos empezar por aprobar leyes que limitaran la influencia adversa de la codicia corporativa que domina en la actualidad la política de Washington y eclipsa el liderazgo del Self estadounidense. Un gobierno liderado por el Self vería con claridad las amenazas y respondería adecuadamente. Los dirigentes liderados por el Self rechazarían la coacción, al ser un medio inhumano e ineficaz de generar cambios valiosos. Los dirigentes liderados por el

Self sabrían que el cambio se produce espontáneamente al despojarse de las cargas y contar con más Self, tanto en el mundo interno como en las relaciones.

Una nación liderada por el Self también dejaría de pensar desde una mente única y lo haría desde una mente plural (Schwartz y Falconer, 2017). La idea de la mente singular nos hace demonizarnos mutuamente, como si nuestras partes más extremas nos definieran. Bajo el prisma de la multiplicidad, no hay yihadistas, adictos, supremacistas blancos, narcisistas, gente con trastornos límite de la personalidad, etcétera. Lo que hay son partes protectoras que, queriendo gestionar el dolor, la vergüenza y el miedo, se quedan bloqueadas en roles extremos. A través de la lente de la IFS, vemos a los exiliados que hay tras nuestros protectores temibles y destructivos, y también a los exiliados que hay tras los protectores de nuestro peor enemigo. Confiamos en que toda persona tiene un Self, incluso quienes se comportan con maldad. Las cuatro cargas por legado del racismo, el patriarcado, el individualismo y el materialismo han abocado a los Estados Unidos al estado disfuncional actual, con enormes cantidades de exiliados controlados por protectores extremos y muy polarizados. El antídoto es aportar más Self al país.

CONCLUSIÓN

Nuestra propuesta en el ámbito público no es sino lo que vemos a diario en supervivientes de traumas, quienes, a pesar de sentirse y parecer desesperados, pueden reencarnar al Self y adentrarse en un ciclo beneficioso. Cuando dejan de atacar a sus bomberos y sanan a sus exiliados, los supervivientes de traumas se vuelven menos reactivos y sus relaciones mejoran. Al poder desprenderse de la influencia viral de los protectores extremos de los demás, sienten compasión por quienes antes les hacían saltar. Saben fijar límites apropiados y también cuidar de sus partes cuando están heridas. Esto no es el resultado de un sobreesfuerzo, de la imposición ni de la fuerza de voluntad; nos sucede a todos cuando pasamos tiempo con nuestras partes.

Lo que nosotros planteamos es que las cargas, desequilibrios, polarizaciones y problemas de liderazgo recorren los sistemas humanos en todos los niveles, y generan procesos paralelos que se reflejan y potencian mutuamente. Cuando en cualquier nivel sistémico no hay liderazgo del Self, se forma la estructura triádica de exiliados, directivos y bomberos. Cuando los directivos están al frente, los bomberos se rebelan. Cuando los bomberos están al frente, los directivos son presa del pánico. Si directivos y bomberos se disputan el liderazgo, abundan las polarizaciones y el trauma se regenera en las cuatro esferas que hemos comentado: desarrollo, equilibrio, armonía y liderazgo. El Self es el antídoto contra nuestras cargas por legado. La compasión, claridad y vinculación del Self se oponen al racismo, el patriarcado, el individualismo y el materialismo. Y, al estar interconectados los niveles sistémicos humanos, el liderazgo del Self en cualquier nivel contribuye a la sanación en todos los niveles. Estamos convencidos de que todo cliente que suelta sus cargas ayuda a aliviar el peso de la carga del planeta, con lo que todos gozamos de algo más de acceso al Self.

CUARTA PARTE
INVESTIGACIÓN Y CONCLUSIÓN

CAPÍTULO 19

La investigación sobre IFS

Aunque pocos, cada vez más trabajos de investigación están demostrando la eficacia de la IFS. En este capítulo resumimos los estudios relevantes.

LA IFS Y LA ARTRITIS REUMATOIDE

En 2010, Nancy Shadick, Nancy Sowell y sus colegas acabaron un estudio, publicado en 2013, que aplicaba la IFS al tratamiento de la artritis reumatoide. Un grupo de 37 pacientes con artritis reumatoide crónica asistieron 9 meses a terapia IFS individual y grupal, en el Brigham & Women's Hospital de Boston. Se los comparó con un grupo de control de 40 pacientes con artritis reumatoide que sólo recibieron tratamiento pedagógico. Por último, se hizo un seguimiento de ambos grupos durante 9 meses. El grupo de terapia IFS mostró mejoras notables en el dolor general y la capacidad física, así como en la autoevaluación del dolor articular, la autocompasión y los síntomas depresivos, todo lo cual se mantuvo en el período de seguimiento. A raíz de este estudio, la IFS se incluyó en el National Registry for Evidence-Based Programs and Practices (NREPP, Registro Nacional de Programas y Prácticas basadas en la evidencia), una base de datos estadounidense administrada por la Substance Abuse and

Mental Health Services Administration (SAMHSA, Oficina de Servicios de Salud Mental y Abuso de Sustancias Psicoactivas). La IFS se considera eficaz para la mejora de la actividad y el bienestar en general. Asimismo, en la SAHMSA figura como una terapia prometedora para aliviar la fobia, el pánico, los trastornos y síntomas de ansiedad generalizada, las dolencias y síntomas de la salud física y la capacidad de superación personal/el autoconcepto, así como la depresión y los síntomas depresivos.

Este estudio indica que las partes pueden afectar al cuerpo y que la terapia IFS puede contribuir a aliviar tanto los síntomas somáticos como los psicológicos. Ante esos resultados alentadores, la Foundation for Self Leadership ha establecido prioridades para la financiación de estudios futuros. La primera es evaluar la IFS como tratamiento del trastorno por estrés postraumático (TEPT), la depresión y la ansiedad; la segunda es valorar la IFS como tratamiento de las adicciones, incluida la adicción a los opiáceos y los trastornos de la conducta alimentaria, y la tercera examinar la IFS como intervención en otros ámbitos de interés para la sociedad, incluyendo la terapia de pareja, el *coaching* y la resolución de conflictos.

TRATAMIENTO DEL TEPT CON IFS

Este pequeño estudio piloto (obra de Hodgdon, Anderson, Southwell, Hrubec y Schwartz, 2018) arrojó resultados prometedores. De los 13 participantes a quienes se había diagnosticado TEPT y habían asistido a 16 sesiones de IFS, sólo 1 seguía reuniendo las condiciones para el diagnóstico de TEPT al concluir el estudio y el seguimiento de 1 mes. Es decir, al cabo de 16 sesiones, el 92 % de los participantes ya no cumplía los criterios del TEPT, lo que se traduce en una magnitud del efecto de 4,46. Además, hubo mejoras significativas en la depresión, la desregulación afectiva, la disociación, la autoestima alterada, las relaciones interpersonales y los sistemas de significación.

TRATAMIENTO DE LA DEPRESIÓN
EN UNIVERSITARIAS CON IFS

Haddock, Weiler, Trump y Henry (2016) llevaron a cabo un ensayo de la IFS como tratamiento alternativo de universitarias deprimidas. Como apuntan los autores, «una parte significativa» de los universitarios no encuentra mejora en los actuales tratamientos empíricamente validados, concretamente «medicación antidepresiva, terapia cognitivo-conductual (TCC) y psicoterapia interpersonal (TIP)» (p. 1).

En este estudio, se asignó aleatoriamente a las participantes a un grupo de IFS (n = 17) y a un grupo de tratamiento habitual (TH; n = 15), donde recibieron TCC o TIP. El estudio contaba con algunas desventajas. Muchas de las participantes de ambos grupos sólo completaron entre 11 y 15 sesiones, cuando la idea era que cada grupo asistiera a 16 sesiones. Además, cuatro de los cinco terapeutas del grupo de IFS contaban con menos de 1 año de ejercicio de la IFS, y ninguna de las participantes del grupo de IFS se medicaba, mientras que más de la mitad de las del grupo de TH tomaba antidepresivos. Los resultados mostraron un descenso de los síntomas depresivos en ambos grupos, sin diferencias notables en la magnitud o ritmo del cambio. Los autores concluyeron que los resultados «aportan pruebas preliminares de la eficacia de la IFS en el tratamiento de síntomas depresivos» (p. 1). Junto con los resultados acerca de la depresión de los otros dos estudios, este estudio indica que la IFS es un tratamiento prometedor para la depresión.

TRATAMIENTO DEL TEPT CON MDMA

Michael Mithoefer y sus colegas llevan desde 2008 estudiando la combinación de la metilendioximetanfetamina (MDMA) (cuyo nombre coloquial es *éxtasis*) y la psicoterapia como tratamiento del TEPT. Hasta entonces, más de 1.100 individuos habían recibido MDMA en la fase 1 y la fase 2 de ensayos clínicos sin ningún acontecimiento adverso grave inesperado relacionado con la droga (Mithoefer, Grob y Brewerton, 2016). Debido al éxito de los primeros dos estudios, actualmente hay tres ensayos de fase 3 en curso en el marco de un estudio multicéntrico multimillonario. El protocolo de estos estudios incluye algunas sesiones que preparan a los participantes para la experiencia de consumir MDMA, seguidas de dos sesiones de 8 horas con MDMA, algunas sesiones de seguimiento para integrar lo ocurrido durante las sesiones y una sesión de seguimiento al cabo de 2 meses.

¿Por qué es este estudio pertinente para la IFS? Antes del primer estudio de ensayo, el doctor Mithoefer y su esposa, Annie Mithoefer, ambos formados en terapia IFS, colaboraron con sus colegas en la elaboración de un manual destinado a los terapeutas participantes. El manual indicaba a los terapeutas que se dejaran llevar por el participante y mantuvieran una postura fundamentalmente no directiva durante las sesiones de 8 horas de MDMA, para que la inteligencia sanadora de cada participante determinara lo que había acontecido. Descubrieron que, cuando se los dejaba a solas con sus propios mecanismos tras consumir MDMA, los participantes del estudio enseguida accedían a un estado caracterizado por la curiosidad, el coraje, la claridad, la conexión y la compasión, lo que en IFS se conoce como *energía del Self*. Si bien aún están por descubrir las razones de ello, el efecto del MDMA en la amígdala (descenso de la actividad) y en la corteza prefrontal (incremento de la actividad) puede tener algo que ver.

Dado que la gran mayoría de los participantes del estudio empezaron a hablar de sus partes y a interactuar con ellas, accediendo espontáneamente a la energía del Self, los terapeutas participantes se animaron a aceptar el concepto de la multiplicidad física y a conocer la IFS. Además, las sesiones formativas destinadas a los terapeutas empezaron a incluir vídeos de participantes donde hablaban de sus partes. Si los participantes identificaban a las partes, los terapeutas podían proseguir la sesión al estilo de la IFS.

En un estudio con MDMA de veteranos de guerra, bomberos y funcionarios policiales a quienes se les había diagnosticado TEPT,

Mithoefer (2013) añadió un estudio piloto interno para el que ideó una variable del «trabajo de las partes», destinado a averiguar en qué grado los participantes del estudio hablaban de las partes durante las sesiones. Esta variable reveló que la consciencia de las partes aparecía en el 78 % de las sesiones asistidas con dosis activas de MDMA. Asimismo, en el 92 % de las sesiones con dosis activas, frente al 29 % con dosis bajas, los terapeutas observaron incrementos marcados en cualidades que remiten a la energía del Self, así como «un conocimiento y una aceptación mayores de esas partes» (p. 14).

Por consiguiente, la investigación con MDMA tiene dos implicaciones para la IFS. En primer lugar, muestra que las personas emprenden espontánea y naturalmente un proceso de sanación cuando acceden a la suficiente energía del Self, sea por el método que sea. No sólo reparan en sus partes, sino que también se compadecen espontáneamente de partes que antes temían u odiaban. En segundo lugar, como la MDMA permite a los protectores calmarse en poco tiempo, somos optimistas con respecto al futuro de la combinación de MDMA con terapia IFS, tanto durante como después de las sesiones con MDMA.

En una entrevista para este libro, el doctor Mithoefer afirmó que el MDMA favorece la diferenciación, por lo que a menudo permite al cliente condensar u omitir en gran medida los seis primeros pasos de la IFS, cuyo propósito principal es alentar a las partes protectoras a diferenciarse (comentario personal, 29 de marzo, 2018). Al omitir esos pasos, los clientes pueden pasar enseguida a presenciar y descargar a los exiliados. No obstante, el doctor destacó la importancia de consultar a los protectores y pedirles permiso para abordar a los exiliados. Al preguntarle si en la terapia asistida con MDMA había descubierto algo que valdría la pena que supieran otros terapeutas de IFS, respondió: «Las observaciones y experiencias espontáneas de nuestros participantes, incluyendo tanto a las partes como al Self, se integran bien en la IFS». Y añadió: «Según mi experiencia, hay sed de esta perspectiva. No es un invento de Dick: la IFS trabaja con fenómenos muy reales».

HALLAZGOS DEL PROYECTO RESOURCE

Tania Singer, directora del Departamento de Neurociencia Social del Instituto Max Planck de Ciencias Cognitivas y Cerebrales de Leipzig, Alemania, es la investigadora más destacada del mundo sobre el tema de la compasión y las prácticas contemplativas. Con el fin de evaluar los efectos del entrenamiento mental en el bienestar subjetivo, la salud, la plasticidad cerebral, el desempeño cognitivo y afectivo, el sistema nervioso autónomo y el comportamiento, Singer y sus colegas (Böckler, Herrmann, Trautwein, Holmes y Singer, 2017) acabaron recientemente un estudio denominado *ReSource Project*, que contó con más de 300 participantes en un programa de entrenamiento mental de 9 meses, consistente en tres módulos de 3 meses cada uno. En el primero (denominado *Presencia*) se adiestraba a los participantes en meditación mindfulness tradicional. En el segundo (llamado *Afecto*), practicaron meditación de la bondad amorosa y conversaron con un compañero para cultivar la gratitud y la escucha empática. El tercer módulo (denominado *Perspectiva*) estaba basado en la IFS. Böckler y sus colegas (2017) escribieron lo siguiente sobre este último módulo:

En una fase inicial de reflexión que tuvo lugar durante el retiro de 3 días al principio del módulo Perspectiva y que es habitual emplear al introducir el modelo IFS, se indicó a los participantes que identificaran las partes internas que serían dominantes en ejemplos de situaciones, como jugar con un niño o impartir una charla importante. Cada participante registró los nombres de seis partes, que luego se emplearon en la práctica diádica de la semana 1. Durante el siguiente período de práctica de 3 meses, los participantes se reunieron en 13 sesiones formativas semanales y tuvieron oportunidad de modificar su conjunto de seis partes interiores cambiando las anteriores por otras en cualquier momento.

Los participantes de la Práctica Diádica practicaron un ejercicio diádico contemplativo de 10 minutos diario en el marco del módulo

Perspectiva. Durante la díada, una persona adoptaba el rol de emisor, mientras que la otra ejercía de receptor; los roles se intercambiaban al cabo de 5 minutos. Primeramente, se presentaba al receptor el conjunto de seis partes internas del emisor. A continuación, el emisor pensaba en una experiencia reciente y la describía brevemente desde la perspectiva de una de sus partes internas, seleccionada aleatoriamente por un algoritmo informático. El receptor escuchaba atentamente y entonces trataba de adivinar cuál de las partes internas del emisor se estaba expresando. Este ejercicio requería que el emisor se imaginara una situación determinada desde la perspectiva de una parte interna que no necesariamente había estado activa durante la situación. En consecuencia, el participante debía dejar de identificarse con la perspectiva interna que se había activado realmente en la situación y observarse desde la distancia a sí mismo y sus estados internos. El ejercicio practicaba la capacidad de mentalización del receptor: para acertar qué parte interna manifestaba el emisor, el receptor debía tener muy en cuenta los pensamientos y percepciones expresados por el emisor e inferir los estados mentales y creencias subyacentes. En su conjunto, en la díada dedicada a la perspectiva se entrenaba la capacidad verse en perspectiva a uno mismo y a los demás. (p. 5)

Como hemos visto, no sólo se ayudaba a los participantes a identificar y conocer primero a sus propias partes, lo que ayuda a acceder al Self; también se les enseñaba a hablar en nombre de sus partes. Cuando hablamos en nombre de una parte, vemos que el Self tiene una perspectiva radicalmente diferente de las de las partes. Asimismo, observamos que todas las partes tienen distintas perspectivas. En la otra vertiente del experimento, ser el receptor y acertar qué parte de otra persona hablaba llevó a los participantes del estudio a concienciarse de la existencia de las partes de otras personas. Por último, los participantes tuvieron ocasión de vivenciar la experiencia íntima de compartir con otra persona lo que sabían de sus partes.

Para evaluar los distintos efectos de los tres módulos, los investigadores emplearon un amplio abanico de marcadores subjetivos y fisiológicos. Utilizaron más de 90 parámetros, incluyendo análisis de sangre, para detectar las hormonas del estrés y gammagrafías cerebrales mediante resonancia magnética (RM), así como variables que valoran la calidad de las relaciones internas partiendo del concepto de las partes propio de la IFS. El Proyecto ReSource era de una escala y un rigor impresionantes, y sus objetivos insólitos. El equipo de Singer emprendió el estudio para abordar grandes cuestiones sociales como éstas: ¿pueden los cambios en el cerebro contribuir a un mundo más pacífico y democrático? ¿Puede la práctica de la meditación combatir las crisis económicas y ambientales? Si nosotros somos capaces de volvernos más altruistas, ¿pueden también mejorar los sistemas sociales y las instituciones? En síntesis, el planteamiento era si las prácticas contemplativas podían emplearse para cultivar la mente y el corazón. Como ya imaginarás, el Proyecto ReSource está dando pie a abundantes artículos académicos. En estas páginas sólo mencionamos los relacionados con los efectos del módulo Perspectiva, basado en la IFS.

EL CONTENIDO EMOCIONAL DEL AUTOCONCEPTO

Lumma, Böckler, Vrticka y Singer (2017) investigaron el contenido emocional del autoconcepto, un condicionante habitual de la psicopatología. Piensa, por ejemplo, en la influencia del incesante crítico interno en la ansiedad y la depresión. O en lo contrario: la influencia del narcisismo de un infatigable hincha interno que niega la realidad. Los investigadores descubrieron que la práctica contemplativa diaria con las partes internas que se llevaba a cabo en la díada Perspectiva mejoraba el contenido emocional de los autoconceptos de los participantes y también aumentaba su cercanía social, probablemente porque los participantes se familiarizaban con sus partes avergonzadas, ansiosas o deprimidas, y porque la capacidad de ver en perspectiva las creencias e intenciones de los demás progresaba con la práctica. Concretamente, del estudio se desprende que...

el cambio inducido por la práctica en el contenido emocional del autoconcepto sólo se detectó después de que los participantes pasaran por el módulo Perspectiva [...]. Este hallazgo indica que no cualquier tipo de práctica contemplativa permite inducir cambios en aspectos emocionales del autoconcepto. De entrada, las prácticas principales de los programas de intervención de mindfulness no bastan para alterar el contenido emocional del autoconcepto [...]. Asimismo, el entrenamiento mental socioafectivo (es decir, el módulo Afecto), que cultivaba el aprecio, la compasión y la gratitud, cómo generar motivación prosocial y cómo lidiar con emociones difíciles, no lograba inducir el cambio en la dimensión emocional del autoconcepto [...]. Nuestros resultados señalan que únicamente el módulo Perspectiva lograba inducir cambios en el contenido emocional del autoconcepto. (pp. 13-14)

Estos resultados conllevan que el mero hecho de identificar, conocer y compartir información sobre determinadas partes —especialmente las que antes inspiraban miedo o desagrado— ayudó a los participantes a adquirir autoconceptos más positivos y sentirse más próximos a los demás. Asimismo, implican que no es necesario recorrer todas las etapas de la IFS (incluyendo la presenciación y la descarga) para ser conscientes de la multiplicidad psíquica y sintonizar con nuestras partes cariñosamente. La práctica relacionada con la IFS consistente en tomar perspectiva durante el módulo Perspectiva fue la única de las tres formas de práctica contemplativa estudiadas en el Proyecto ReSource que aportó mejoras, al modificar las creencias de los participantes sobre partes esenciales.

ALIVIO DEL ESTRÉS

Engert, Kok, Papassotiriou, Chrousos y Singer (2017) compararon la capacidad de los tres módulos para reducir el estrés en los participantes —basándose en los comentarios de los propios participantes–, así como a la frecuencia cardíaca, los niveles de cortisol y otros marcadores endocrinos. Se comprobaron estas variables antes y después de una experiencia estresante imaginaria, donde debían desempeñar varias tareas frente a un público que fingía tener una actitud crítica.

Los investigadores descubrieron que el módulo Presencia, basado en el mindfulness, reducía el estrés, según los propios participantes; sin embargo, no repercutía en los parámetros fisiológicos. En cambio, los módulos Afecto y Perspectiva eran igual de efectivos a la hora de reducir tanto el estrés referido por los participantes como los niveles de cortisol en sangre, una de las medidas fundamentales del estrés. «Después del ejercicio del módulo Afecto y del ejercicio del módulo Perspectiva, la reactividad referida descendió en un 39 y un 31 %, y la reactividad del cortisol lo hizo en un 48 y un 51 % [...], respectivamente» (p. 8). Los autores concluyen: «Los datos obtenidos revelan una reducción sustancial en la respuesta al estrés referida y la del cortisol, de hasta un 51 %, concretamente después del entrenamiento mental de la compasión y de las habilidades cognitivas de adopción de perspectiva [los módulos Afecto y Perspectiva]» (p. 8). Desde el punto de vista de la IFS, este interesante hallazgo indica que la práctica de diferenciarse, conocer y compartir información sobre las partes engendra más acceso al Self, lo que podría permitir una recuperación más temprana de los episodios estresantes vividos.

MENTALIZACIÓN E IDENTIFICACIÓN DE LAS PARTES

Böckler y colegas (2017) comprobaron en qué medida el módulo Perspectiva afectaba la capacidad de los participantes para representar y sacar conclusiones sobre las creencias, las intenciones y los pensamientos de los demás. Esta capacidad ha recibido los nombres de *mentalización, adopción de perspectiva cognitiva* o *teoría de la mente* (TdM). En el módulo Perspectiva, los participantes podían identificar a tantas partes como quisieran. El número de partes identificadas fue de entre 6 y 23 por persona, con una media de 11 partes identificadas. El estudio concluyó que «el grado de mejora en el conocimiento de sí mismos de los participantes –reflejado en el número [superior] de distintas partes internas que eran capaces de identificar– pronosticaba sus mejoras en el desempeño de alto nivel» (p. 1).

Otro hallazgo que llama la atención es el de que los participantes que identificaron más partes que (inicialmente) les inspiraban desagrado o temor también mejoraban en TdM. Según los autores, «los participantes que aceptaron y permitieron experiencias desagradables en su interior pueden haber aumentado su habilidad para distinguir entre estados mentales negativos, lo que les permitía comprender mejor los estados mentales de los demás» (p. 10). También puede ser que les costara menos aceptar las partes de otras personas, al saber de las buenas intenciones de sus propias partes aparentemente negativas.

Las conclusiones del estudio sugieren que los entrenamientos como el del módulo Perspectiva basado en la IFS pueden fomentar la consideración y la compasión en poblaciones sumidas en el conflicto y la polarización. Como señalan los autores, el concepto de las partes internas contribuye a favorecer una visión más compleja de uno mismo y del prójimo, con la consiguiente reducción de «la tendencia habitual a considerar a los demás excesivamente constantes en situaciones variadas» (p. 11), y a fomentar un conocimiento más flexible y preciso de la complejidad psíquica. El estudio también ilustra una máxima de la IFS: si odiamos o tememos a alguna de nuestras partes, odiaremos o temeremos a quienes se comporten como esas partes. En cambio, una vez que aceptes e incluso ames a todas tus partes, podrás hacer lo mismo con otras personas. Los autores concluyen:

> El presente estudio sugiere claramente que trabajar con las partes internas y entrenar la toma de perspectiva flexible con respecto a los estados mentales internos propios no sólo es prometedor en entornos

terapéuticos, sino también en entornos no clínicos destinados a favorecer la salud psicológica y la inteligencia social. Lo mismo sucede con la investigación fundamental en los terrenos de la psicología social y de la personalidad, así como con las neurociencias sociales. (p. 11)

LAS DIFERENCIAS ENTRE LA EMPATÍA Y LA COMPASIÓN

Si bien la investigación seminal de este artículo del laboratorio de Singer (Singer y Klimecki, 2014) no alude directamente a la IFS, lo glosamos porque el tema –las diferencias neurológicas y psicológicas entre la empatía (*sentir con*) y la compasión (*sentir hacia*)– es esencial para la IFS y, de hecho, para todo el campo de la salud mental. Cuando Singer tuvo ocasión de investigar la empatía y la compasión con una máquina de resonancia magnética funcional (RMf), creía que compartirían las mismas redes cerebrales. Para su sorpresa, Singer se encontró con que la empatía activa los circuitos del dolor, mientras que la compasión activa los de la recompensa (comentario personal, noviembre de 2017). Este descubrimiento, como exponemos más abajo, explica los efectos opuestos de la compasión y la empatía en el comportamiento.

El contagio de emociones, un precursor de la empatía que encontramos en los neonatos, implica confundir los límites entre uno mismo y el otro. Sin embargo, también podemos estar engendrando el estado no relacional de actividad cerebral que conviene evitar en terapia. Desde el punto de vista de la IFS, la clave de una terapia del trauma eficaz es prevenir el desbordamiento emocional, manteniendo la distinción entre el yo y el otro, tanto internamente como en la relación con el prójimo. Para hacerlo, ayudamos a las partes a separarse del Self.

TABLA 19.1. La empatía y la compasión en el lenguaje de la IFS

- **De Self a Self:** Sintonía y conexión compasivas, sentidas (empáticas).
- **Del Self a una parte:** Compasión (*sentir hacia* el otro con afecto y consideración).
- **De parte descargada a parte descargada:** Empatía (resonancia emocional y *sentir con* el otro).
- **De parte cargada a parte cargada:** Contagio emocional, angustia empática, desbordamiento emocional (*ser* el otro).

HERRAMIENTAS Y ACTIVIDADES DE INVESTIGACIÓN DE LA IFS

En la actualidad, los principales objetivos de la Foundation for Self Leadership, fundación independiente sin afán de lucro que trabaja desde 2013, son (1) apoyar la investigación empírica y (2) patrocinar programas que contribuyan a ampliar el alcance y reforzar los efectos de la IFS, dentro y fuera del campo de la psicoterapia. En la actualidad, la fundación financia y proporciona varios recursos para investigadores y miembros interesados del mundo de la salud mental, entre los que se cuentan los siguientes.

La Escala de Adhesión de la IFS (IFS Adherence Scale)

Para propiciar la investigación sobre la eficacia de la IFS como modalidad psicoterapéutica, la fundación subvencionó la compleción de (1) la Escala de Adhesión de la IFS, diseñada por un equipo voluntario de formadores en IFS de primera línea, y (2) un estudio de fiabilidad entre evaluadores que validaba la Escala de Adhesión de la IFS como herramienta de adhesión preliminar.

Bibliografía con motor de búsqueda

En 2018, el sitio web de la fundación publicó una base de datos en línea, con motor de búsqueda, de las publicaciones sobre la IFS, todas ellas comentadas por revisores independientes. Las entradas de la base de datos siguen creciendo con la ayuda de voluntarios.

Programas de posgrado

Gracias a su labor con profesionales de la IFS pertenecientes a la comunidad académica, la fundación ha reunido y publicado en internet modelos de programas de posgrado o módulos de introducción de la IFS para terapeutas en formación. La fundación también ha arrancado un programa de becas de investigación universitaria con el objetivo de ayudar a los investigadores universitarios que decidan emprender con su profesorado estudios en torno a la IFS.

Estudios de investigación financiados hasta hoy

Además del estudio sobre el TEPT mencionado más arriba, la fundación ha subvencionado un estudio de fisiología, que en la actualidad está analizando datos. Este estudio, destinado a observar la relación entre los estados fisiológicos y psicosociales de los participantes, aún no se ha completado. Se están midiendo las respuestas simpáticas y parasimpáticas, cardiovasculares, respiratorias y electrodermales en el Computational Behavior Lab de la Northeastern University. El propósito es comprobar cómo detectar los componentes de la IFS en los procesos fisiológicos de clientes con diagnóstico de TEPT, así como en sus terapeutas de IFS.

La IFS como paradigma de aprendizaje social y emocional en las escuelas

A raíz de los episodios recientes de asesinatos en masa acontecidos en escuelas estadounidenses, la fundación emprendió la iniciativa de llevar la IFS al profesorado en 2017. Con el propósito de abordar la salud y el bienestar emocionales de los niños a largo plazo, este programa ayudó a 16 docentes de Minneapolis, que trabajan en dos escuelas urbanas de población estudiantil de alto riesgo, a conocer y experimentar el modelo IFS. A continuación, los profesores trabajaron conjuntamente para idear modos de presentar los conceptos y el lenguaje de la IFS al alumnado, directamente o a través del modelado de roles. Por último, el programa se evaluó atendiendo a sus repercusiones directas en las actitudes y perspectivas del profesorado, así como a sus repercusiones indirectas en las actitudes, comportamientos y desempeño académico del alumnado. A partir de los resultados, la fundación prevé perfeccionar y reproducir este programa en otras escuelas del país, con el fin de suscitar un amplio interés por la IFS como paradigma y práctica que fomente el bienestar emocional. Encontrarás información sobre la fundación y sus actividades relacionadas con la investigación en www.FoundationIFS.org.

CONCLUSIÓN

Hace casi cuatro décadas, como explica este libro, la investigación me (R.C.S.) llevó a replantearme mis ideas preconcebidas sobre la terapia y me embarcó en el viaje aterrador y fascinante de cambiar de paradigma. Por el camino, numerosos terapeutas de talento —y, más recientemente, expertos en otras materias— se han sumado a la aplicación y el desarrollo de la IFS. Me entusiasma la combinación del IFS y el MDMA, la ketamina, la neurofeedback, el mindfulness basado en la compasión por uno mismo y otros enfoques sanadores que alientan a los participantes a manifestar energía del Self. Agradezco la curiosidad y el saber hacer de los investigadores cuyas publicaciones glosamos en este capítulo, así como el trabajo de la Foundation for Self Leadership. Haré cuanto esté en mi mano para que de los cimientos de su labor nazca un bloque de investigación.

CAPÍTULO 20

Las leyes de la física interna

Cuando yo (R. C. S.) probé en los años ochenta a ayudar a los clientes a conocer a sus partes y a interactuar con ellas, descubrí algo asombroso. Cuando las partes directivas accedían a hacerse a un lado y los clientes se concentraban en una parte focalizada, su consciencia de la parte cambiaba súbitamente. Si bien no perdían de vista el mundo exterior, su atención se trasladaba claramente a otro lugar, como si hubieran traspasado una cortina opaca y estuvieran en otro espacio. Observé que podían atravesar esa cortina a su antojo, pero sus experiencias en ambos lados eran asimétricas. En el lado externo y mundano, los clientes parecían permanecer en la superficie de su consciencia, mayormente ajenos a la sociedad dinámica que se afanaba en el interior con determinación. Sin embargo, una vez que se aventuraban a cruzar la cortina, accedían a un singular estado de consciencia dual, sintiendo que estaban aquí y allá, dentro y fuera, al mismo tiempo.

Al hablar del fenómeno con colegas, dedujeron que lo que yo hacía inducía a los clientes a un trance hipnótico. Yo no lo tenía claro. Cuando invitaba a los clientes a reparar en su experiencia interna, no empleaba técnicas inductivas ni hacía sugerencias. Y mi breve experiencia con la hipnosis en la escuela de posgrado no encajaba con la espontaneidad no dirigida que observaba. Aquello me recordaba más a *Alicia en el país de las maravillas*. Al igual que Alicia, los clientes parecían adentrarse en un universo alternativo repleto de habitantes que se relacionaban unos con otros exactamente igual que lo hacen las familias externas.

Hasta finales de los ochenta no contaba con puntos de referencia sobre los viajes interiores de los clientes. Resultó que estaban accediendo a un lugar que los curanderos indígenas conocen bien. Aunque los chamanes tienen su propio lenguaje para hablar de las partes y carecen, que yo sepa, de un concepto de lo que yo denomino el Self, sus enseñanzas abarcan un territorio que empezaba a serme muy familiar. En esa época, al empezar a leer sobre chamanismo y varias prácticas de sanación empleadas por los pueblos indígenas de todo el mundo con mi principal colaboradora en ese momento, Michi Rose, cambié de opinión sobre lo que había oído de los clientes. Dejé de concebir las partes como metáforas de procesos psíquicos y me inicié como autodidacta en la antropología y en lo que yo he bautizado como la física de la psique. Empleo esta palabra porque la física es el estudio de las propiedades, los materiales y las fuerzas básicas del universo: las leyes de la naturaleza. Asimismo, creo que los paralelismos que, junto con muchos colegas, hemos clasificado tras años de trabajo con un gran número de clientes, son las leyes que rigen el funcionamiento del universo interno. Pese a que algunas se parecen a las leyes naturales que gobiernan el universo externo, muchas son distintas. En este libro hemos expuesto e ilustrado las leyes de la física interna. Como punto final, las resumimos a continuación.

LA NATURALEZA DE LAS PARTES

Las partes habitan nuestro mundo interno. No son metáforas ni fantasías, tampoco meras emociones, pensamientos o impulsos. Se trata de seres internos con personalidades completas. Tienen sus propias emociones, pensamientos, impulsos y formas de comunicarse. Asimismo, tienen edad, cuerpo, sensaciones y temperamentos. Al principio, a ojos de la mente, pueden parecer no humanas, algo así como un animal, objeto, nube, fuego o figura geométrica. No obstante, al hablar con ellas tienen modos de responder que se entienden claramente.

LAS PARTES NO SON SUS CARGAS

Casi todos los problemas humanos tienen su origen en la idea errónea de que las partes son las cargas que arrastran, lo que lleva a las personas a organizarse para combatirlas y exiliarlas, lo que a su vez conduce a toda clase de estragos internos y externos. Muchas psicoterapias y prácticas espirituales dan por hecho que los directivos son manifestaciones de un ego problemático o una mente condicionada, que la razón de los exiliados es la vergüenza interiorizada y que los bomberos son impulsos patológicos. En consecuencia, pretenden que paguen justos por pecadores. En los albores de la IFS, los clientes me enseñaron que las creencias y sentimientos extremos son invasivos, como cuerpos extraños o virus, que se instalan en lugares determinados del cuerpo o de su entorno. Cuando una parte sacaba (o despegaba) una carga de su cuerpo se transformaba de inmediato.

CÓMO LAS PARTES NACEN Y ADOPTAN ROLES

La postura de la IFS también difiere de otros enfoques que reconocen lo que nosotros denominamos *partes*. Para algunas de esas terapias, las partes son el resultado del trauma: una «mente fragmentada» o el producto de la «interiorización», donde la voz, la imagen y la energía de otra persona se representan internamente. Nosotros creemos que al nacer algunas partes se manifiestan, mientras que otras permanecen latentes. Aunque el trauma puede evocar la fragmentación, en el sentido de que las partes protectoras se polarizan, y es cierto que adquirimos (o interiorizamos) toda clase de creencias y modos de comportarnos en nuestras interacciones con las personas del exterior, las partes no se generan por la fragmentación ni por el aprendizaje. Las partes son innatas, y sus cargas (creencias o estados emocionales extremos) se derivan del trauma. El investigador especializado en niños T. Berry Brazelton (2011) observó que en los pequeños se turnaban cuatro o cinco estados discretos, a los que llamaríamos *partes*. Al crecer, las partes latentes aparecen en intervalos adecuados al desarrollo, un proceso que prosigue durante toda la vida, pero que es especialmente visible en los niños de corta edad. Compara, por ejemplo, al obediente bebé de 2 años cuando lo acostamos con el rebelde detractor que llega por la noche y nos saluda, sublevado y antipático, por la mañana.

Al vetar a las partes jóvenes estamos vetando la curiosidad, la espontaneidad, la valentía y la vinculación, derechos inalienables. Nos privamos de las virtudes con las que nacimos. Una existencia vivida bajo el mandato opresor y generador de ansiedad de los directivos puede antojarse rígida, vacía y anodina. En la IFS, todas las partes tienen cualidades inestimables; eso es innegable. Aun así, en nuestros viajes con los exiliados es habitual encontrar a partes jóvenes muy creativas y joviales una vez liberadas.

Así que, aunque no podamos ver a las partes por el microscopio, sabemos por experiencia que vienen al mundo con nosotros, son un elemento natural de la mente y todas ellas contienen cualidades valiosas. Pese a que, en efecto, el trauma carga a las partes y las obliga a adquirir roles para los que no son aptas, los hechos traumáticos no crean ni destruyen partes. Es más: al parecer, las partes no pueden destruirse. Cuando una parte se exilia, decide permanecer latente o se retira de la consciencia, aunque creamos que se ha ido para siempre, si la convocamos reaparecerá. Además, hasta las partes jóvenes heridas que aparentan estar muertas están en realidad vivas o recuperarán el dinamismo en cuanto el Self del cliente despliegue amor.

CÓMO SE COMUNICAN LAS PARTES

La mayoría de las emociones, sensaciones, imágenes, sueños, pensamientos o impulsos que experimentamos emanan de las partes. Así es cómo las partes se comunican con nosotros y entre ellas. Cuando nos enfocamos en una emanación mental como una «entrada», nos conduce a una parte. También podemos descubrir que una sensación física es la comunicación de una parte, o que un acontecimiento biológico magnificado por una parte es una forma de comunicación. En cualquier caso, las partes interactúan internamente de diversas formas, y las partes individuales prefieren expresarse de ciertas maneras. Las hay que son principalmente somáticas. Se comunican o interfieren unas con otras y con nosotros afectando al cuerpo. Otras son sobre todo verbales. Lo que llamamos *pensar* es probablemente oír una conversación o debate interno entre partes. Y otras partes recurren a sentimientos, imágenes o recuerdos como primer modo de comunicarse.

CÓMO SE EXILIAN LAS PARTES VULNERABLES

Pese a no poderse eliminar ni destruir, las partes pueden exiliarse. En el mundo interno, es como si los exiliados estuvieran encerrados en cárceles, cuevas, cavernas, sótanos, abismos, tras un muro o en un espacio del cuerpo muy reducido o limitado. En cuanto las partes vulnerables se hieran y estén aterradas o avergonzadas, los directivos las encerrarán, por lo que se sentirán abandonadas, solas y privadas del acceso al Self, nuestro sol interno. A pesar de ello, desde sus situaciones de exilio ejercen una enorme influencia (aunque indirecta y fuera de la consciencia) en el ánimo, el cuerpo, los sueños y las decisiones. Nuestras partes vulnerables rechazadas intentan salir de su encierro de un sinnúmero de formas, incluyendo *flashbacks*, sueños, pesadillas y síntomas físicos, o por medio de emociones repentinas que parecen extremas y desligadas del momento actual. La peligrosidad que los protectores vean en los exiliados determinará la rigidez de los directivos y la severidad de los bomberos.

PROTECTORES EXILIADOS

Además de exiliar a partes vulnerables, los directivos muchas veces exilian a otros protectores, sobre todo a los asertivos y furiosos que han amenazado a poderosos miembros de la familia. También exilian cualidades que no son aceptables en la cultura de una familia determinada, con lo que la vitalidad y la sexualidad son víctimas frecuentes. Y los directivos a menudo encierran a los bomberos extremos que empujan impulsos adictivos, suicidas o agresivos. Para distinguir a esas partes de los exiliados vulnerables y heridos, las llamamos *protectores exiliados*. Tanto en el caso de los exiliados como en el de los protectores exiliados, lo único que consigue el exilio es que la parte se vuelva más extrema.

NUEVOS ROLES PARA LAS PARTES

En cuanto las partes vulnerables tienen ocasión de descargarse, vuelven a su estado valioso por naturaleza, que incluye cualidades como la vitalidad, la jovialidad, la inocencia y la creatividad. Al liberarlos, los protectores son a su vez libres de escoger nuevos roles, que son frecuentemente opuestos a los que desempeñaban. Por ejemplo, un crítico puede volverse un animador interno, y una parte que antes llevaba al cliente a aislarse socialmente puede alentarle a tener más actividad social. A veces también nos encontramos con exiliados a los que, aun sin tener cargas, se los exilió para protegerlos en momentos traumáticos, debido a su inocencia, energía, curiosidad o asertividad. Recuperarlos es siempre una alegría.

SALUD Y ENFERMEDAD

Exiliar partes es privarse de recursos valiosos y crear las condiciones para que aparezcan afecciones psíquicas y físicas. Sofocar los incendios emocionales de nivel cinco o contenerlos a perpetuidad consume las energías de la familia interna. Por si eso fuera poco, las partes exiliadas pueden vengarse en el cuerpo y envenenar poco a poco (o a veces rápido) el sistema interno. La abundante literatura que relaciona episodios dolorosos de la niñez con síndromes médicos (p. ej., los estudios ACE, ver capítulo 5) no sorprenderán a los terapeutas expertos en el trauma. Al igual que, en alemán, *pleno* es una palabra derivada de *salud*, en la IFS usamos la palabra *pleno* para designar la *plenitud*. Bajo nuestro punto de vista, exiliar a determinadas partes nos hace sentir desfragmentados y enfermos. Básicamente, el sistema interno está sano y pleno cuando todas las partes se sienten aceptadas, han soltado sus cargas, se sienten conectadas entre sí y con el Self y han adoptado roles adecuados a sus talentos.

Los médicos especializados en el trastorno de identidad disociativo (DID) forjaron su opinión sobre la integración de las partes partiendo de la base de que las partes, a las que denominaban *alter*, eran una consecuencia patológica del trauma. Para ellos, una mente sana era unitaria. Por consiguiente, una terapia eficaz llevaría a la desaparición de las partes (que identificaban con la sensación de fragmentación del cliente). La IFS sostiene lo contrario. Una vez que el Self recupera partes de los lejanos confines de la polarización extrema y el exilio, sus interacciones se vuelven más equilibradas y sus relaciones se armonizan. Una vez que nuestras partes dejan de ser extremas, nos sentimos más unificados –porque lo estamos–, pero seguimos teniendo partes. Dan Siegel (2018) habla de vincular elementos de la psique antes desconectados de un modo que atañe a la IFS. En un taller que yo (R.C.S.) codirigí con Dan, éste comentó un vídeo de mi trabajo identificando muchas maneras en las que el cerebro y el sistema nervioso del cliente se integraban durante una sesión de IFS.

A VECES, LOS DIRECTIVOS RECURREN A COMPORTAMIENTOS MÁS PROPIOS DE LOS BOMBEROS

Los directivos son preventivos por lo que respecta a los exiliados. Cuando las tácticas directivas más habituales (p. ej., la crítica, el perfeccionismo, el esfuerzo) no bastan para prevenir que los sentimientos de los exiliados se hagan conscientes, los directivos pueden adoptar tácticas más propias de los bomberos, como la disociación, el consumo de sustancias y la rabia. Y así, los directivos pueden poner en práctica preventivamente actividades del género que solemos asociar a los bomberos reactivos. Imagínate a quien se atraca de alcohol siempre que se siente herido, pero descubre que nunca se siente herido si se mantiene siempre bebido.

UNA JERARQUÍA DE OPCIONES PARA LOS BOMBEROS

Los bomberos cuentan con una jerarquía de actividades. Cuando la del último lugar de la lista no funciona, pasan a la siguiente opción más potente. Y si ésa tampoco funciona, ponen en práctica la siguiente. Para la mayoría de nosotros, el suicidio está en lo alto de la jerarquía. Con su promesa de escapatoria y alivio completos, puede ser un gran consuelo para algunas partes.

NO ES NECESARIO ENSEÑAR HABILIDADES DE ENRAIZADO NI DE REGULACIÓN DE AFECTOS

Si no supiéramos que los exiliados son capaces de imprimir sus sentimientos en el cuerpo, tendríamos que emplear habilidades de enraizado, regulación de afectos y de comportamiento, como se hace en casi todos los demás modelos de terapia del trauma. Sin embargo, esas prácticas tienen inconvenientes. En primer lugar, tienden a ser muy laboriosas; en segundo lugar, pueden fomentar la resistencia si una parte siente que le están diciendo que se marche, lo que incluye a los protectores (que distraen, disocian, deprimen, etc.) y a los exiliados (que abruman al cliente con su pánico o dolor). Si, por ejemplo, le decimos a un cliente que empieza a disociar que nos mire a los ojos y sienta los pies en el suelo, le estamos alentando a obviar a su parte disociativa, cuyo propósito es protector. Es probable que esa parte reaccione aumentando su nivel de actividad o apostando por la siguiente opción de la jerarquía de distracciones.

Para nosotros es imprescindible tratar a los protectores con respeto e invitarlos a participar. No conviene ignorarlos ni ahuyentarlos. Cuando los clientes de pronto empiezan a disociar, pedimos permiso para hablar directamente con la parte disociativa, para luego inquirir a la parte por qué ha tomado el control. Después de escuchar, explicamos que podríamos hacer frente a sus inquietudes pidiendo al exiliado al que protege que reduzca sus sentimientos en el cuerpo. Por último, le pedimos a la parte disociativa que vuelva a calmarse. Si confía en el terapeuta, el cliente se estabilizará de inmediato y el exiliado podrá volver a ser el centro de atención. En caso de que la parte disociativa siga recelosa, nos quedamos con ella hasta que confíe lo suficiente como para probar algo nuevo. Si seguimos el mismo procedimiento de enraizado con un cliente que llora de pánico, probablemente el exiliado que ha tomado las riendas entenderá un mensaje que conoce demasiado bien: vete. Así que negociamos con los exiliados que abruman al cliente pidiéndoles que se queden y explicándoles que el mejor modo de hacerlo es bajar la intensidad con que vierten sus sentimientos en el cuerpo.

EL SELF CUENTA CON UNA AMPLIA VENTANA DE TOLERANCIA

Otra de las leyes del mundo interno es que el Self puede manejar las intensas emociones de los exiliados. Sin embargo, los protectores no se lo creen, así que muchas veces interfieren cuando el cliente trata de acceder a un exiliado o quedarse con él. Hemos encontrado diversas formas de mostrar a los protectores que las emociones exiliadas no sobrepasarán al Self. Una es dejarles claro que el Self puede pedir al exiliado que no atosigue, y que puede creerse en su palabra una vez que accede. Ante ello, los protectores casi siempre están dispuestos a cejar en su empeño, puesto que saben que los exiliados son capaces de diferenciarse, y al demostrar el terapeuta que también es conocedor de esta ley, la confianza de los protectores aumenta. Aun así, en ocasiones un exiliado insistirá en seguir abrumando por temor a que lo vuelvan a encerrar si deja de insistir tanto. Según nuestra experiencia, en cuanto se convence de que la diferenciación será realmente de ayuda, colaborará.

Al tener el Self semejante inmensa «ventana de tolerancia», como escribió Dan Siegel (1999), si un cliente dice temer los sentimientos de un exiliado, sabemos que ese temor procede de una parte a la que debemos sosegar. Podemos hacerlo ayudando a la parte a conocer al Self del cliente y, entretanto, ir poniendo a esa parte al día de la noticia de que el cliente ya no es un niño. En cuanto el Self del cliente está claramente presente con el exiliado, el terapeuta puede relajarse respecto de la amenaza de que el exiliado resulte abrumador. Al preguntarle, el cliente liderado por el Self que parece sobrepasado, sobre todo durante la presenciación, dirá que se siente bien, y no tendrá inconveniente en quedarse con la parte, independientemente de la intensidad de los sentimientos de esa parte. Cuando el Self está presente, tanto protectores como exiliados aprenden enseguida que el cliente puede lidiar con todo. El sistema interno precisa una nueva visión de la emoción, cosa que obtiene con el Self.

LAS PARTES Y EL CUERPO

Las partes pueden afectar al cuerpo. La película *Del revés* (2015) representa las emociones como personajes internos que pulsan botones del panel de control de la mente en momentos estratégicos, lo que provoca que las personas se atraganten o tengan dolor de cabeza. Es un retrato certero. Efectivamente, la biología proporciona botones internos que las partes pueden pulsar para influir en nuestro comportamiento. Por ejemplo, si tenemos predisposición genética a determinadas dolencias, las partes pueden pulsar ese botón cuando sientan necesidad de hacerlo. Y viceversa: las partes también pueden verse afectadas por la biología del cuerpo. La privación del sueño, la ingestión de determinados alimentos o la falta de ejercicio pueden hacer sentir fatal a nuestras partes, lo que las expone a actuar de modos extremos y abrumar emocionalmente. Pese a todo, las partes tienen el poder de dejar de crear o intensificar el curso de algunas enfermedades y, según nuestra experiencia, están dispuestas a hacerlo cuando se convencen de que la colaboración les dará voz.

SISTEMAS ANIDADOS

Mi labor con supervivientes de traumas, incluido un gran número de clientes con diagnóstico de DID, me ha brindado muchas ocasiones de recurrir al acceso directo con una parte individual durante varias sesiones. Como estas partes hablaban de sus partes igual que nosotros hablamos de nuestras partes, comencé a encaminar a las partes a hablar con sus subpartes. Entonces descubrí que las partes y subpartes tienen un Self. Al parecer, todo nivel sistémico es isomorfo y se encuentra anidado en un sistema mayor. En consecuencia, los cambios en un nivel repercuten en los niveles que hay por encima y por debajo. Estos hallazgos me llevaron a empezar a pensar en términos de fractales, o estructuras donde una pauta similar se repite a distintos niveles. La naturaleza está llena de fractales: al observar desde la distancia, vemos patrones parecidos en redes fluviales, cordilleras, litorales, rayos y árboles; al acercarnos más, encontramos fractales en las piñas, los brécoles, las hojas, los copos de nieve y muchos otros fenómenos naturales. Sorprendentemente, la mente también parece contener el patrón reiterado de un Self más partes y subpartes, que a su vez tienen sus propias subpartes, etc., todos los cuales interactúan al igual que los humanos en familias, vecindarios y países. Se diría que a la naturaleza le encantan los fractales.

TRAUMA Y TIEMPO

El trauma deja a las partes congeladas en el tiempo. Aunque los neurocientíficos han descubierto en las últimas décadas que la mente humana se define como una propensión compleja a ir y venir por el tiempo, el trauma parece interrumpir la secuencia de este proceso. Nuestras partes exiliadas y traumatizadas, así como sus protectores, siguen viviendo en épocas inquietantes o peligrosas del pasado. Esta extraña existencia los deja aislados y cargados con visiones e ideas extremas. Al preguntar a los protectores qué edad creen que tenemos, suelen responder la edad en la que sucedió el trauma, momento en el que adquirieron un rol protector. Resumiendo, los protectores nos creen jóvenes y vulnerables. Al igual que las partes a las que protegen, los protectores no viven del todo en el presente. Al saber que ahora somos mayores y más fuertes, su alivio es inmenso, aunque también pueden temer por su existencia y necesitan que los tranquilicen. El trauma interrumpe la secuencia temporal natural en la mente, y por ello nuestras experiencias internas y externas van cada una por su lado. En su búsqueda podemos saltarnos décadas y trasladarnos directamente a los episodios traumáticos. Podemos adentrarnos en esas escenas para ayudar y proteger a una parte a la que están hiriendo. También podría ser que cambiáramos el pasado en el mundo interno. Eso no significa negar, olvidar ni distorsionar el recuerdo de lo que ocurrió. De hecho, a menudo los recuerdos adquieren mayor claridad. Sin embargo, las partes pueden desarrollar una nueva experiencia de los traumas pasados. Eso es una muy buena noticia: para los protectores que han estado intentando que el cliente viviera como si aquello nunca hubiese pasado, mediante la negación o la minimización del pasado, y también para los exiliados atascados fuera del curso del tiempo. Tras la reescritura y la recuperación, los hechos traumáticos ya no tienen el mismo peso. Y nos parece probable que este proceso altere tanto el cerebro como la mente (Anderson, Sweezy y Schwartz, 2017).

POLARIZACIONES

El Self del niño no está capacitado para proteger el sistema interno. No tiene acceso a un cerebro ni a un cuerpo adultos, ni puede sobrevivir sin que lo cuiden los adultos. De ahí que las partes se vean a menudo obligadas a adoptar roles extremos en la infancia y dejen de confiar en el Self. Al igual que los niños parentalizados en las familias externas, los directivos que no están dotados emocional ni cognitivamente para regir la vida de un niño se dedican a arrear al pequeño, abochornándolo incesantemente para que se comporte como ellos creen que estará a salvo; y eso, naturalmente, activa a los exiliados. Como respuesta, los bomberos se rebelan y distraen con distintos desmanes impulsivos que enloquecen a esos directivos controladores. Y vuelta a empezar. Como los padres de un niño muy vulnerable, los protectores enfrentados pueden intensificarse rápidamente al adoptar posturas polarizadas con respecto a cómo contener el dolor de los exiliados. Al sumárseles personas externas, que también abochornan al cliente por el comportamiento de los bomberos y avasallan de nuevo a los exiliados, observamos que la ofensiva de un protector engendra resistencia y extremismo en los demás, dentro y fuera.

LA SECUENCIA NECESARIA PARA LA SANACIÓN

Por lo general, en la IFS seguimos una secuencia determinada hasta llegar a la descarga, dado que los protectores de ambos extremos de una polaridad entre protectores se mantendrán en sus roles hasta estar convencidos de dos cosas: la primera, que el protector polarizado del que tienen miedo se ha apaciguado y la segunda, que la parte vulnerable que protegen ha sanado. Los países y las psiques que no tienen oportunidad de seguir esta secuencia corren un riesgo elevado de quedarse sumidos en el conflicto. Las personas no cambian a base de fuerza de voluntad. Si se los presiona, los protectores dan por hecho (a menudo con razón) que quien los presiona no tiene la menor idea de lo que pasaría si dejaran de comportarse así. Por lo tanto, en vez de pedir a los protectores que cambien, los respetamos y buscamos su permiso para ayudar a las partes vulnerables. Largos años de experiencia nos han enseñado que en realidad los bomberos anhelan cambiar cuando creen que no entraña riesgos. Lo que nosotros planteamos es que los sistemas tienen necesidades. Algunas partes necesitan atención antes que otras. Si mantenemos una actitud curiosa y flexible, atentos a la dirección de esas necesidades, éstas se revelarán. Entonces podremos aconsejar y encaminar al cliente para acceder a los recursos que satisfagan esas necesidades.

PROTECTORES CARGADOS

Las partes protectoras pueden tornarse extremas porque, al igual que los exiliados, llevan la carga de creencias, emociones y energías heredadas que han ordenado su experiencia y gobernado sus acciones. Todas las partes implicadas en un problema –tanto protectores como exiliados– necesitan soltar sus cargas. Eso no significa que no alberguemos también partes sin cargas. Es que no las notamos, casi siempre porque ocupan roles valiosos y armoniosos. Por consiguiente, no destacan y no necesitan que las recuperen ni las despojen de cargas.

TIPOS DE CARGAS

Como ya hemos dicho antes, las cargas se dividen en dos categorías. O bien se derivan de la experiencia directa –las llamamos *cargas personales*– o bien se asimilan en forma de creencias y emociones que se heredan en familias, grupos étnicos y culturas, y éstas son las *cargas por legado*. Si bien las partes pueden creer que ellas son sus cargas, les cuesta poco identificar una carga que está en el cuerpo o en torno a él, y saben distinguir las cargas personales de las cargas por legado.

Además, las partes pueden decidir expulsar una carga del sistema. En términos generales, lo esencial para una descarga es la voluntad de la parte enfocada de soltar la carga. Hay partes que saben exactamente cómo quieren soltarla. Si no es así, echamos mano de las tradiciones chamánicas y proponemos ofrecer la carga a la luz, la tierra, el aire, el agua o el fuego. En ocasiones la carga no se va, aunque la parte esté lista, lo que indica que puede haber otra parte bloqueando el proceso por alguna razón. Las objeciones serias aportan información decisiva sobre temas inconclusos, así que nos ocupamos de las inquietudes de la parte bloqueante y obtenemos su permiso antes de emprender la descarga.

EL PROCESO DE DESCARGA

Todo cuanto rodea una descarga es negociable. Por ejemplo, si una parte es reacia a expulsar una carga del sistema, basta con que deje la carga en una caja con tapa en el mundo interno y la guarde, con la posibilidad de devolverla al cuerpo en cualquier momento. Es frecuente que las partes prefieran guardar sus cargas si la presenciación se da en varias sesiones. También pueden descargarse parcialmente mientras pasan por el proceso de presenciación, y expulsar las cargas por porcentajes, en vez de por entero. Casi todas las partes acaban por querer desprenderse de sus cargas, y en cuanto una carga se ha expulsado del sistema y su energía tóxica se ha liberado para reciclarse, su influencia desaparece. Dado que las partes a menudo llevan múltiples cargas y parecen saber cuáles son y cuáles no son suyas, nos aseguramos antes de acabar, preguntando a la parte si lleva a cuestas algo más que no le pertenezca.

CUANDO LA DESCARGA FRACASA

Las cargas pueden regresar tras la descarga. Normalmente lo hacen por una de estas razones: (1) la parte no se presenció por completo; (2) la parte se sintió abandonada por el Self en los días posteriores a la descarga; (3) los protectores se inquietaron por la descarga y trajeron de vuelta la carga; (4) puede que otras partes lleven la misma carga y también necesiten que se las presencie y descargue; (5) algo alarmante ocurrió poco después de la descarga y la parte quiso regresar a lo que conocía, o bien otras partes atribuyeron el susto a la descarga y trajeron de vuelta la carga; o (6) una carga por legado sigue ahí, adquirida de uno o más antepasados. Si una carga vuelve, es probable que los protectores se desanimen y disuadan de la posibilidad de volver a descargarla. Respondemos asegurando a todos los habitantes del mundo interno que esas cosas suceden y que ahora tenemos ocasión de hacer una contribución importante al proceso de descarga.

DESPUÉS DE LA DESCARGA

Las partes que se descargan casi siempre se sienten más ligeras y desahogadas. Es más, los clientes notan que su Self tiene más espacio para expandirse dentro del cuerpo. Como las cargas desplazan cualidades valiosas y bloquean las virtudes, después de una descarga encaminamos a las partes a invitar al cuerpo a cualquier cosa que necesiten para avanzar. Sin ninguna pista sobre lo que puede faltarles, los clientes suelen invitar cualidades y atributos como el valor y la jovialidad, así como estados emocionales como la compasión y el amor. Cuando éstos empiezan a circular en el interior, la parte se siente plena, robusta y viva, todo lo cual la vuelve menos vulnerable a volver a cargarse en el futuro.

SOLTAR UNA CARGA POR LEGADO

Es frecuente que las partes protectoras quieran soltar una carga por legado en cuanto se dan cuenta de que fue heredada y no se deriva de la experiencia personal del cliente. En cambio, las partes cargadas a raíz de experiencias personales suelen necesitar que el Self presencie sus experiencias y los recupere del pasado. Por lo general, el principal escollo para que el sistema interno del cliente esté listo para soltar una carga por legado es la lealtad a un miembro de la familia o a un grupo étnico. El Self del cliente puede abordar cualesquiera miedos de apariencia distorsionada y extrema, explicando lo que de verdad está ahora en juego.

UN CONCEPTO RADICAL DE QUIÉNES SOMOS

El Self es invulnerable y no necesita desarrollarse. Se trata de un concepto radical en psicología, pero lo corroboran a diario los terapeutas que emplean la IFS, hasta con niños pequeños. Cuando se separan suficientes partes, niños y adultos, también quienes han sufrido traumas horribles, manifestarán cualidades del Self del todo desarrolladas, que inmediatamente demostrarán su sabiduría sobre cómo nutrir a sus partes. La única excepción con que me (R. C. S.) he encontrado era en personas con graves daños cerebrales. Al parecer, el Self necesita determinada cantidad de *hardware* para manifestarse plenamente. Así que el Self siempre está disponible, justo por debajo o por detrás de los protectores, aunque éstos lo nieguen.

Dicho esto, para ser una presencia reconfortante y sanadora, el Self requiere cierto grado de acceso al cerebro, el corazón y otros órganos esenciales.

Cuando los protectores anulan el acceso al Self o lo echan del cuerpo, tendemos a sentirnos disociados, frágiles y vacíos. La capacidad de las partes para incapacitar al Self no se me antoja particularmente adaptativa, pero sí parece ser una de las leyes de la física interna. Los protectores sólo permiten que el Self vuelva a encarnarse cuando se sienten a salvo. Pueden mostrarse disciplinarios si un cliente logra encarnar el Self sin permiso y mediante, por ejemplo, la meditación o las habilidades de enraizado. Con una sola excepción, lo mejor para devolver al Self al cuerpo es siempre pedir permiso a los protectores, de modo que aquello que les preocupa pueda abordarse de un modo proactivo.

Que yo sepa, la única excepción a esta ley interna tiene que ver con la droga MDMA, utilizada en algunos estudios recientes sobre el TEPT en veteranos de guerra y otras personas traumatizadas. El MDMA se conoce con el nombre popular de *éxtasis*, pero las drogas ilícitas, que pueden adulterarse hasta el infinito o recibir mil nombres equivocados, guardan poca relación con el MDMA empleado en estos estudios (ver capítulo 19). He visto vídeos de varias sesiones dirigidas por Michael y Annie Mithoefer, ambos terapeutas de IFS, que muestran el acceso de los sujetos a una gran cantidad de Self a gran velocidad, así como la sanación espontánea de las partes. (Para más información sobre su trabajo, ver el sitio web de la Multidisciplinary Association for Psychedelic Studies (MAPS), https://maps.org/ about.). Su acceso aumentado al Self parece tranquilizar y transformar enseguida a los protectores. Pese a que el MDMA parece proteger notablemente de las reacciones violentas, los terapeutas de los estudios sobre el MDMA también toman la precaución de pedir permiso a los protectores antes de abordar a los exiliados.

EL SELF CURA

Las relaciones internas y externas mejoran una vez que hay suficiente Self presente. Aparte de las cualidades de las ocho palabras con C (*curiosidad, calma, claridad, conexión, confianza, coraje, creatividad* y *compasión*), el Self sabe por naturaleza relacionarse con las partes y las personas de modo que se sientan visibles, acogidas, nutridas, protegidas y, cuando es necesario, contenidas o cuestionadas desde el afecto. Las partes, como los niños de distintas edades y temperamentos, tienen distintas necesidades. Al igual que un buen progenitor en sintonía, el Self parece saber lo que cada parte necesita. Las intervenciones que se le ocurren al Self son a menudo mucho mejores que cualquier cosa que haya formulado el terapeuta. Cuando se presencia a un exiliado y el cliente dice «Pero no sé cómo ayudar», nos limitamos a pedirle a esa parte que se haga a un lado para que pueda intervenir el Self.

Al igual que un adulto nutricio puede convertirse en una buena figura de apego para un niño asilvestrado, el Self se convierte en una buena figura de apego para los protectores y exiliados del cliente. Ahora bien, hay una diferencia fundamental. Los nuevos apegos seguros parecen darse mucho antes en el mundo interno que en el exterior. En cuanto el Self ofrece amor, hasta las partes más recelosas suelen acudir al cabo de un par de sesiones. Además, la parte desarrollará una confianza firme y segura si el Self sigue ahí a diario durante el mes posterior a la descarga. Compáralo con un niño con apego evitativo que precisa años para establecer apegos seguros con personas externas. Ocuparse de las necesidades de apego genera este progreso más acelerado.

En cuanto las partes abren espacio interno, el Self también emana energía. Hay quienes sienten esta energía como una especie de arremetida vibrante y palpitante que les recorre el cuerpo. Puede que se trate del mismo fenómeno que el *prana* o el *qi*, que son los nombres que recibe la energía sanadora en las prácticas espirituales orientales. Los clientes que experimentan la energía del Self pueden aprender a dirigirla a sus partes y a otras personas; los terapeutas pueden hacerlo con los clientes; y todos podemos aprender a dirigir la energía del Self en nuestra vida diaria. La energía del Self protege. Con suficiente energía del Self en el cuerpo, las cargas no pueden penetrar su terreno para apegarse a las partes. Practicar a diario el acceso a la energía del Self y su permanencia en el cuerpo es hacer acopio de protección para momentos de estrés.

Encarnar al Self es para muchos una experiencia multimodal. Para evaluar mi nivel de Self, puedo comprobar una serie de percepciones y sensaciones. Por ejemplo, cuando mi Self está encarnado, me resuena más la voz y hablo con una cadencia relajada. También puedo pasar revista a mi corazón. Si me concentro en mi pecho sé de inmediato si tengo el corazón abierto. Es más: como sé que mi Self no presiona, enseguida me doy cuenta de si me estoy ciñendo a algún plan preconcebido. Por último, también he aprendido a detectar las vibraciones de energía del Self en el cuerpo para medir la cantidad de Self que me recorre. Hay quienes han perfeccionado otros sistemas para de evaluación de la encarnación del Self, como la profundidad de la respiración, la tensión muscular, la claridad de visión y la amplitud mental. Para mí, sin embargo, los cuatro primeros sistemas resultan ágiles y fiables.

Mi planteamiento es que la experiencia de encarnar al Self nos da pistas para calibrar nuestro nivel de energía del Self, que podemos emplear para pasar revista durante la jornada y en las sesiones de terapia. Asimismo, podemos reparar en las manifestaciones físicas típicas de nuestros protectores dominantes para controlar su nivel de activación. Por ejemplo, por nombrar un par de las mías, yo tengo una parte que me presiona en la frente y otra que se manifiesta como un gran peso sobre los hombros. Cuando me doy cuenta de que no estoy encarnado, localizo a la parte que se ha mezclado y le pido que abra más espacio.

QUÉ PUEDE HACER EL SELF EN EL INTERIOR

Ten presente que el contagio emocional es como una calle de doble sentido. La energía del Self es contagiosa, y también lo son los sentimientos y actitudes de las partes. Cuando estamos con alguien que se halla mezclado con una parte extrema, nos exponemos a volvernos también extremos. Si nuestras partes están al mando, se activará cualquier parte que tenga un extremismo similar, junto con cualesquiera partes polarizadas. Si nuestra parte extrema toma el control en el interior, nos identificaremos con la otra persona; pero si nuestra parte polarizada se hace con el timón, criticaremos o castigaremos a la otra persona. Aquí la consigna que cuenta es que el extremismo que hay en ti activa el extremismo que hay en mí, y viceversa.

Paralelamente, la energía del Self también es contagiosa. Cuando un terapeuta liderado por el Self aborda a un cliente, el Self del cliente —y el de las partes del cliente— se activa. Al igual que un diapasón, el Self vibrante de un sistema pone en marcha el Self en todos los sistemas próximos, porque los Selves individuales están conectados con el Self en todas partes. Eso explica por qué los grupos pueden ser agentes sanadores tan eficaces. Cada miembro multiplica la energía del Self de todo el grupo y eleva el nivel de energía del Self en la estancia. Es una de las razones por las que damos prioridad al acceso al Self de los terapeutas.

No olvides tampoco que el Self puede manejar todo cuanto haya en el mundo interno. Cuando los supervivientes de traumas se enfrentan a una parte muy temible, a menudo les digo: «Nada del interior tiene poder sobre ti si no tienes miedo, y tu Self no tendrá miedo». En las décadas que llevo dedicándome a la IFS, esta ley decisiva jamás se ha quebrantado, y me he encontrado con muchas partes temibles que adoptan comportamientos desagradables. Como resultado, partes aparentemente omnipotentes y peligrosas se vuelven asequibles y puede descargárselas de sus cometidos cuando están listas. No dejo de asombrarme siempre que veo a uno de esos monstruos internos desvanecerse y transformarse en presencia de la energía del Self.

El Self es la sede de la consciencia, nuestra base de la existencia. El Self es el yo que existe cuando todas mis partes abren espacio al separarse. De ahí que no pueda ver a mi Self. Somos muchos los que vemos imágenes de nuestras partes en el mundo interno; ahora bien, cuando creemos que estamos viendo al Self, en realidad lo que estamos viendo es una parte que interviene en nombre del Self, porque el Self es quien ve. Muchas tradiciones espirituales enseñan a alcanzar la iluminación simplemente con dejar de identificarse con las partes y sus cargas, pasar a conocer la propia esencia (el Self) y vivir con el Self al frente. Las partes pueden igualmente tomar el control, pero sólo lo hacen con el permiso (o al menos el conocimiento) del Self.

Lo que queremos subrayar del liderazgo del Self es que puede llegar el momento en que mezclarse ya no sea automático; y que, cuando ocurra, la diferenciación será únicamente parcial, porque el Self seguirá ahí y podrá tomar las riendas de nuevo en cualquier momento. Llegados a ese punto, si un protector toma el control sin permiso, el Self puede disculparse y arreglar las cosas con quien quiera que haya sufrido daño u ofensa (ya sean partes o personas). Entonces el Self puede servirse de esa reactividad automática como puerta de entrada para descubrir al exiliado que aún necesita que lo sanen. Desde este punto de vista, agradecemos que sucedan cosas que nos hagan sentirnos atacados, porque conducen a más sanación. Asimismo, podemos emplear las relaciones con las personas que siguen activando a nuestras partes para encontrar a nuestros exiliados y sanarlos. Esas personas, a las que denominamos *atormentadores*, al activar nuestras partes, nos llevan a una sanación más profunda.

Tanto en el mundo interno como en el externo, el Self entra en acción para combatir y remediar el desequilibrio y la injusticia. Basándonos en la claridad, el aplomo y el coraje del liderazgo del Self, pasamos de la negación de nuestros protectores a una visión clara de la injusticia, y tenemos el aplomo para hablar y el coraje para actuar con calma en pos del cambio. Entretanto, sentimos compasión en vez de desdén por quienes cometen injusticias, porque, aunque actúan movidos por sus cargas, sabemos que están conectados con nosotros al nivel del Self. Con el tiempo he aprendido a decir que en la agenda del Self no hay planes ocultos: desea equilibrio, armonía, conexión y sanación para todos los niveles de todos los sistemas. Ahora bien, el Self no está apegado a hacer realidad esas cosas. El Self ve el panorama en su totalidad y, además de practicar la paciencia y la persistencia, así como con las ocho palabras con C, actúa con jovialidad y desapego.

SIMILITUDES ENTRE EL ESPACIO INTERNO Y EL EXTERNO

Al cabo de un viaje de 35 años por incontables mundos internos, se me (R. C. S.) ha despertado una enorme curiosidad por las similitudes, así como las diferencias, entre nuestro espacio interno y nuestro mundo externo. Hasta ahora me he centrado principalmente en las diferencias, así que ahora mencionaré algunas similitudes. La primera es que las partes son como personas. Tienen cuerpo, edad, virtudes, deseos y temperamentos. Después de un trauma, se organizan de un modo muy parecido al de las familias externas traumatizadas: a algunas partes se las convierte en cabeza de turco y se las exilia, mientras que otras se parentalizan y ejercen de protectoras. En todos los niveles de sistemas humanos traumatizados hay exiliados y protectores. Como en las familias externas, en el mundo interno pueden abundar las polarizaciones y el liderazgo puede verse amenazado. Las partes heridas y exiliadas anhelan que las presencien (que las comprendan y legitimen) y las readmitan como ciudadanos internos valiosos, al igual que las personas heridas que han sido objeto de rechazo. Cuando eso no sucede, los exiliados del espacio interno y externo pueden derrumbarse, presas de la desesperación, o intentar dar un golpe de Estado.

Entretanto, los protectores sobrecargados de ambos niveles pueden perder la confianza en el liderazgo, y volverse rígidos y extremos, aunque odien esos roles. Los protectores ansían que los liberen, quieran y acepten, dentro y fuera, para poder recobrar la existencia a la que están destinados. Y, por suerte, esto es posible tanto para las partes como para las personas, porque todo el mundo alberga un Self, que sabe cómo sanarle y enderezar sus relaciones. Cuando las partes o las personas de cualquier nivel sistémico confían en su capacidad de abrir espacio sin riesgos, el Self aparece de inmediato. Por consiguiente, en la IFS podemos aplicar los mismos conceptos y técnicas en los mundos interno y externo.

CONCLUSIÓN

Muchos científicos estudian cómo interactuar con los sistemas externos teniendo en cuenta la ecología de éstos. Ése es el enfoque que acabé adoptando con el mundo interno. Aprendí sus leyes y descubrí cómo favorecer la transformación con sensibilidad ecológica. Ha sido un viaje fascinante, asombroso, sagrado y muchas veces literalmente increíble. Si de algo estoy orgulloso es de no haber dejado de ser un buen científico, convencido a la larga de lo que las partes de los clientes me enseñaban y sin dejar de confiar en la información sobre las ideas preconcebidas occidentales sobre la mente, que tan a menudo nos llevan a ignorar la experiencia subjetiva. En cuanto nos tomamos en serio el espacio interno, respetando a sus habitantes y leyes, aprendemos que la psique tiene la sabiduría para sanarse y para sanar el mundo relacional que creamos en el exterior.

Nuestra sabiduría sanadora reside en el Self. Actualmente, la IFS coincide con pensadores visionarios de todo el globo que hacen hincapié en la conexión y la compasión. La IFS brinda una ruta práctica y concreta en pos de la compasión, que ya se está adaptando a muchos ámbitos, incluyendo la educación, la espiritualidad, la mediación y la resolución de conflictos, el *coaching* y la medicina. En el mundo psicoterapéutico, la IFS ofrece un paradigma radical de conocimiento y tratamiento de dolencias que era más habitual considerar como síntomas de patologías graves. El hecho de que todos tengamos un

Self, al cual podemos acceder en cuanto dejamos de atacar a nuestras partes y empezamos a quererlas, tiene el potencial de cambiarlo todo. Una vez que somos capaces de querer a nuestras partes, también nos relacionamos con amor con quienes se parecen a nuestras partes. En este libro te invitamos a unirte a nuestro proyecto de aportar más Self al planeta.

Glosario de términos

Acceso directo: Enfoque alternativo a la comunicación interna. Cuando un protector no quiere diferenciarse, el terapeuta habla directamente con las partes del cliente. En el acceso directo, nos podemos dirigir explícitamente a una parte (p. ej., «¿Puedo hablar directamente con esa parte? Bien, ¿por qué quieres que Abby se atraque de comida?»). O, cuando el cliente rechaza la idea de que haya partes o dice «Esto no es una parte, soy yo», podemos hablar con la parte implícitamente, sin emplear la palabra *parte*. El acceso directo es el método habitual con niños, aunque los hay capaces de utilizar comunicación interna.

Armonía: Estado en el que los miembros de un sistema humano tienen una relación colaborativa, donde se comunican eficazmente, cuidan unos de otros y se sienten conectados.

Bomberos: Partes que reaccionan rápido, con el propósito de calmar a la parte exiliada o de distraer de ella (p. ej., por medio de la disociación, las drogas, la comida), una vez que los sentimientos y creencias se han abierto paso.

Cargas: Las partes llevan cargas a cuestas consistentes en las ideas y estados emocionales extremos derivados de interacciones o episodios estremecedores o humillantes acontecidos en sus cuerpos.

Comunicación interna: Principal método usado con adultos para conocer a las partes y comunicarse con ellas; la comunicación interna requiere que el cliente sea consciente de sus partes (a menudo con la ayuda de experiencias visuales, kinestésicas o auditivas) y que tenga suficiente energía de Self para comunicarse directamente con ellas. Cuando los protectores bloquean la comunicación interna, podemos recurrir al acceso directo.

Descarga: Proceso por el cual una parte exiliada suelta las emociones y creencias dolorosas que llevaba a cuestas; suele conllevar una ofrenda ceremonial, a ojos de la mente, a uno de los elementos. Tras descargarse, la parte invita a cualidades de su elección a acudir y a llenar el espacio que ha quedado al liberar la carga. Suelen escogerse cualidades del Self (enumeradas en la entrada de este glosario correspondiente al *Self*).

Desequilibrio: Estado en el que un miembro (o un grupo) tiene o bien más o bien menos acceso a responsabilidades, influencia y recursos.

Diferenciado: Estado en el que ninguna parte (p. ej., sentimiento, pensamiento, sensación creencia) abruma (se mezcla con) el Self. A menudo se percibe como un desahogo interno, así como una clara cognición.

Directivos: Partes que manejan un sistema buscando minimizar la activación (ansiedad) de sus exiliados.

Energía del Self: Perspectivas y sentimientos que el Self aporta a la relación con las partes.

Entorno limitador: Entorno relacional que impone cargas a sus subsistemas, puesto que se caracteriza por el desequilibrio, las polarizaciones, las sobreimplicaciones y el liderazgo problemático.

Entorno sustentador: Entorno relacional caracterizado por el equilibrio, la armonía y el liderazgo eficaz.

Equilibrio: Estado en el que los miembros del mismo nivel de un sistema humano tienen acceso equitativo a las responsabilidades, los recursos y la influencia que necesitan.

Exiliados: Partes de un sistema que se han visto expulsadas de la consciencia, para protegerlas o para proteger al resto del sistema de sus sentimientos.

Liderado por el Self: Dícese de la persona que tiene acceso al Self y, por lo tanto, cuenta con la capacidad de escuchar, entender y estar presente con las partes, reconociendo y apreciando la importancia de sus funciones en el sistema familiar interno y en la relación con otras personas.

Liderazgo eficaz: Liderazgo que nutre y a la vez fomenta la compasión, la equidad y la perspectiva.

Liderazgo problemático: Estado en el que los líderes de un sistema que han adoptado roles protectores, desde directivos o bomberos hasta padres, madres y figuras públicas, renuncian a la responsabilidad, lideran de un modo sesgado, se polarizan entre ellos o adoptan un comportamiento que los desacredita.

Mezcla: Acción por la cual una parte se hace con el control de la sede de la consciencia de una persona o Self. La mezcla se da en un proceso continuo, de manera que el Self puede seguir presente habiendo cierto grado de mezcla o estar del todo eclipsado cuando la mezcla es completa.

Paradigma de la multiplicidad: Visión conceptual de la mente humana como plural o dividida por naturaleza en multitud de subpersonalidades.

Presenciación: Proceso durante el cual una parte muestra o cuenta al Self del cliente sus vivencias, hasta que se siente comprendida, aceptada y amada y se acepta a sí misma.

Recuperación: Después de que una parte exiliada sea presenciada en la medida en que lo requiera, el Self la saca del pasado y la traslada al presente o a cualquier otro lugar de su elección.

Retroalimentación: Información que un sistema recibe de su entorno.

Self: La sede de la consciencia, que se caracteriza por cualidades como la perspectiva, la presencia, la jovialidad, la persistencia, la curiosidad, la creatividad, la calma, la claridad, los cuidados, la conexión, la confianza y la compasión. El Self es la única entidad interior plenamente equipada para liderar a la familia interna.

Sobreimplicación: Estado en el que dos miembros (o dos grupos) de un sistema son muy interdependientes y reactivos, con poco (o ningún) acceso a sus Selves.

Bibliografía

Ainsworth, M. D. S. (1982). «Attachment: Retrospect and prospect», en C. M. Parkes y J. Stevenson-Hinde (eds.), *The place of attachment in human behavior* (p. 3-30). Nueva York: Basic Books.

American Psychiatric Association (2013). *Diagnostic and statistical manual of mental disorders* (5.ª ed.). Arlington, VA: Author.

Anderson, F. G. (2013). «Who's taking what?»: Connecting neuroscience, psychopharmacology and Internal Family Systems for trauma», en M. Sweezy y E. L. Ziskind (eds.), *Internal Family Systems therapy: New dimensions* (p. 107-126). Nueva York: Routledge.

Anderson, F. G.; Sweezy, M. y Schwartz, R. C. (2017). *Internal Family Systems skills training manual: Trauma-informed treatment for anxiety, depression, PTSD and substance abuse.* [Manual no publicado].

Associated Press. (13 de mayo de 2010). «After 40 years, $1 trillion, US War on Drugs has failed to meet any of its goals. Extraído de www.foxnews.com/ world/2010/05/13/ap-impact-years-trillion-war-drugs-failed-meet-goals. html.

Bateson, G. (1979). *Mind and nature: A necessary unity.* Boston: Dutton Books.

Böckler, A.; Herrmann, L.; Trautwein, F.; Holmes, T. y Singer, T. (2017). «Know thy selves: Learning to understand oneself increases the ability to understand others». *Journal of Cognitive Enhancement*, 1(2), 197-209.

Bowen, M. (1978). *Family therapy in clinical practice.* Nueva York: Jason Aronson.

Bowlby, J. (1988). *A secure base: Parent-child attachment and healthy human development.* Nueva York: Basic Books.

Brazelton, T. B. y Nugent, J. K. (2011). *The Neonatal Behavioral Assessment Scale* [4.ª ed].. Cambridge, Reino Unido: MacKeith Press.

Brown, D. W. y Anda, R. F. (2009). «Adverse childhood experiences: Origins of behaviors that sustain the HIV epidemic». *AIDS*, 23(16), 2231-2233.

Capra, F. y Luisi, P. L. (2014). *The systems view of life: A unifying vision.* Cambridge, Reino Unido: Cambridge University Press.

Carter, E. y McGoldrick, M. (eds.) (1989). *The changing family life cycle: A framework for family therapy* (2.ª ed.). Needham Heights, MA: Allyn & Bacon.

Catanzaro, J. (2016). «IFS and eating disorders: Healing the parts who hide in plain sight», en M. Sweezy y E. L. Ziskind (eds.), *Innovations and elaborations in Internal Family Systems therapy* (p. 49-69). Londres: Routledge.

The compact edition of the Oxford English dictionary. (1971). Londres: Oxford University Press.

Cook, T. H. (1990). *Night secrets.* Nueva York: Mysterious Press.

Corn, D. (29 de julio de 29). «Mitt Romney's incredible 47-percent denial: «Actually, I didn't say that.» *Mother Jones.* Extraído de www.motherjones.com/poli- tics/2013/07/mitt-romney-47-per cent-denial.

Corso, P. S.; Edwards, V. J.; Fang, X. y Mercy, J. A. (2008). «Health-related quality of life among adults who experienced maltreatment during childhood». *American Journal of Public Health*, 98(6), 1094-1100.

Csikszentmihalyi, M. (2008). *Finding flow: The psychology of engagement with everyday life.* Nueva York: Basic Books.

Dawkins, R. (1976). *The selfish gene.* Oxford, Reino Unido: Oxford University Press.

Docter, P. y DelCarmen, R. (dirs.) (2015). *Inside out* [película]. Estados Unidos: Pixar Animation Studios.

Droward, J. (2 de abril de 2016). «The UN's war on drugs is a failure: Is it time for a different approach?». *The Guardian.* Extraído de www.theguardian.com/ world/2016/apr/02/un-war-on-drugs-fai lure-prohibition-united-nations.

Ecker, B.; Ticic, R.; Hulley, L. y Neimeyer, R. A. (2012). *Unlocking the emotional brain: Eliminating symptoms at their roots using memory reconsolidation.* Nueva York: Routledge.

Engert, V., Kok; B., Papassotiriou, I.; Chrousos, G. P. y Singer, T. (2017). «Specific reduction in cortisol stress reactivity after social but not attention-based mental training». *Science Advances,* 3(10). Extraído de https://advances. sciencemag.org/content/3/10/e1700495.

Erpenbeck, J. (2017). *Go, went, gone.* Nueva York: New Directions.

Foundation for Self Leadership (sin fecha). *IFS Adherence Scale.* Extraído de https:// foundationifs.org/media/pdf/IFSAdherence ScaleAugust2014.pdf.

Freud, S. (1961). «The ego and the id», en J. Strachey (ed., y trand.), *The standard edition of the complete psychological works of Sigmund Freud* (vol. 19). Londres: Hogarth Press. [Obra original publicada en 1923).

Geib, P. (2016). «Expanded unburdenings: Relaxing managers and releasing creativity» en M. Sweezy y E. L. Ziskind (eds.), *Innovations and elaborations in Internal Family Systems therapy* (p. 148-163). Nueva York: Routledge.

Greenblatt, S. (13 de junio de 2017). «How St. Augustine invented sex». The New Yorker. Extraído de www.newyorker.com/maga zine/2017/06/19/how-st-augustine-invented-sex.

Haddock, S. A.; Weiler, L. M.; Trump, L. J. y Henry, K. L. (2016). «The efficacy of Internal Family Systems therapy in the treatment of depression among female college students: A pilot study». *Journal of Marital and Family Therapy,* 43(1), 131-144.

Haley, J. (1976). *Problem-solving therapy*. San Francisco: Jossey-Bass.

— (1980). *Leaving home*. Nueva York: McGraw-Hill.

Hannah, B. (1981). *Encounters with the soul: Active imagination as developed by C. G. Jung*. Nueva York: Chiron.

Hawkin, P.; Lovins, A. y Lovins, L. H. (1999). *Natural capitalism: Creating the next industrial revolution*. Nueva York: Hachette.

Herbine-Blank, T.; Kerpelman, D. M. y Sweezy, M. (2016). *Intimacy from the inside out: Courage and compassion in couple therapy*. Nueva York: Routledge.

Herman, J. L. (2015). *Trauma and recovery: The aftermath of violence, from domestic abuse to political terror*. Nueva York: Basic Books.

Hesse, H. (1975) *Steppenwolf*. Berlin: S. Fischer Verlag. [Obra original publicada en 1927].

Hodgdon, H. B.; Gustella-Anderson, F.; Southwell, E.; Hrubec, W. y Schwartz, R. (noviembre de 2017). «Internal Family Systems (IFS) treatment for PTSD and comorbid conditions: A pilot study». Póster presentado en el encuentro anual de la International Society of Traumatic Stress Studies, Chicago, IL.

Ingraham, C. (15 de diciembre de 2017). «U.S. lawmakers redistributing income from poor to rich according to massive new study». *Washington Post*. Extraído de www.washingtonpost.com/news/wonk/wp/2017/12/15/u-s-lawmakers-are-redistributing-income-from-the-poor-to-the-rich-according-to-massive-new-study/?noredirect=onyutm_term=.a0e0640d7030.

Jung, C. G. (1968). *Analytical psychology: Its theory and practice—The Tavistock lectures*. Londres: Routledge & Kegan Paul. [Obra original publicada en 1935]-

— (1969). «Archetypes and the collective unconscious», en G. Adler y R. F. C. Hull (eds.), *The collected works of C. G. Jung* (vol. 9, pt. 1). Princeton, NJ: Princeton University Press.

Kavanagh, D. J.; May, J. y Andrade, J. (2009). «Tests of the elaborated intrusion theory of craving and desire: Features of alcohol craving during treatment for an alcohol disorder». *British Journal of Clinical Psychology*, 48(3), 241-254.

Kelly, L. (2015). *Shift into freedom*. Boulder, CO: Sounds True.

Khazan, O. (16 de octubre de 2018). «Inherited trauma shapes your life». *The Atlantic*. Extraído de www.theatlantic.com/health/archive/2018/10/trauma- inherited-generations/573055.

Krause, P. (2013). «IFS with children and adolescents», en M. Sweezy y E. L. Ziskind (eds.), *Internal Family Systems therapy: New dimensions* (p. 35-54). Nueva York: Routledge.

Krause, P.; Rosenberg, L. y Sweezy, M. (2016). «Getting unstuck», en M. Sweezy y E. L. Ziskind (eds.), *Innovations and elaborations in Internal Family Systems therapy* (pp. 10-28). Nueva York: Routledge.

Kristof, N. (22 de septiembre de 2017). «How to win a war on drugs». *New York Times*. Extraído de www.nytimes.com/2017/09/22/opinion/sunday/portugal- drug-decriminalization.html.

Kurtz, R. (1990). *Body-centered psychotherapy: The Hakomi method*. Mendocino, CA: LifeRhythm.

Landes, L. (20 de junio de 2018). «Millennials want to be rich more than anything». Extraído de www.consumerismcommentary.com/millennials-want-to- be-rich-more-than-anything.

Livingston, J. B. y Gaffney, J. (2013). «IFS and health coaching: A new model of behavior change and medical decision making», en M. Sweezy y E. L. Ziskind (eds.), *Internal Family Systems therapy: New dimensions* (pp. 143-158). Nueva York: Routledge.

Lumma, A.; Böckler, A.; Vrticka, P. y Singer, T. (2017). «Who am I?: Differential effects of three contemplative mental trainings on emotional word use in self-descriptions». *Self and Identity*, 16(5), 607-628.

Makransky, J. (2007). *Awakening through love*. Somerville, MA: Wisdom.

McConnell, S. (2013). «Embodying the internal family», en M. Sweezy y E. L. Ziskind (eds.), *Internal Family Systems therapy: New dimensions* (p. 90-106). Nueva York: Routledge.

Menakem, R. (2017). *My grandmother's hands*. Las Vegas, NV: Central Recovery Press.

Miller, A. (1981). The drama of the gifted child. Nueva York: Basic Books.

Miller, W. (2009). *Everyday Dharma*. Wheaton, IL: Quest Books.

Minuchin, S. (1974). *Families and family therapy*. Cambridge, MA: Harvard University Press.

Minuchin, S.; Rosman, B. L. y Baker, L. (1978). *Psychosomatic families: Anorexia nervosa in context*. Cambridge, MA: Harvard University Press.

Mishra, P. (22 de octubre de 2018). «Gandhi for the post-truth age». *The Nueva Yorker*, p. 82-86. Extraído de www.newyorker.com/ magazine/2018/10/22/ gandhi-for-the-post-truth-age.

Mithoefer, M. (2013). «MDMA-assisted psychotherapy: How different is it from other psychotherapy?» *MAPS Bulletin Special Edition*, 23(1), 10-14. Extraído de www.maps.org/news-letters/v23n1/ v23n1_p10-14.pdf.

Mithoefer, M. C.; Grob, C. S. y Brewerton, T. D. (2016). «Novel psychopharmacological therapies for psychiatric disorders: Psilocybin and MDMA». *Lancet Psychiatry*, 3, 481-488.

Mones, A. G. (2014). *Transforming troubled children, teens, and their families: An Internal Family Systems model for healing*. Nueva York: Routledge.

Newcomb, S. T. (2008). *Pagans in the promised land*. Golden, CO: Fulcrum.

Palmer, P. J. (2004). *A hidden wholeness: The journey toward an undivided life*. San Francisco: Jossey-Bass.

Pastor, M. y Gauvain, J. (2019). *Internal Family Systems Level 1 training manual*. [Manual no publicado].

Pew Research Center. (9 de diciembre de 2015). «The American middle class is losing ground». Extraído de www.pewsocialtrends. org/2015/12/09/the- american-middle-class-is-losing-ground.

Rosenberg, L. G. (2013). «Welcoming all erotic parts: Our reaction to the sexual and using polarities to enhance erotic excitement», en M. Sweezy y E. L. Ziskind (eds.), *Internal Family Systems therapy: New dimensions* (p. 166-185). Nueva York: Routledge.

Rowan, J. (1990). *Subpersonalities: The people inside us.* Londres: Routledge.

Satir, V. (1970). *Self-esteem.* Berkeley, CA: Celestial Arts.

Satir, V. (1972). *Peoplemaking.* Palo Alto, CA: Science & Behavior Books.

Schultz, G. P. y Aspe, P. (22 de noviembre de 2018). «How we can help the migrant caravan». *The Spokesman Review.* Extraído de *www.spokesman.com/stories/2018/nov/24/george-p-shultz-and-pedro-aspe-how-we-can-help-the.*

Schwartz, H. (1986). «Bulimia: Psychoanalytic perspectives». *Journal of the American Psychoanalytic Association,* 34, 439-467.

Schwartz, R. C. (2001). *Introduction to the Internal Family Systems model.* Oak Park, IL: Trailheads.

Schwartz, R. C. (2008). *You are the one you've been waiting for: Bringing courageous love to intimate relationships.* Oak Park, IL: Trailheads.

Schwartz, R. C. (2013). «The therapist-client relationship and the transformative power of Self», en M. Sweezy y E. L. Ziskind (eds.), *Internal Family Systems therapy: New dimensions* (p. 1-23). Nueva York: Routledge.

Schwartz, R. C. (2016). «Dealing with racism: Should we exorcise or embrace our inner bigots?», en M. Sweezy y E. L. Ziskind (eds.), *Innovations and elaborations in Internal Family Systems therapy* (p. 124-132). Nueva York: Routledge.

Schwartz, R. C. y Falconer, R. R. (2017). *Many minds, one self.* Oak Park, IL: Trailheads.

Scott, D. (2016). «Self-led grieving: Transitions, loss and death», en M. Sweezy y E. L. Ziskind (eds.), *Innovations and elaborations in Internal Family Systems therapy* (pp. 90-108). Londres: Routledge.

Shadick, N. A.; Sowell, N. F.; Frits, M. L.; Hoffman, S. M.; Hartz, S. A. y Booth, F. D., [...] Schwartz, R. C. (2013). «A randomized controlled trial of an Internal Family Systems-based psychotherapeutic intervention on outcomes in rheumatoid arthritis: A proof-of-concept study». *Journal of Rheumatology,* 40(11), 1831-1841.

Shakespeare, W. (1974). «Much ado about nothing», en G. B. Evans (ed.), *The Riverside Shakespeare*. Boston: Houghton Mifflin. [Obra original representada aprox. en 1598].

Shaw, J. (mayo-junio de 2019). «Raw and red hot: Could inflammation be the cause of myriad chronic conditions? *Harvard Magazine*. Extraído de www.harvardmagazine.com/2019/05/inflammation-disease-diet.

Siegel, D. J. (2012). *The developing mind: how relationships and the brain interact to shape who we are* (2.ª ed.). Nueva York: Guilford Press.

— (2018). *Aware: The science and practice of presence*. Nueva York: Penguin Random House.

Singer, T. y Klimecki, O. M. (2014). «Empathy and compassion». *Current Biology*, 24(18), R875-R878.

Sinko, A. L. (2016). «Legacy burdens», en M. Sweezy y E. L. Ziskind (eds.), *Innovations and elaborations in Internal Family Systems therapy* (pp. 164-178). Nueva York: Routledge.

Sowell, N. (2013). «The internal family system and adult health: Changing the course of chronic illness», en M. Sweezy y E. L. Ziskind (eds.), *Internal Family Systems therapy: New dimensions* (pp. 127-142). Nueva York: Routledge.

Spiegel, L. (2017). *Internal Family Systems therapy with children*. Nueva York: Routledge.

Stone, H. y Stone, S. (1993). *Embracing your inner critic*. San Francisco: HarperCollins.

Suskind, R. (2006). *The one percent doctrine: Deep inside America's pursuit of its enemies since 9/11*. Nueva York: Simon y Schuster.

Sweezy, M. y Ziskind, E. L. (2013). *Internal Family Systems therapy: New dimensions*. Nueva York: Routledge.

Sweezy, M. y Ziskind, E. L. (2016). *Innovations and elaborations in Internal Family Systems therapy*. Nueva York: Routledge.

Sykes, C. (2016). «An IFS lens on addiction: Compassion for extreme parts», en M. Sweezy y E. L. Ziskind (eds.), *Innovations and elaborations in Internal Family Systems therapy* (pp. 29-48). Nueva York: Routledge.

Watkins, J. G., y Watkins, H. H. (1979). «Ego states and hidden observers». *Journal of Altered States of Consciousness*, 5, 3-18.

Watkins, J. G. y Watkins, H. H. (1997). *Ego states: Theory and therapy*. Nueva York: Norton.

Watzlawick, P.; Weakland, J. y Fisch, R. (1974). *Change: Principles of problem formation and problem resolution*. Nueva York: Jason Aronson.

Wonder, N. (2013). «Treating pornography addiction with IFS», en M. Sweezy y E. L. Ziskind (eds.), *Internal Family Systems therapy: New dimensions* (pp. 159-165). Nueva York: Routledge.

Wylie, M. S. (2010). «As the twig is bent: Understanding the health implications of early life trauma». Extraído de www.balancedweightmanagement.com/As- the-twig-is-bent-ACE%20STUDY.pdf.

Yehuda, R.; Daskalakis, N. P.; Bierer, L. M.; Bader, H. N.; Klengel, T.; Holsboer, F. y Binder, E. B. (2016). «Holocaust exposure induced intergenerational effects on FKBP5 methylation». *Biological Psychiatry*, 80(5), 372-380.

Young, M. D. (1958). *The rise of meritocracy*. Londres: Thames & Hudson.

Zohar, D. (1990). *The quantum self.* Nueva York: Quill/William Morrow.

Índice